《广西壮族自治区壮药质量标准第二卷（2011年版）》

注 释

广西壮族自治区食品药品监督管理局　编著
广西壮族自治区食品药品检验所

下

广西科学技术出版社

品名目次

青天葵　　棵盟朵

Qingtiankui　　　　Go'mbawdog

NERVILIAE FORDII HERBA

【概述】　青天葵，别名天葵、独角天葵、半边伞、独叶莲、独脚莲、珍珠叶、坠千斤、铁帽、磨地沙、小胖药、提心吊胆、铁帽子、山朱子、青莲、芋兰。[1-3]青天葵始载于《岭南采药录》，肖步丹称本品"味甘，性和。治瘰疬，和肉煎汤服或炒食；理痰火咳血，消火疮，水煎服；浸酒治内伤"；《广西中药志》谓其"味甘凉，性寒无毒。利肺止咳，解毒止痛。内服治肺痨，清肺热。咬烂外涂，可解疮毒"；《广西本草选编》称其"润肺止咳，清热解毒。主治肺结核咳嗽，支气管炎，小儿肺炎，疮疖肿痛"；《全国中草药汇编》记载"苦、甘，平。清肺止咳，健脾消积，镇静止痛，清热解毒，散瘀消肿。主治肺结核咳嗽咯血，支气管炎，小儿疳积，小儿肺炎，疮疖肿痛"。《全国中草药汇编》、《中华本草》等大型辞书中对其药用价值、原植物、地理分布等亦有简要记述。青天葵主产于广东、广西、四川、云南等省（区），广西产地主要分布在龙胜、荔浦、南丹、凤山、龙州、靖西、那坡、崇左等地。目前广西的马山、罗城等地已有人工种植。

【来源】　本品为兰科植物毛唇芋兰 *Nervilia fordii*（Hance）Schltr. 的干燥地上部分。

毛唇芋兰为多年生宿根小草本，高10~27 cm，全株光滑无毛。块茎圆球形，直径10~15 cm。叶1枚，在花凋谢后长出，淡绿色，质地较薄，干后带黄色，心状卵形，长5 cm，宽约6 cm，先端急尖，基部心形，边缘波状，具约20条在叶两面隆起的粗脉，两面脉上和脉间均无毛；叶柄长约7 cm。花葶高15~30 cm，下部具3~6枚筒状鞘；总状花序具3~5朵花；花苞片线形，反折，较子房和花梗长；子房椭圆形，长5 mm，棱上具狭翅，具4~5 mm长的花梗；花梗细，常多少下弯；花半张开；萼片和花瓣淡绿色，具紫色脉，近等大，长10~17 mm，宽2~2.5 mm，线状长圆形，先端钝或急尖；唇瓣白色，具紫色脉，倒卵形，长8~13 mm，宽6.5~7 mm，凹陷，内面密生长柔毛，顶部的毛尤为密集成丛，基部楔形，前部3裂；侧裂片三角形，先端急尖，直立，围抱蕊柱；中裂片为横的椭圆形，先端钝；蕊柱长6~8 mm。花期5月。[4]果期6~8月。果实椭圆形，多数。

青天葵以地上部分入药，鲜用或切断晒干。广西玉林药市、广州清平药市以及部分药店有售。

起草样品收集情况：共收集到样品13批，详细信息见表1、图1、图2。

表1　青天葵样品信息一览表

编号	原编号	药用部位	采集方式	产地/采集地点/批号	样品状态
QTK-1	1	地上部分	自购	广西龙胜各族自治县	药材
QTK-2	2	地上部分	自购	广西荔浦县	药材
QTK-3	3	地上部分	自购	广西南丹县	药材
QTK-4	4	地上部分	自购	广西凤山县	药材

编号	原编号	药用部位	采集方式	产地/采集地点/批号	样品状态
QTK-5	5	地上部分	自购	广西巴马瑶族自治县	药材
QTK-6	6	地上部分	自购	广西百色市	药材
QTK-7	7	地上部分	自购	广西梧州市	药材
QTK-8	8	地上部分	自购	广西龙州县	药材
QTK-9	9	地上部分	自购	广西靖西县	药材
QTK-10	10	地上部分	自采	广西靖西县	药材
QTK-11	11	地上部分	自购	广西那坡县	药材
QTK-12	12	地上部分	自采	广西崇左市	药材
QTK-13	13	地上部分	自采	广西马山县	药材

备注：青天葵样品QTK-10为我所中药标本室人员野外采集所得，将该样品制成腊叶标本后分别送至两位专家进行鉴定，结果确定其为兰科植物毛唇芋兰的地上部分，实验中以该样品作为青天葵的对照药材与其他样品进行对比研究。完成样品收集后，将所有13份样品（约300 g）进行粉碎处理，并统一过40目筛，备用。

图1　青天葵原植物

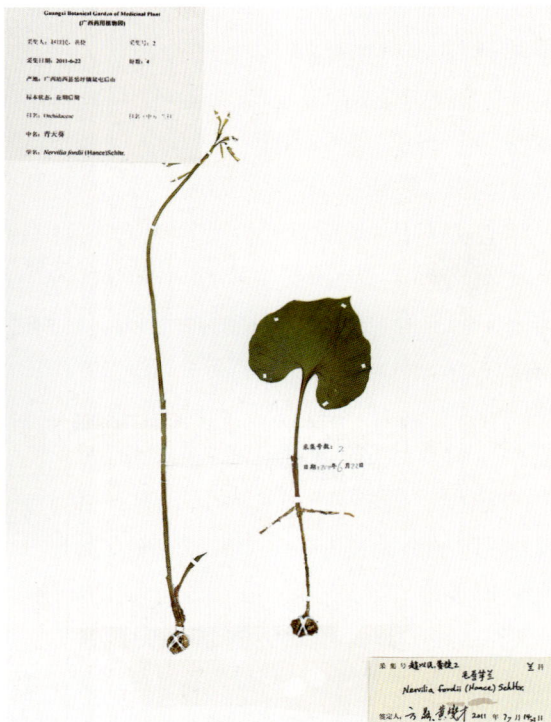

图2　青天葵标本

【化学成分】　文献报道[5-6]青天葵主要含有正亮氨酸、鼠李柠檬素、鼠李秦素、胡萝卜苷、环桉烯醇、豆甾醇、谷甾醇、熊果酸、胡萝卜苷等化学成分。目前对青天葵质量标准的研究报道较为简单。[7-10]

【药理与临床】　青天葵具有清肺止咳、健脾消积、镇静止痛、清热解毒、散瘀消肿之功，主治肺结核咳嗽咯血、支气管炎、小儿疳积、小儿肺炎、疮疖肿痛。现代药理研究表明青天葵具有镇咳平喘、抑菌、抗肿瘤及免疫增强作用[11、12]，杜勤等[13]研究了青天葵镇咳、平喘的药理作用，采用氨水超声雾化法引发小鼠咳嗽，乙酰胆碱-组胺超声雾化法诱发豚鼠哮喘，观察青天葵的镇咳、平喘药理作用。结果表明青天葵能延长氨水引起的小鼠咳嗽潜伏期，减少小鼠的咳嗽次数；能延长乙酰胆碱-组胺性哮喘豚鼠呼吸困难的潜伏期和引喘潜伏期，具有镇咳、平喘作用。甄汉深等[14]将青天葵总提取物分为石油醚、乙酸乙酯、正丁醇和甲醇4个部位，采用MTT法，选用7种瘤株，对4个部位进行全面的体外抗肿瘤的药理活性的实验研究，结果表明青天葵有显著抗肿瘤活性及免疫增强作用。

青天葵的临床研究多以治疗肺部疾病为主，尤其对于治疗急性支气管炎、喘息型慢性支气管炎效果显著。[15]

【性状】 本品叶片卷缩，完整叶片展开后呈阔卵形，长2~9 cm，宽3~14 cm。灰绿色、黄绿色或微带紫色。先端短尖，基部心形，全缘或略呈波状。叶脉明显，16~33条，自叶基向叶缘伸出，在叶片两面交替排列，侧脉纵横交错成网状。叶柄稍扁，长2~16 cm，具纵向条纹，基部有时残留管状叶鞘。气微香，味微甘。

本品主要鉴别特征为完整叶片展开后呈阔卵形，先端短尖，基部心形，叶脉明显，自叶基向叶缘伸出，在叶片两面交替排列，详见图3。

【鉴别】 （1）本品叶横切面：上、下表皮均为1列细胞，方形，或稍切向延长，上表皮细胞较大。叶脉上下交互向外突起，维管束较粗大。两脉维管束间有1~2个稍细小的维管组织。叶肉组织中有黏液细胞散在，含草酸钙针晶束。详见图4、图5。

（2）取本品粉末10 g，加甲醇30 ml，超声处理1小时，滤过，滤液用石油醚（60~90 ℃）30 ml振摇提取，弃去石油醚液，甲醇液置水浴上蒸至2 ml，作为供试品溶液。另取青

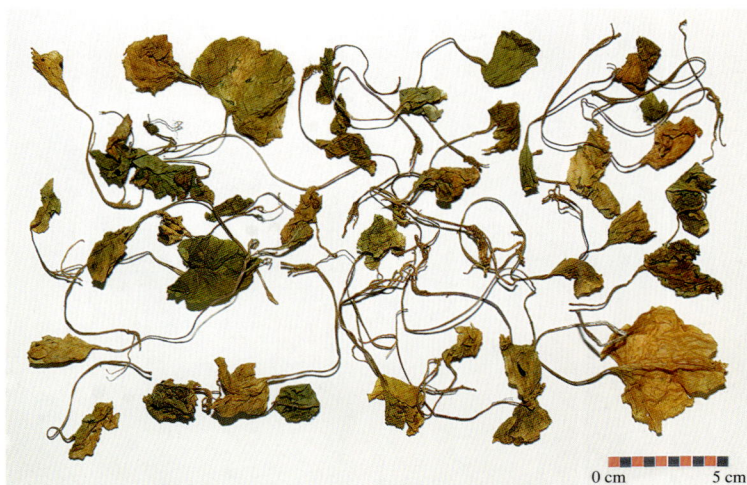

图3 青天葵药材

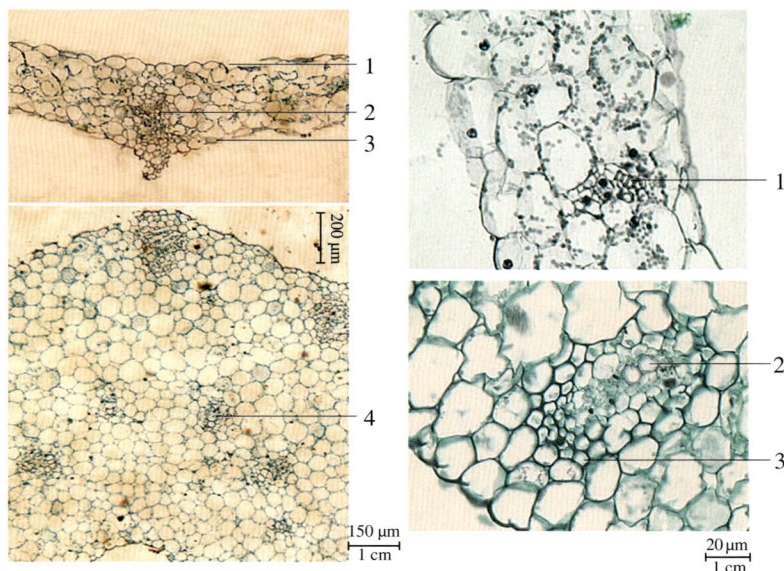

图4 青天葵叶片横切面
显微全貌图
1. 上表皮 2. 粗脉维管束
3. 下表皮 4. 叶柄维管束

图5 青天葵叶片横切面
显微放大图
1. 细脉维管束 2. 导管
3. 维管束鞘

天葵对照药材10 g，同法制成对照药材溶液。照薄层色谱法（中国药典2010年版一部附录Ⅵ B）试验，吸取上述两种溶液各1 μl，分别点于同一硅胶G薄层板上，以三氯甲烷-乙酸乙酯-乙酸（50：10：1）为展开剂，展开，取出，晾干，喷以10%磷钼酸乙醇液。供试品色谱中，在与对照药材色谱相应的位置上，显相同颜色的斑点，结果见图6。

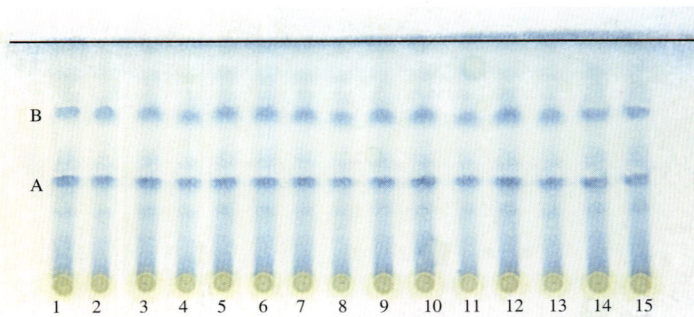

图6　青天葵样品TLC图

1. QTK-10（对照药材）　　2. QTK-1　　3. QTK-2　　4. QTK-3　　5. QTK-4　　6. QTK-5
7. QTK-6　　8. QTK-10（对照药材）　　9. QTK-7　　10. QTK-8　　11. QTK-9　　12. QTK-11
13. QTK-12　　　　14. QTK-13　　15. QTK-10（对照药材）　　A、B. 绿色主斑点

色谱条件： 硅胶G薄层板，生产厂家：青岛海洋化工厂分厂，批号：20110808，规格：100 cm×200 cm
　　　　　圆点状点样，点样量：1 μl；温度：28 ℃；相对湿度：65RH%
　　　　　展开剂：三氯甲烷-乙酸乙酯-乙酸（50：10：1）

耐用性实验考察：对自制板、预制板（青岛海洋化工厂分厂提供，批号：20110808）的展开效果进行考察，对不同展开温度（10 ℃、30 ℃）进行考察，对点状、条带状点样进行考察，结果均表明本法的耐用性良好。

【检查】　水分　照水分测定法（中国药典2010年版一部附录Ⅸ H第一法）测定。

对本品13批样品进行水分测定，结果见表2，据最高值、最低值及平均值，暂定本品药材水分限度为不得过15.0%。

表2　青天葵样品水分测定结果一览表

样品	水分均值（%）	样品	水分均值（%）
QTK-1	10.6	QTK-8	10.3
QTK-2	10.6	QTK-9	13.4
QTK-3	11.5	QTK-10	12.5
QTK-4	11.0	QTK-11	11.4
QTK-5	12.6	QTK-12	9.5
QTK-6	11.4	QTK-13	9.1
QTK-7	10.3	QTK-3-FH	13.6
QTK-8-FH	11.7	QTK-13-FH	13.7

总灰分　照灰分测定法（中国药典2010年版一部附录Ⅸ K）测定。

对本品13批样品进行总灰分测定，结果见表3，据最高值、最低值及平均值，将本品总灰分拟定为不得过25.0%。

《广西壮族自治区壮药质量标准第二卷（2011年版）》注释

表3　青天葵样品总灰分测定结果一览表

样品	总灰分（%）	样品	总灰分（%）
QTK-1	19.3	QTK-8	22.4
QTK-2	21.2	QTK-9	13.7
QTK-3	20.2	QTK-10	13.8
QTK-4	23.6	QTK-11	25.0
QTK-5	13.7	QTK-12	14.3
QTK-6	18.3	QTK-13	17.4
QTK-7	19.5	QTK-3-FH	18.8
QTK-8-FH	17.0	QTK-13-FH	12.0

酸不溶性灰分　照灰分测定法（中国药典2010年版一部附录Ⅸ K）测定。

对本品13批样品进行酸不溶性灰分测定，结果见表4，据最高值、最低值及平均值，将本品酸不溶性灰分拟定为不得过16.0%。

表4　青天葵样品酸不溶性灰分测定结果一览表

样品	酸不溶性灰分（%）	样品	酸不溶性灰分（%）
QTK-1	8.5	QTK-8	14.4
QTK-2	10.2	QTK-9	4.6
QTK-3	9.6	QTK-10	4.5
QTK-4	15.5	QTK-11	13.8
QTK-5	6.3	QTK-12	4.3
QTK-6	10.0	QTK-13	8.5
QTK-7	9.2	QTK-3-FH	4.9
QTK-8-FH	6.3	QTK-13-FH	2.2

【浸出物】　曾以不同浓度的乙醇液及水溶液考察浸出物含量的多少，结果显示水溶性浸出物含量高于醇溶性浸出物，最终确定以水为溶剂，照水溶性浸出物测定法（中国药典2010年版一部附录Ⅹ A）项下的热浸法测定。

对本品13批样品进行浸出物测定，结果见表5，据最高值、最低值及平均值，将本品浸出物含量拟定为不得少于20.0%。

表5　青天葵样品浸出物测定结果一览表

样品	浸出物均值（%）	样品	浸出物均值（%）
QTK-1	29.9	QTK-8	31.4
QTK-2	31.5	QTK-9	24.0
QTK-3	26.6	QTK-10	37.8
QTK-4	27.4	QTK-11	24.5
QTK-5	31.9	QTK-12	37.0

续表

样品	浸出物均值（%）	样品	浸出物均值（%）
QTK-6	25.8	QTK-13	29.0
QTK-7	25.5	QTK-3-FH	24.1
QTK-8-FH	35.1	QTK-13-FH	28.7

参考文献

[1]国家中医药管理局《中华本草》编委会. 中华本草：第八册［M］. 上海：上海科学技术出版社，1999：740-741.

[2]蔡永敏. 中药药名辞典［M］. 北京：中国中医药出版社，1996：183.

[3]《广东中药志》编辑委员会. 广东中药志：第二卷［M］. 广州：广东科学技术出版社，1996：120.

[4]中国科学院中国植物志编辑委员会. 中国植物志：第十八卷［M］. 北京：科学出版社，1999：25.

[5]甄汉深，周燕园，袁叶飞，等. 青天葵乙酸乙酯部位化学成分的研究［J］. 中药材，2007，3（8）：942-945.

[6]卢传礼，王辉，周光雄，等. 青天葵具抗肿瘤活性石油醚部位的成分研究［J］. 暨南大学学报：自然科学与医学版，2009，3（5）：556-559.

[7]曾佩玲，何茂金，胡廷松，等. 青天葵的生药鉴别［J］. 中药材，1989（12）：26-28.

[8]刘心纯. 两种青天葵的鉴别研究［J］. 中药材，1996，19（12）：612-615.

[9]陈鹏仙，滕耀星. 青天葵与几种伪品的区别［J］. 中药材，1987（2）：22-23.

[10]王振华，杜勤，徐鸿华. 不同品种青天葵药材质量标准的比较研究［J］. 广州中医药大学学报，2007，24（1）：59-61.

[11]缴稳苓. 中药对幽门螺杆菌抑制作用的研究［J］. 天津医药，1997，2（12）：740-741.

[12][14]甄汉深，周燕园，袁叶飞，等. 青天葵活性部位的体内抗肿瘤作用研究［J］. 中药材，2007，30（9）：1095-1098.

[13]杜勤，叶木荣，王振华，等. 青天葵镇咳、平喘药理作用研究［J］. 广州中医药大学学报，2006，23（1）：45-47.

[15]邱志楠，潘俊辉，喻清和. 天龙喘咳灵胶囊治疗喘息型慢性支气管炎368例［J］. 天津中医，2000，17（1）：16-17.

药学编著： 王 硕　周小雷　龚小妹
药学审校： 广西壮族自治区食品药品检验所

茉莉花　　华闷擂

Molihua　　　　　Vamaedleih

JASMINI SAMBACIS FLOS

【概述】 茉莉花，亦称茉莉。本品药用始载于《本草纲目》[1]，此外，《中国高等植物图鉴》、《中国植物志》、《中药大辞典》、《全国中草药汇编》、《中华本草》、《广西药用植物名录》、《广西植物名录》等辞书对其药用价值、原植物、地理分布等亦有简要记述。[2-8]历版中国药典和《广西中药材标准》等未有本品药材质量标准的收载。本品为常用药食两用药材[9]，在广西壮族民间多用于治疗急性结膜炎、痢疾、痈疮、疔疮，各地民间亦广泛用于茶料。茉莉花原植物主要分布于广西、贵州、云南、广东[10]，广西区内在桂东南的横县、玉林等地有大量栽培种植。广西横县是全国最大的茉莉花栽培基地，被誉为茉莉花之乡。

【来源】 本品为木犀科植物茉莉*Jasminum sambac*（Linn.）Ait.的干燥花蕾及初开的花。

茉莉为直立或攀援灌木，高达3 m。小枝圆柱形或稍压扁状，有时中空，疏被柔毛。叶对生，单叶，叶片纸质，圆形、椭圆形、卵状椭圆形或倒卵形，长4~12.5 cm，宽4~7.5 cm，两端圆或钝，基部有时微心形，侧脉4~6对，在上面稍凹入或凸起，下面凸起，细脉在两面常明显，微凸起，除下面脉腋间常具簇毛外，其余无毛；叶柄长2~6 mm，被短柔毛，具关节。聚伞花序顶生，通常有花3朵，有时单花或多达5朵；花序长1~4.5cm，被短柔毛；苞片微小，锥形，长4~8 mm；花梗长0.3~2 cm；花萼无毛或疏被短柔毛，裂片线形，长5~7 mm；花冠白色，花冠管长0.7~1.5 cm，裂片长圆形至近圆形，宽5~9 mm，先端圆或钝。花期5~8月。茉莉花原产印度，中国南方和世界各地广泛栽培。[11, 12]

茉莉以花入药，春、夏二季花开放前或花初开放时采收，干燥。广西玉林、南宁药市及各地茶叶市场均有销售。实验研究表明，茉莉花含黄酮类、挥发性成分、裂环环烯醚萜和三萜成分。[13]其中齐墩果酸、槲皮素、山奈素等有药理活性的成分均可在花中提取得到。[14-16]因此，将茉莉花的药用部位定为花蕾或初开的花有一定的科学依据。

起草样品收集情况：共收集到样品11批，详细信息见表1、图1、图2。

表1　茉莉花样品信息一览表

编号	原编号	药用部位	产地/采集地点/批号	样品状态
MLH-1	1	花	广西南宁市	药材
MLH-2	2	花	广西南宁市	药材
MLH-3	3	花	广西横县横州镇	药材
MLH-4	4	花	广西横县横州镇	药材
MLH-5	5	花	广西横县县城	药材
MLH-6	6	花蕾	广西横县县城	药材

编号	原编号	药用部位	产地/采集地点/批号	样品状态
MLH-7	7	花蕾	广西横县县城	药材
MLH-8	8	花蕾	广西横县县城	药材
MLH-9	9	花蕾	广西横县县城	药材
MLH-10	10	花蕾	广西横县县城	药材
MLH-11	11	花	广西横县校椅镇	药材

备注：茉莉花样品MLH-11、MLH-5同时制成腊叶标本，经鉴定，结果确定其为木犀科植物茉莉，实验中以MLH-11作为茉莉花的对照药材与其他样品进行对比。完成样品收集后，将所有11份样品（约300 g）进行粉碎处理，备用。

图1　茉莉花原植物

图2　茉莉花标本

【化学成分】　文献记载，茉莉花中含有挥发性成分、黄酮、皂苷、环烯醚萜类成分。刘志平等[17]从茉莉花花蕾中分离得到二十六烷醇（n-hexacosanol）、□-谷甾醇（□-sitosterol）、□-胡萝卜苷（□-carotene）、齐墩果酸（oleanic acid）、槲皮素（quercetin）、芦丁（rutin）。刘海洋等[18]从茉莉花乙醇提取物的乙酸乙酯和水溶液部位，分离获得9个化合物，根据波谱分析结果，分别鉴定为：苄基-O-□-D-葡萄吡喃糖苷，苄基-O-□-D-木吡喃糖基（1-6）-□-D-葡萄吡喃糖苷，tetraol，molihuaoside D，sambacoside A，sambacoside E，芦丁（rutin），山奈素-3-O-□-L-鼠李吡喃糖基（1-2）［□-L-鼠李吡喃糖基（1-6）］-□-D-半乳吡喃糖苷，槲皮素-3-O-L-鼠李吡喃糖基（1-2）［□-鼠李吡喃糖基（1-6）］-□-D-半乳吡喃糖苷。

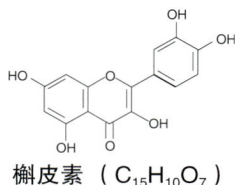

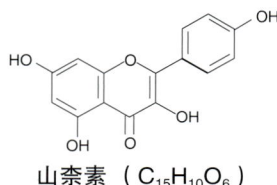

槲皮素（$C_{15}H_{10}O_7$）

山奈素（$C_{15}H_{10}O_6$）

【药理与临床】 茉莉花具有理气止痛、辟秽开窍的功效，用于治疗湿浊中阻、胸膈不舒、泻痢腹痛、头晕头痛、目赤、疮毒。在广西民间壮医临床使用较为广泛，多用于痢疾、目疾、痛疮、疔疮等的治疗。现代药理实验表明，茉莉花具有抑癌和抑乳作用，腹腔注射茉莉花粗多糖，可以延长接种腹水肝癌小鼠的生命周期，抑制癌细胞，提高脾指数，增强巨噬细胞吞噬功能和T淋巴细胞的转化。[19]可以降低血清泌乳素的分泌水平，抑制乳汁分泌。[20]茉莉花提取液能抑制家兔离体小肠收缩活动，并对乙酰胆碱有一定的拮抗作用。[21]茉莉花的提取物具有抗菌作用。目前，未见有关该药材临床研究的报道。

【性状】 本品多皱缩，呈类圆形、宽卵形、椭圆形或不规则形，花或花蕾长1.2~2 cm，宽1~1.5 cm，苞片微小，锥形，长0.4~0.8 cm；花梗长0.3~2 cm；花萼无毛或疏被短柔毛，裂片线形，长0.5~0.7 cm；花冠黄白色、淡黄色或黄棕色，花冠管长0.7~1.5 cm，裂片长圆形至近圆形，宽0.5~0.9 cm，先端圆或钝。气极香，味微苦。

本品主要鉴别特征为花冠裂片长圆形至近圆形，先端圆或钝，气极香。花冠黄白色或淡黄色，有浓郁香气者质佳。详见图3。

0 cm　　5 cm

图3　茉莉花药材

【鉴别】 （1）取本品粉末1 g，加乙醇40 ml，超声处理30分钟，滤过，滤液蒸干，残渣加乙醇1 ml使溶解，作为供试品溶液。另取茉莉花对照药材1 g，同法制成对照药材溶液。再取槲皮素对照品，加甲醇制成每1 ml含0.5 mg的溶液，作为对照品溶液。照薄层色谱法（中国药典2010年版一部附录Ⅵ B）试验，吸取供试品溶液及对照药材溶液1~2 μl、对照品溶液1 μl，分别点于同一硅胶G薄层板上，以甲苯-甲酸乙酯-甲酸（6：4：0.5）为展开剂，展开，取出，晾干，喷以三氯化铝试液，在105 ℃加热至斑点显色清晰，置紫外光灯（365 nm）下检视。供试品色谱中，在与对照药材色谱和对照品色谱相应的位置上，显相同颜色的荧光斑点。10批样品按本法检验，均符合规定，且薄层色谱分离效果好，斑点集中清晰，比移值适中，重现性好。

（2）取本品粉末1 g，加乙醇40 ml，冷浸1小时，滤过，滤液蒸干，残渣加乙醇1 ml使溶解，作为供试品溶液。另取茉莉花对照药材1 g，同法制成对照药材溶液；再取齐墩果酸对照品，加甲醇制成每1 ml含1.5 mg的溶液，照薄层色谱法（中国药典2010年版一部附录Ⅵ B）试验，吸取供试品溶液及对照药材溶液2~3 μl、对照品溶液1 μl，分别点于同一硅胶G薄层板上，以甲苯-乙酸乙酯-冰醋酸（6：1.5：0.5）为展开剂，展开，取出，晾干，喷以10%硫酸乙醇溶液，在110 ℃加热至斑点显色清晰，分别置日光和紫外光灯（365 nm）下检视。供试品色谱中，在与对照药材色谱和对照品色谱相应的位置上，显相同颜色的斑点或荧光斑点。10批样品按本法检验，均符合规定，且薄层色谱分离效果好，斑点圆整清晰，比移值适中，重现性好。

耐用性实验考察：对两种预制板（青岛海洋化工厂提供，批号：20110308；烟台市化工研究所提供，批号：20110412）的展开效果进行考察，对不同展开温度（8 ℃、30 ℃）进行考察，对点状、条带状点样进行考察，结果除【鉴别】（2）中的预制板以青岛海洋化工厂提供的较烟台市化工研究所的TLC层析效果稍好外，其余因素对本法均有良好的耐用性，详见图4、图5。

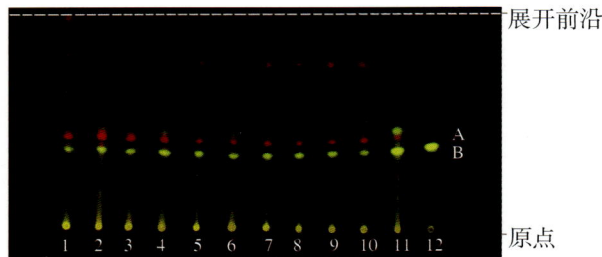

图4　茉莉花样品（槲皮素）TLC图

1. MLH-1　　2. MLH-2　　3. MLH-3　　4. MLH-4　　5. MLH-5　　6. MLH-6　　7. MLH-7
8. MLH-8　　9. MLH-9　　10. MLH-10　　11. MLH-11（对照药材）　　12. 槲皮素对照品
A. 红色荧光斑点　　　　　　B. 黄绿色荧光斑点

色谱条件： 硅胶G薄层预制板，生产厂家：烟台市化工研究所，批号：20110412，规格：10 cm × 20 cm
圆点状点样，点样量：1 μl；温度：30 ℃；相对湿度：70RH%
展开剂：甲苯-甲酸乙酯-甲酸（6∶4∶0.5）

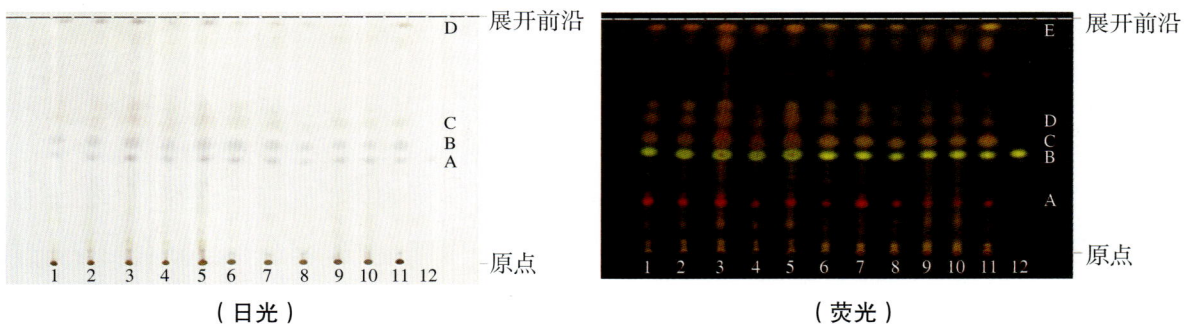

（日光）　　　　　　　　　　　　　　（荧光）

图5　茉莉花样品（齐墩果酸）TLC图

1. MLH-1　2. MLH-2　3. MLH-3　4. MLH-4　5. MLH-5　6. MLH-6　7. MLH-7
8. MLH-8　9. MLH-9　10. MLH-10　11. MLH-11（对照药材）　　12. 齐墩果酸对照品
特征斑点：可见光色谱—A、B、C. 灰褐色斑点　　D. 紫红色斑点
荧光色谱— A. 红色荧光斑点　　　B. 黄绿色荧光斑点　　　C、D、E. 棕黄色荧光斑点

色谱条件： 硅胶G薄层预制板，生产厂家：青岛海洋化工厂，批号：20110308，规格：10 cm × 20 cm
圆点状点样，点样量：供试品溶液及对照药材溶液2~3 μl，对照品溶液1 μl；温度：30 ℃；
相对湿度：70RH%
展开剂：甲苯-乙酸乙酯-冰醋酸（6∶1.5∶0.5）

【检查】 水分　照水分测定法（中国药典2010年版一部附录ⅨH第一法）测定。

对本品10批样品进行水分测定，结果见表2，据最高值、最低值及平均值，并考虑到该药材为南方所产，而南方气候较为湿润，暂定本品药材水分限度为不得过11.0%。

表2　茉莉花样品水分测定结果一览表

样品	水分均值（%）	样品	水分均值（%）
MLH-1	6.9	MLH-6	6.8
MLH-2	5.5	MLH-7	5.6
MLH-3	5.3	MLH-8	5.4
MLH-4	4.0	MLH-9	4.1
MLH-5	6.5	MLH-10	6.5
MLH-8-FH	8.7	MLH-10-FH	9.2
MLH-9-FH	8.8		

总灰分　照灰分测定法（中国药典2010年版一部附录ⅨK）测定。

对本品10批样品进行总灰分测定，结果见表3，据最高值、最低值及平均值，将本品总灰分拟定为不得过9.0%。

表3　茉莉花样品总灰分测定结果一览表

样品	总灰分（%）	样品	总灰分（%）
MLH-1	7.0	MLH-6	7.1
MLH-2	5.5	MLH-7	6.0
MLH-3	5.4	MLH-8	5.9
MLH-4	6.9	MLH-9	5.9
MLH-5	6.2	MLH-10	5.2
MLH-8-FH	6.3	MLH-10-FH	7.4
MLH-9-FH	6.3		

酸不溶性灰分　照灰分测定法（中国药典2010年版一部附录ⅨK）测定。

对本品10批样品进行酸不溶性灰分测定，结果见表4，据最高值、最低值及平均值，将本品酸不溶性灰分拟定为不得过0.3%。

表4　茉莉花样品酸不溶性灰分测定结果一览表

样品	酸不溶性灰分（%）	样品	酸不溶性灰分（%）
MLH-1	0.2	MLH-6	0.2
MLH-2	0.2	MLH-7	0.1
MLH-3	0.1	MLH-8	0.1
MLH-4	0.1	MLH-9	0.1
MLH-5	0.1	MLH-10	0.2
MLH-8-FH	0.17	MLH-10-FH	0.2
MLH-9-FH	0.05		

【浸出物】 查阅文献表明，茉莉花中的活性成分主要为黄酮类[22-24]，该类成分多溶于乙醇，因此，考虑用醇溶性浸出物来考察茉莉花中所含活性成分的多少，而加热提取一方面有利于化学成分的溶出，另一方面又节省了实验时间。经研究最终确定采用热浸法来进

行实验。照醇溶性浸出物测定法（中国药典2010年版一部附录ⅩA）项下的热浸法测定。

对本品10批样品进行浸出物测定，结果见表5，据最高值、最低值及平均值，将本品浸出物含量拟定为不得少于17.0%。

表5　茉莉花样品浸出物测定结果一览表

样品	浸出物均值（%）	样品	浸出物均值（%）
MLH-1	25.1	MLH-6	16.8
MLH-2	33.4	MLH-7	35.6
MLH-3	26.7	MLH-8	36.2
MLH-4	36.4	MLH-9	35.8
MLH-5	36.7	MLH-10	27.8
MLH-8-FH	32.6	MLH-10-FH	23.7
MLH-9-FH	32.7		

【含量测定】　本品主要含有黄酮类成分，槲皮素和山奈素是主要活性成分[25-27]，为提高本品质量控制水平，参照有关文献，采用高效液相色谱法，对本品中槲皮素和山奈素总量进行测定。结果显示该方法灵敏，精密度高，重现性好，结果准确，可作为本品内在质量的控制方法，测定方法考察及验证结果如下。

1. 方法考察与结果

1.1 色谱条件

以十八烷基硅烷键合硅胶为填充剂；以甲醇-水（55：45）为流动相；进样量20 μl，柱温30 ℃，流速1.0 ml/min。用紫外-可见分光光度计在200~600 nm进行扫描，槲皮素对照品和山奈素对照品在360 nm波长处有最大吸收，故确定检测波长为360 nm，详见图6。

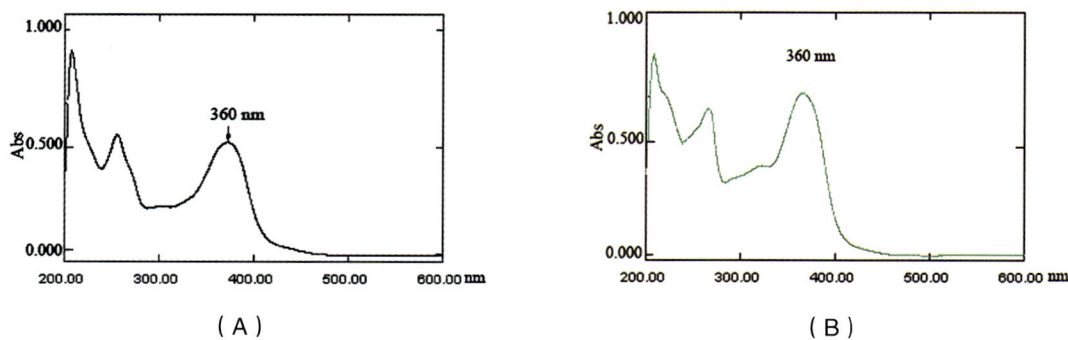

（A）　　　　　　　　　　　　　　　　（B）

图6　槲皮素对照品（A）和山奈素对照品（B）紫外扫描图

1.2 提取方法

1.2.1 提取方法考察

选取甲醇、乙醇两种溶剂，分别加酸与不加酸，均加热回流提取进行比较试验。方法：取本品（MLH-5）粉末4份，每份0.2 g，精密称定。其中2份分别加入甲醇-25%盐酸（4：1）20 ml、乙醇-25%盐酸（4：1）20 ml，另外2份分别加入甲醇20 ml和乙醇20 ml，各加热回流1小时，滤过，取续滤液，即得。照标准正文色谱条件测定。结果：加酸回流水解

《广西壮族自治区壮药质量标准第二卷（2011年版）》注释

提取槲皮素和山柰素得率均明显高于不加酸回流提取，甲醇和乙醇两种溶剂提取得率差异不大，故选用甲醇作为提取溶剂，详见表6。

表6　不同溶剂和不同方法制备的供试液槲皮素和山柰素得率

提取方法	甲醇		乙醇	
	槲皮素得率（%）	山柰素得率（%）	槲皮素得率（%）	山柰素得率（%）
加酸回流	0.40	0.12	0.38	0.12
不加酸回流	0.08	0.02	0.08	0.02

1.2.2 提取条件的优化

采用正交设计方法，对药材破碎度、提取溶剂浓度、提取时间、提取溶剂量等"四因素三水平"进行考察，以槲皮素、山柰素为考核指标。根据试验结果确定本品供试品溶液的制备方法为：取本品粉末0.2 g，精密称定，精密加入甲醇–25%盐酸（4：1）10 ml，称定重量，加热回流1小时，放至室温，再称定重量，用甲醇–25%盐酸（4：1）补足减失的重量，摇匀，用微孔滤膜滤过，弃去初滤液，取续滤液，即得。

2. 方法学验证与结果

2.1 线性及范围

精密称取槲皮素对照品10.02 mg，置50 ml量瓶中，加甲醇使溶解并稀释至刻度，摇匀，备用。分别精密吸取以上对照品溶液1 ml、2 ml、4 ml、6 ml、8 ml置10 ml量瓶中，各加甲醇–25%盐酸（4：1）稀释至刻度，摇匀，作为不同浓度的对照品溶液。

精密称取山柰素对照品10.08 mg，置50 ml量瓶中，加甲醇使溶解并稀释至刻度，摇匀，备用。分别精密吸取以上对照品溶液0.1 ml、1 ml、2 ml、4 ml、6 ml、8 ml置10 ml量瓶中，各加甲醇–25%盐酸（4：1）稀释至刻度，摇匀，作为不同浓度的对照品溶液。

将上述对照品溶液按正文拟定的色谱条件分别进样20 μl，以对照品的进样量（μg）为横坐标，峰面积为纵坐标，绘制标准曲线。结果表明：当槲皮素对照品进样量在0.4008~3.2064 μg范围内时，进样量与峰面积呈良好的线性关系，回归方程为 $Y = 6 \times 10^6 X + 274098$，$r = 0.9999$。当山柰素对照品进样量在0.0403~3.2256 μg范围内时，进样量与峰面积呈良好的线性关系，回归方程为 $Y = 5533797.73X + 1115109$，$r = 0.9995$。

2.2 精密度试验

2.2.1 重复性

取同一份供试品溶液（MLH–4），按正文拟定的色谱条件，连续测定5次。结果表明，5次测定的槲皮素峰面积的平均值为9256692，RSD=0.25%（n=5），山柰素峰面积的平均值为1413082，RSD=0.47%（n=5）。试验表明本法的精密度良好。

2.2.2 重现性

取同一批供试品（MLH–4）粉末0.2 g，精密称定，按正文的方法平行测定6份，经计算，6份样品测得槲皮素含量的平均值为0.448%，RSD=1.42%（n=6），山柰素含量的平均值为0.135%，RSD=1.03%（n=6）。试验结果表明本法的重现性较好。

2.3 准确度试验

精密称取槲皮素对照品9.50 mg，置100 ml量瓶中，加甲醇使溶解并稀释至刻度，摇匀；精密称取山柰素对照品9.98 mg，置250 ml量瓶中，加甲醇使溶解并稀释至刻度，摇匀；精密吸取上述稀释的槲皮素对照品溶液5 ml、山柰素对照品溶液2 ml，共置100 ml量瓶中，加甲醇–25%盐酸（4:1）稀释至刻度，摇匀，作为槲皮素和山柰素混合对照品溶液。

分别称取（MLH-4）药材粉末（过四号筛）0.1 g，共6份，精密称定，加入上述槲皮素和山柰素混合对照品溶液10 ml，按照标准正文项下方法制备供试品溶液。同法测定槲皮素和山柰素含量，计算平均回收率及RSD。结果：槲皮素含量平均回收率为97.37%，RSD为1.82%；山柰素含量平均回收率为101.77%，RSD为2.13%。

2.4 耐用性试验

2.4.1 色谱柱的考察

分别采用不同品牌的色谱柱（Inertsil ODS-SP C18、Gemini C18、Hypersil ODS2 C18，三根色谱柱规格均为：5 μm，4.6 mm×250 mm）测定样品（MLH-3）中槲皮素和山柰素的总量。结果：三根色谱柱测定槲皮素和山柰素总量平均值为0.455%，RSD=2.16%（n=3）。

2.4.2 色谱仪的考察

分别采用不同品牌的色谱仪（Agilent 1200型、岛津LC-20AT）测定样品（MLH-3）中槲皮素和山柰素总量。结果：两台色谱仪测定槲皮素和山柰素总量平均值为0.440%，RAD=2.20%（n=2）。

3. 样品测定及含量限度的确定

按正文含量测定方法，测定了本品10批样品中的槲皮素和山柰素的总量（详见表7），据最高值、最低值及平均值，并考虑药材来源差异情况，暂定本品含量限度为槲皮素和山柰素的总量不得少于0.40%。

空白溶剂（甲醇）HPLC图、槲皮素和山柰素对照品HPLC图、茉莉花样品HPLC图分别见图7、图8、图9。

表7　10批样品测定结果

编号	采集（收集）地点/批号	槲皮素和山柰素总量（%）
MLH-1	广西南宁市	0.59
MLH-2	广西南宁市	0.63
MLH-3	广西横县横州镇	0.41
MLH-4	广西横县横州镇	0.58
MLH-5	广西横县县城	0.97
MLH-6	广西横县县城	0.34
MLH-7	广西横县县城	0.99
MLH-8	广西横县县城	0.89
MLH-9	广西横县县城	0.96
MLH-10	广西横县县城	0.54
MLH-8-FH	广西横县县城	1.11
MLH-9-FH	广西横县县城	0.98
MLH-10-FH	广西横县县城	0.75

《广西壮族自治区壮药质量标准第二卷（2011年版）》注释

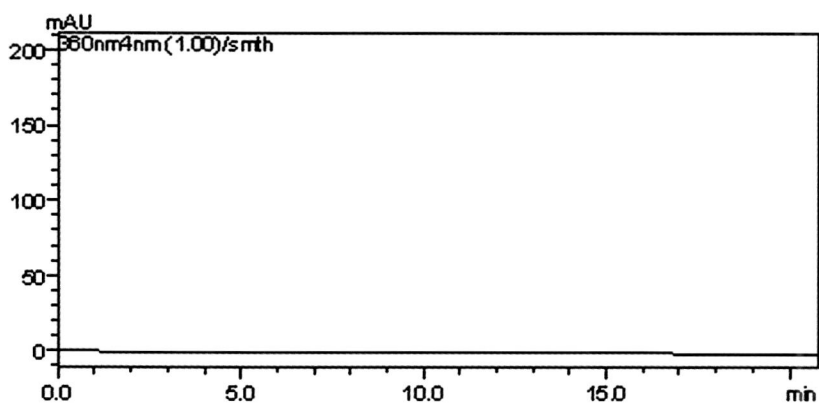

图7 空白溶剂（甲醇）HPLC图

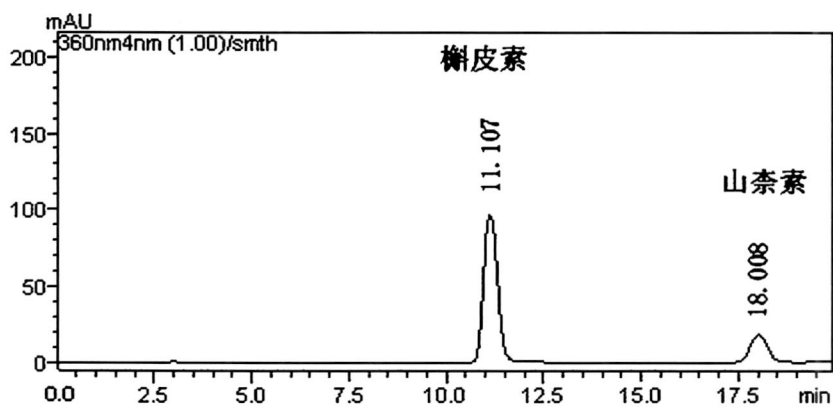

图8 槲皮素和山奈素对照品HPLC图

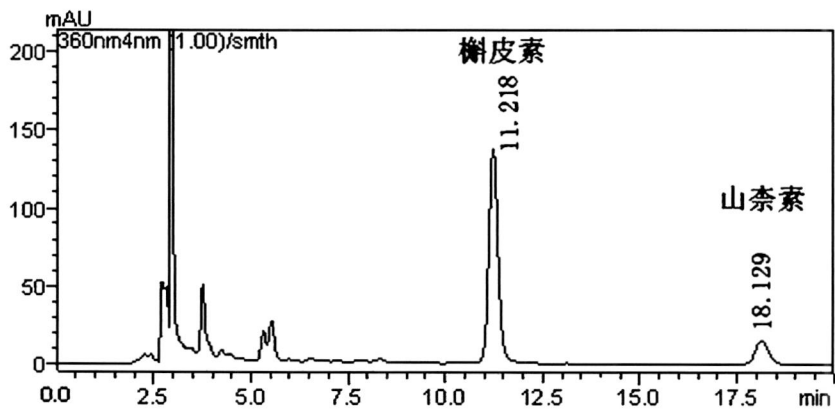

图9 茉莉花样品HPLC图

参考文献

[1]明·李时珍. 本草纲目：校点本第二册 [M]. 北京：人民卫生出版社，1979：895.

[2] [11]中国科学院植物研究所. 中国高等植物图鉴：第三册 [M]. 北京：科学出版社，1974：221.

[3] [12]中国科学院中国植物志编辑委员会. 中国植物志：第三十四卷 [M]. 北京：科学出版社，1984：218.

[4]江苏新医学院. 中药大辞典：上册 [M]. 上海：上海科学技术出版社，1985：1279.

[5]《全国中草药汇编》编写组. 全国中草药汇编：下册 [M]. 北京：人民卫生出版社，1990：361.

[6]国家中医药管理局《中华本草》编委会. 中华本草：第六册第十六卷 [M]. 上海：上海科学技术出版社，1998.

[7]广西壮族自治区中医药研究所. 广西药用植物名录 [M]. 南宁：广西人民出版社，1986：362.

[8] [10]覃海宁，刘演. 广西植物名录 [M]. 北京：科学出版社，2010：310.

[9]中华全国供销合作总社杭州茶叶研究院，浙江省杭州茶厂，湖南长沙茶厂. 茉莉花茶GB/T22292-2008 [S]. 中华人民共和国国家质量监督检验检疫总局，中国国家标准化管理委员会，2008-08-12：1-5.

[13]郭友嘉，戴亮，杨兰萍，等. 福州小花茉莉全花期中花源质量稳定性的研究Ⅰ精油化学成分分析 [J]. 色谱，1993，11（4）：191-196.

[14] [22] [25]郭友嘉，戴亮，杨兰萍，等. 福州小花茉莉全花期中花源质量稳定性的研究Ⅱ精油和头香化学成分分析 [J]. 色谱，1994，12（1）：11-19.

[15] [17] [23] [26]刘志平，韦英亮，崔建国. 广西横县窨茶后茉莉花渣化学成分研究 [J]. 广西科学，2009，16（3）：300-301.

[16] [18] [24] [27]刘海洋，倪伟，袁敏惠，等. 茉莉花的化学成分 [J]. 云南植物研究，2004，26（6）：687-690.

[19]刘迎春，张秀春. 茉莉花粗多糖抗腹水肝癌的初步研究 [J]. 福州师专学报，1999，19（6）：78-79.

[20]南京中医药大学. 中药大辞典：上册 [M]. 2版. 上海：上海科学技术出版社，2006：1748-1750.

[21]田雅楠，樊华，赵善民，等. 茉莉花提取液对离体小肠收缩活动的影响 [J]. 中国医药导报，2009，6（6）：18-19.

药学编著： 黄瑞松　雷沛霖　梁子宁
药学审校： 广西壮族自治区食品药品检验所

茉莉根　　壤闷擂

Moligen　　　　　Ragmaedleih

JASMINI SAMBACIS RADIX ET RHIZOMA

【概述】　茉莉，别名末利、香魂、莫利花、没丽、没利、抹厉、末莉。载于《南方草木状》，云："末利花似蔷薇之白者，香愈于耶悉茗。"《本草纲目》载于芳草类，曰："末利原出波斯，移植南海，今滇、广人栽莳之。其性畏寒，不宜中土。弱茎繁枝，绿叶团尖，初夏开小白花，重瓣无蕊，秋尽乃止，不结实，有千叶者，红色者，蔓生者，其花皆夜开，芬香可爱。女人穿为首饰，或合面脂，亦可熏茶，或蒸取液以代蔷薇水。"根据以上记述及其上所附的图片，应为本种。《中华本草》对其原植物、地理分布、药用价值、用法用量等有简要记述。文献记载其药用部位为根，实际壮族地区习惯用地下部分包括根及根茎。南方各地有栽培。[1]

【来源】　本品为木犀科植物茉莉Jasminum sambac（Linn.）Ait. 的根及根茎。

茉莉为直立或攀援灌木，高达3 m。小枝圆柱形或稍压扁状，有时中空，疏被柔毛。叶对生，单叶，叶片纸质，圆形、椭圆形、卵状椭圆形或倒卵形，长4~12.5 cm，宽2~7.5 cm，两端圆或钝，基部有时微心形，侧脉4~6对，在上面稍凹入或凸起，下面凸起，细脉在两面常明显，微凸起，除下面脉腋间常具簇毛外，其余无毛；叶柄长2~6 mm，被短柔毛，具关节。聚伞花序顶生，通常有花3朵，有时单花或多达5朵；花序梗长1~4.5 cm，被短柔毛；苞片微小，锥形，长4~8 mm；花梗长0.3~2 cm；花极芳香；花萼无毛或疏被短柔毛，裂片线形，长5~7 mm；花冠白色，花冠管长0.7~1.5 cm，裂片长圆形至近圆形，宽5~9 mm，先端圆或钝。果球形，径约1 cm，呈紫黑色。花期5~8月，果期7~9月。[2]

起草样品收集情况：共收集到样品10批，详细信息见表1、图1、图2。

表1　茉莉根样品信息一览表

编号	原编号	药用部位	产地/采集地点/批号	样品状态
MLG-1	20110220	根	横县马岭镇	药材
MLG-2	20110223	根	横县那阳镇	药材
MLG-3	20110226	根	横县百合镇	药材
MLG-4	20110303	根	横县云表镇	药材
MLG-5	20110712	根	邕宁区四塘镇	药材
MLG-6	20110310	根	隆安县南圩镇	药材
MLG-7	20110420	根	邕宁区吴圩镇	药材
MLG-8	20110522	根	北流市民安镇	药材
MLG-9	20110621	根	上林县西燕镇	药材
MLG-10	20110712	根	博白县郊区	药材

备注：茉莉根样品MLG-6同时制成腊叶标本，经鉴定，结果确定其为茉莉根，实验中以该样品作为茉莉根的对照药材与其他样品进行对比。完成样品收集后，将所有10份样品（约300 g）进行粉碎处理，并统一过40目筛，备用。

图1 茉莉原植物

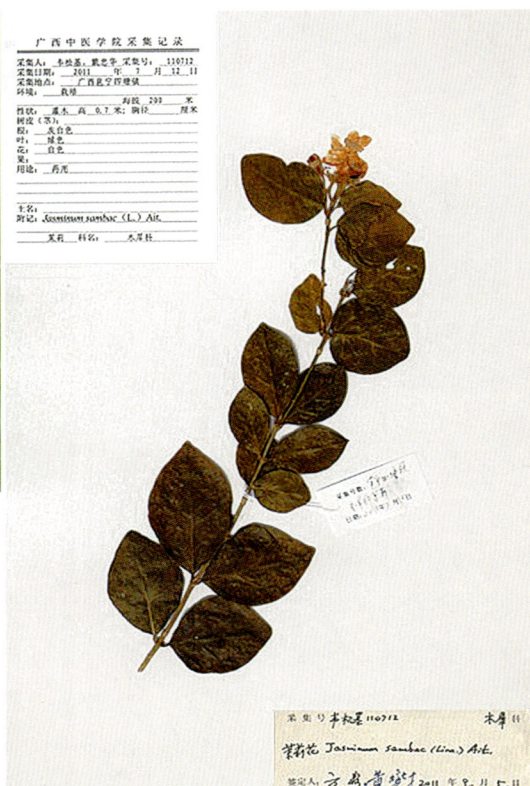

图2 茉莉标本

【化学成分】 茉莉根化学成分含有D-甘露醇[3]，化学成分预试有有机酸、酚类、还原糖、多糖及其苷、甾体类、黄酮类、内酯、香豆素及其苷、生物碱类。[4]在薄层色谱中，曾考察过芦丁、山柰酚、槲皮素、橙皮苷、没食子酸、鼠李素、齐墩果酸、儿茶素、大黄素等化学成分。但在多种展开系统条件下，与供试品比较，均没有找到相同比移值的斑点，故本品没有进行薄层色谱考察和含量测定研究。

【药理与临床】 （1）镇静催眠作用。茉莉根乙醇提取物2 g/kg腹腔注射，可使小鼠自发活动明显减少，并延长环己巴比妥所引起的小鼠睡眠时间，使小鼠被动活动能力降低（滚棒法实验）。[5]用其水浸液1~8 g/kg腹腔注射，对蛙、大鼠、豚鼠、兔和犬等均有不同程度的镇静和催眠作用；根的三氯甲烷提取物能使小鼠出现翻正反射消失。[6]

（2）镇痛作用。小鼠热板法试验，表明本品乙醇浸出液有微弱镇痛作用。小鼠腹腔注射总碱50 mg/kg后，表现出明显镇痛作用。[7]

（3）其他作用。较大剂量对离体蛙心、兔心呈现抑制作用，使离体兔耳和青蛙后肢血管扩张，抑制离体兔肠的蠕动，对家兔及小鼠的离体子宫，无论已孕或未孕均呈兴奋作用。[8]

（4）毒性。茉莉根乙醇提取物小鼠腹腔注射的LD_{50}为8.37 ± 0.89 g/kg。小鼠中毒后，呈现昏睡状态，但反射活动并未完全消失，最后因中枢抑制、呼吸麻痹而死亡。[9]

【性状】 本品根圆柱形，长5~8 cm，直径2~8 mm，表面黄褐色，有众多侧根及须根，并具纵向细皱纹。根茎圆柱形，呈不规则结节状，长10~18 cm，直径0.5~1.5 cm，节部膨大，表面黄褐色。质坚硬，不易折断，断面不平坦，黄白色。气微，味涩、微苦。

本品主要鉴别特征为根茎圆柱形，呈不规则结节状，节部膨大；根圆柱形，具纵向细皱纹。详见图3。

【鉴别】 （1）本品根横切面：木栓层由3~6列细胞组成，细胞类长方形，排列紧密。

皮层宽广，细胞排列疏松，可见石细胞散在或断续成环。内皮层细胞1列，棕黄色。中柱鞘由1~3列石细胞环绕组成，石细胞断续成环。韧皮部由数列细胞组成。木质部射线明显。薄壁组织中含草酸钙柱晶或短针晶，直径2~10 μm；淀粉粒众多，直径5~35 μm。

粉末灰白色。淀粉粒多为复粒，由2~8个分粒组成。纤维短梭形，直径15~30 μm，长60~150 μm。石细胞散在或成群，类方形或长方形，直径60~140 μm。导管主要为具缘纹孔导管，可见螺纹导管，直径15~55 μm。木栓细胞灰褐色，垂周壁微波状加厚。薄壁组织中含草酸钙柱晶或短针晶，直径2~10 μm。

显微鉴别要点：皮层宽广，可见石细胞散在。粉末中可见石细胞散在或成群。详见图4、图5。

（2）因茉莉根药材没有找到合适的化学对照品，故以茉莉根对照药材为对照。取本品粉末1 g，加甲醇25 ml，密塞，超声提取30分钟，滤过，滤液浓缩至约1 ml，作为供试品溶液。另取茉莉根对照药材1 g，同法制成对照药材溶液。照薄层色谱法（中国药典2010年版一部附录Ⅵ B）试验，吸取上述两种溶液各2 μl，分别点于同一硅胶G薄层板上，以三氯甲烷-甲醇-甲酸（15:1:0.5）为展开剂，饱和30分钟，展开，展距17 cm，取出，晾干，喷以5%磷钼酸试液，在105 ℃加热至斑点显色清晰。供试品色谱中，在与对照药材色谱相应的位置上，显相同颜色的斑点，重现性较好。

耐用性实验考察：对自制板、预制板（青岛海洋化工厂提供，批号：20100525）的展开效果进行考察，对不同展开温度（5 ℃、28 ℃）进行考察，对点状、条带状点样进行考察，结果均表明本法的耐用性良好。

比较了不同极性的展开系统，如乙酸乙酯-石油醚（8:1）、丙酮-乙酸乙酯-甲酸（1:2:0.2）、三氯甲烷-甲醇-甲酸（15:1:0.5）、三氯甲烷-乙酸乙酯-甲酸

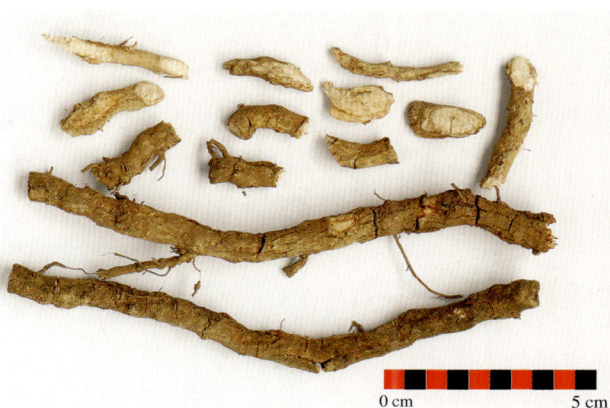

图3 茉莉根药材

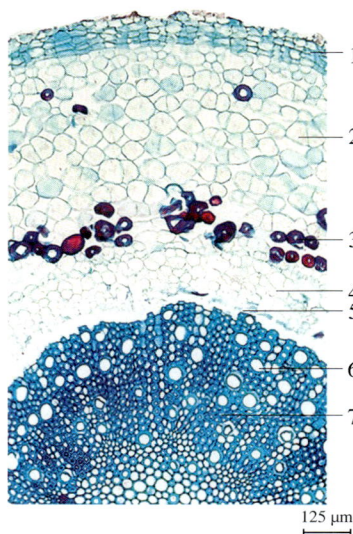

图4 茉莉根横切面显微图

1. 木栓层　2. 皮层　3. 中柱鞘
4. 韧皮部　5. 形成层
6. 导管　7. 木质部

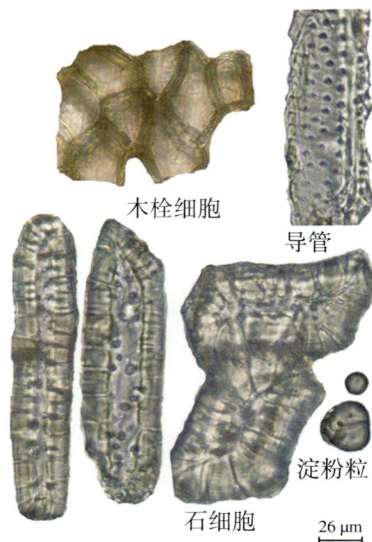

图5 茉莉根粉末显微图

木栓细胞　导管　淀粉粒　石细胞

壮药质量标准注释

（5∶4∶0.5）等。最终以三氯甲烷–甲醇–甲酸（15∶1∶0.5）为展开剂，展开效果较好，斑点达到分离且清晰，故选用该系统作为薄层鉴别的展开剂。多种显色方式，最终以5%磷钼酸试液，在105℃加热至斑点显色清晰，确定为显色方式。

从10批茉莉根的薄层鉴别图谱可以看到，各批次茉莉根与MLG-6对照药材在相应的位置上，显相同颜色的斑点，详见图6。

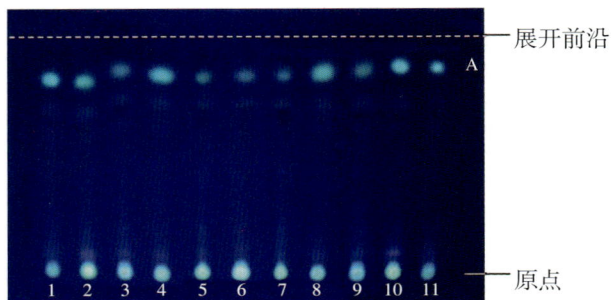

图6　茉莉根样品TLC图（365 nm荧光）–标准为日光下观察

1. MLG-1　　2. MLG-2　　3. MLG-3　　4. MLG-4　　5. MLG-5　　6. 对照药材　　7. MLG-6
8. MLG-7　　9. MLG-8　　10. MLG-9　　11. MLG-10　　A. 蓝色荧光斑点

色谱条件：硅胶G薄层高效板，生产厂家：青岛海洋化工厂，批号：20100525，规格：20 cm×20 cm
圆点状点样，点样量：2 μl；温度：28℃；相对湿度：65RH%
展开剂：三氯甲烷∶甲醇∶甲酸（15∶1∶0.5）

【检查】　水分　照水分测定法（中国药典2010年版一部附录ⅨH第一法）测定。

对本品10批样品进行水分测定，结果见表2，据最高值、最低值及平均值，并考虑到该药材为南方所产，而南方气候较为湿润，暂定本品药材水分限度为不得过12.0%。

表2　茉莉根样品水分测定结果一览表

样品	水分均值（%）	样品	水分均值（%）
MLG-1	9.8	MLG-6	10.5
MLG-2	9.8	MLG-7	10.3
MLG-3	9.8	MLG-8	9.2
MLG-4	9.4	MLG-9	9.9
MLG-5	9.1	MLG-10	10.1
MLG-2-FH	7.2	MLG-9-FH	6.6
MLG-3-FH	6.6		

总灰分　照灰分测定法（中国药典2010年版一部附录ⅨK）测定。

对本品10批样品进行总灰分测定，结果见表3，据最高值、最低值及平均值，将本品总灰分拟定为不得过10.0%。

表3　茉莉根样品总灰分测定结果一览表

样品	总灰分（%）	样品	总灰分（%）
MLG-1	8.6	MLG-6	3.3
MLG-2	4.0	MLG-7	4.0
MLG-3	4.6	MLG-8	5.6
MLG-4	6.7	MLG-9	5.1
MLG-5	8.5	MLG-10	5.0
MLG-2-FH	3.4	MLG-9-FH	2.7
MLG-3-FH	3.7		

酸不溶性灰分 照灰分测定法（中国药典2010年版一部附录Ⅸ K）测定。

对本品10批样品进行酸不溶性灰分测定，结果见表4，据最高值、最低值及平均值，将本品酸不溶性灰分拟定为不得过7.0%。

表4 茉莉根样品酸不溶性灰分测定结果一览表

样品	酸不溶性灰分（%）	样品	酸不溶性灰分（%）
MLG-1	5.8	MLG-6	1.2
MLG-2	1.1	MLG-7	1.8
MLG-3	1.7	MLG-8	1.9
MLG-4	2.2	MLG-9	2.8
MLG-5	5.6	MLG-10	1.5
MLG-2-FH	1.1	MLG-9-FH	1.0
MLG-3-FH	1.3		

【浸出物】 照浸出物测定法测定，考察了水、稀乙醇、乙醇作为提取浸出溶剂，分别采用了冷浸法和热浸法测定本品浸出物的含量。对每种提取方法的结果进行对比分析，结合化学成分预试验，测定结果显示，水、稀乙醇浸出量明显高于乙醇的浸出量，热浸法浸出量高于冷浸法浸出量。因此，最终确定以稀乙醇为溶剂，照醇溶性浸出物测定法（中国药典2010年版一部附录Ⅹ A）项下的热浸法测定。

对本品10批样品进行浸出物测定，结果见表5，据最高值、最低值及平均值，将本品浸出物含量拟定为不得少于20.0%。

表5 茉莉根样品浸出物测定结果一览表

样品	浸出物均值（%）	样品	浸出物均值（%）
MLG-1	25.0	MLG-6	27.9
MLG-2	28.3	MLG-7	32.7
MLG-3	28.9	MLG-8	32.4
MLG-4	23.9	MLG-9	32.2
MLG-5	22.9	MLG-10	30.8
MLG-2-FH	28.5	MLG-9-FH	28.9
MLG-3-FH	30.3		

参考文献

[1]国家中医药管理局《中华本草》编委会.中华本草：第6册[M].上海：上海科学技术出版社，1999：178（总5486）.

[2]中国科学院中国植物志编辑委员会.中国植物志：第六十一卷[M].北京：科学出版社，1995：218.

[3]刘志平，陈淑贤，崔建国.从茉莉花根中快捷提取D-甘露醇的方法研究[J].中药材，2008，31（11）：1747-1748.

[4]蔡柏玲，雷钧涛，唐泽波.茉莉花根中化学成分的初步分析[J].吉林医药学院学报，2007，28（1）：31-33.

[5]王大元，傅健文.茉莉根对中枢神经系统的抑制作用[J].药学通报，1982，17（9）：561.

[6][7][8][9]陈冀胜，郑硕.中国有毒植物[M].北京：科学出版社，1987：430.

药学编著： 刘华钢　韦松基　卢汝梅
药学审校： 广西壮族自治区食品药品检验所

构树根　　壤棵沙

Goushugen　　　　Raggosa

BROUSSONETIAE PAPYRIFERAE RADIX

【概述】 构树，俗名谷纱树、楮实子树、穀木蒫、沙纸树、木沙树等。其药用记载始见于《本草逢原》。在《重庆草药》、《本草求原》、《分类草药性》、《福建药物志》、《浙江药用植物志》等书中均有记载，另在《广西民间常用中草药手册》、《广西药用植物名录》、《广西本草选编》、《中华本草》等辞书中对其药用价值、原植物、地理分布等亦有简要记述。构树根原植物分布于华东、华南、西南及河北、山西、陕西、甘肃、湖北、湖南等地的山坡林缘或村寨道旁。[1]

【来源】 本品为桑科植物构树Broussonetia papyrifera（Linn.）Vent. 的根。

构树为乔木，高10~20 m；树皮暗灰色；小枝密生柔毛。叶螺旋状排列，广卵形至长椭圆状卵形，长6~18 cm，宽5~9 cm，先端渐尖，基部心形，两侧常不相等，边缘具粗锯齿，不分裂或3~5裂，小树之叶常有明显分裂，表面粗糙，疏生糙毛，背面密被绒毛，基生叶脉3出，侧脉6~7对；叶柄长2.5~8 cm，密被糙毛；托叶大，卵形，狭渐尖，长1.5~2 cm，宽0.8~1 cm。花雌雄异株；雄花序为柔荑花序，粗壮，长3~8 cm，苞片披针形，被毛，花被4裂，裂片三角状卵形，被毛，雄蕊4枚，花药近球形，退化雌蕊小；雌花序球形头状，苞片棍棒状，顶端被毛，花被管状，顶端与花柱紧贴，子房卵圆形，柱头线形，被毛。聚花果直径1.5~3 cm，成熟时橙红色，肉质；瘦果具与等长的柄，表面有小瘤，龙骨双层，外果皮壳质。花期4~5月，果期6~7月。[2]

构树以根入药，全年均可采收，洗净鲜用或晒干备用。

起草样品收集情况：共收集到样品6批，详细信息见表1、图1、图2。

表1　构树根样品信息一览表

编号	原编号	药用部位	产地/采集地点/批号	样品状态
GSG-1	20110902	根	邕宁区良庆镇	药材
GSG-2	20110623	根	邕宁区吴圩镇	药材
GSG-3	20110908	根	隆安县南圩镇	药材
GSG-4	20110823	根	广西中医学院	药材
GSG-5	20110823	根	邕宁区四塘镇	药材
GSG-6	20110906	根	南宁市良凤江	药材

备注：构树根样品GSG-1同时制成腊叶标本，经鉴定，结果确定其为桑科植物构树，实验中以该样品作为构树根的对照药材与其他样品进行对比。完成样品收集后，将所有6份样品（约300 g）进行粉碎处理，并统一过24目筛，备用。

【化学成分】 构树根皮含有楮树黄酮醇（broussoflavonol）C、D。[3]

图1 构树原植物

图2 构树标本

【药理与临床】 杂交构树根中黄酮类提取物与青霉素存在抑菌时会减弱青霉素对金黄色葡萄球菌以及大肠杆菌的抑制作用，并且随着药液的浓度增加，这种减弱作用也会增加。[4]

【性状】 本品呈不规则块片状。表面黄褐色或土黄色，较粗糙，具纵向细皱纹，外皮易脱落，直径0.5~4.5 cm，厚0.5~1.5 cm。质稍坚硬。断面皮部薄，灰黄色，纤维性强；木部宽，类白色或淡黄色。气微涩，味淡。

本品主要鉴别特征为表面黄褐色或土黄色，较粗糙；断面皮部薄；木部宽，类白色。详见图3。

【鉴别】 （1）本品粉末黄白色。淀粉粒众多，单粒类圆形、类多边形，直径4~18 μm；复粒由2~10分粒组成。纤维多见，单个散在或成束，直径20~50 μm，多断裂，壁厚，胞腔线形。导管主要为具缘纹孔导管，胞腔大，直径可达600 μm。草酸钙簇晶多见，直径20~50 μm，棱角钝；草酸钙方晶常散在，多边形或菱形。乳汁管多破碎，常见有黄棕色颗粒状分泌物及小油滴。石细胞少见，黄色或淡黄色，类长圆形或类方形，直径25~70 μm，壁薄，胞腔大，纹孔及孔沟明显。木栓细胞多角形，黄色或淡黄色。

显微鉴别要点：粉末中淀粉粒众多，导管主要为具缘纹孔导管，草酸钙簇晶多见，可见乳汁管破碎及黄棕色颗粒状分泌物。详见图4。

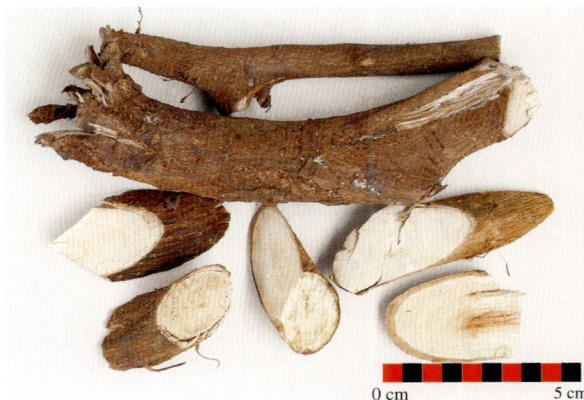

图3 构树根药材

273

（2）取本品粉末1 g，加稀乙醇10 ml，超声处理20分钟，滤过，滤液作为供试品溶液。另取构树对照药材1 g，同法制成对照药材溶液。照薄层色谱法（中国药典2010年版一部附录Ⅵ B）试验，吸取上述两种溶液各6 μl，分别点于同一硅胶G薄层板上，以三氯甲烷–甲醇–乙酸（9：0.5：0.2）为展开剂，预平衡15分钟，展开，取出，晾干，喷以5%三氯化铝乙醇溶液，在105 ℃加热至斑点显色清晰，置紫外光灯（365 nm）下检视。供试品色谱中，在与对照药材色谱相应的位置上，显相同颜色的荧光斑点。6批样品按本法检验，均符合规定，且薄层色谱分离效果好，斑点圆整清晰，重现性好。

耐用性实验考察：对不同展开温度（25 ℃、32 ℃）进行考察，对不同相对湿度（40RH%、70RH%）进行考察，结果均表明本法的耐用性良好，详见图5。

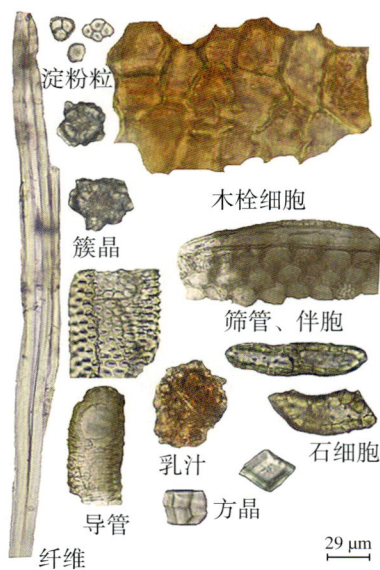

图4　构树根粉末显微图

淀粉粒　木栓细胞　簇晶　筛管、伴胞　乳汁　石细胞　导管　方晶　纤维　29 μm

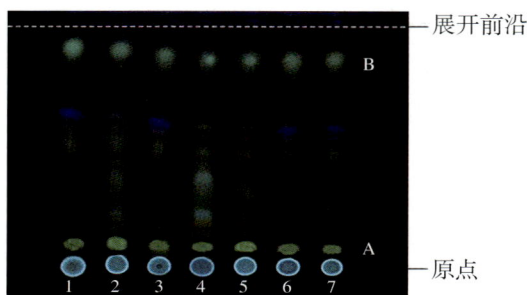

展开前沿　B　原点　A

图5　构树根样品TLC图

1. GSG–4　2. GSG–5　3. GSG–2　4. GSG–6　5. GSG–3
6. GSG–1　7. 对照药材　　A、B. 黄色荧光斑点

色谱条件：硅胶G薄层自制板，规格：10 cm×20 cm
圆点状点样，点样量：6 μl；温度：32 ℃；相对湿度：56RH%
展开剂：三氯甲烷–甲醇–乙酸（9：0.5：0.2）

【检查】　水分　照水分测定法（中国药典2010年版一部附录Ⅸ H第一法）测定。

对本品6批样品进行水分测定，结果见表2，据最高值、最低值及平均值，并考虑到该药材为南方所产，而南方气候较为湿润，暂定本品药材水分限度为不得过11.0%。

表2　构树根样品水分测定结果一览表

样品	水分均值（%）	样品	水分均值（%）
GSG–1	6.4	GSG–4	6.6
GSG–2	6.3	GSG–5	6.8
GSG–3	6.9	GSG–6	6.1
GSG–2–FH	9.2	GSG–6–FH	8.8
GSG–5–FH	9.3		

总灰分　照灰分测定法（中国药典2010年版一部附录Ⅸ K）测定。

对本品6批样品进行总灰分测定，结果见表3，据最高值、最低值及平均值，将本品总灰分拟定为不得过12.5%。

《广西壮族自治区壮药质量标准第二卷（2011年版）》注释

表3　构树根样品总灰分测定结果一览表

样品	总灰分（%）	样品	总灰分（%）
GSG-1	8.8	GSG-4	8.6
GSG-2	7.0	GSG-5	8.0
GSG-3	10.5	GSG-6	8.2
GSG-2-FH	6.9	GSG-6-FH	7.9
GSG-5-FH	6.4		

酸不溶性灰分　照灰分测定法（中国药典2010年版一部附录Ⅸ K）测定。

对本品6批样品进行酸不溶性灰分测定，结果见表4，据最高值、最低值及平均值，将本品酸不溶性灰分拟定为不得过2.5%。

表4　构树根样品酸不溶性灰分测定结果一览表

样品	酸不溶性灰分（%）	样品	酸不溶性灰分（%）
GSG-1	1.7	GSG-4	1.9
GSG-2	1.6	GSG-5	1.7
GSG-3	2.2	GSG-6	1.6
GSG-2-FH	1.1	GSG-6-FH	1.3
GSG-5-FH	1.3		

【浸出物】　照浸出物测定法（中国药典2010年版一部附录Ⅹ A）项下的热浸法测定。

对本品6批样品进行浸出物测定，结果见表5，据最高值、最低值及平均值，将本品浸出物含量拟定为不得少于12.0%。

表5　构树根样品浸出物测定结果一览表

样品	浸出物均值（%）	样品	浸出物均值（%）
GSG-1	16.6	GSG-4	15.1
GSG-2	14.5	GSG-5	15.7
GSG-3	14.8	GSG-6	14.9
GSG-2-FH	20.7	GSG-6-FH	20.3
GSG-5-FH	21.3		

参考文献

［1］国家中医药管理局《中华本草》编委会. 中华本草：第2册［M］. 上海：上海科学技术出版社，1999：470（总1021）.

［2］中国科学院中国植物志编辑委员会. 中国植物志：第二十三卷第一分册［M］. 北京：科学出版社，1998：24.

［3］国家中医药管理局《中华本草》编委会. 中华本草：第2册［M］. 上海：上海科学技术出版社，1999：473（总1024）.

［4］徐梦宇，咸淑慧，王荣镇，等. 杂交构树根黄酮类物质的提取及其抑菌活性研究［J］. 食品科技，2011，36（4）：194-196.

药学编著：刘华钢　韦松基　戴忠华
药学审校：广西壮族自治区食品药品检验所

肾茶　　棵蒙秒

Shencha　　　　Gomumhmeuz

CLERODENDRANTHI SPICATI HERBA

【概述】 肾茶，俗名猫须草、猫须公、腰只草、化石草、大花直管草等。肾茶原产于东南亚和大洋洲，在东南亚又名"瓜哇茶"（Jeva tea），由于其对肾病利尿作用突出，又有"印度肾茶"（Indian kidney tea）之名。在我国傣族民族医药称"雅糯秒"，傣族医书《档哈雅》和《贝叶经》中记载傣医用于治疗泌尿系统疾病已有2000年的历史。[1]《全国中草药汇编》、《中国植物志》、《广西本草选编》等辞书中对其药用价值、原植物、地理分布等情况均有记载。[2-7]肾茶原植物主要分布于广东、海南、广西南部、云南南部、台湾及福建等地的树下潮湿处或草地上。近年发现在我国广西、云南等地海拔为950~1050 m的热带、亚热带地区有野生分布。从20世纪60年代起，我国云南、广东、广西、福建、海南、台湾、四川等地大量引种栽培。[8, 9]经对南宁、玉林、柳州、三江、融安、融水等地调查研究结果显示，目前广西使用的肾茶均来自栽培。本标准起草采集的样本均为广西境内栽培。

　　肾茶的学名比较混乱，1826年Blume将其置于罗勒属下，命名为*Ocimum aristatum* Bl.；1831年Bentham将肾茶归属鸡脚参属，命名为*Orthosiphon stamineus* Benth.；至1858年Miquel根据植物命名法规，重新组合命名肾茶为*Orthosiphon aristatus* -（Bl.）Miq；至1929年日本植物学家Kudo认为肾茶的雄蕊和花柱伸出花冠甚长，小坚果有突起，与鸡脚参属不同，建立了肾茶属*Clerodendranthus* Kudo，将肾茶命名为*Clerodendranthus stamineus*（Benth.）Kudo；1950年Becker等发现肾茶早在1825年已被植物学家Thunberg命名，但误置于马鞭草科Clerodendron属下，Backer等认为应将其置于鸡脚参属下，因而命名*Orthosiphonspicatus*（Thunb.）Beck.Bakh.&Steen；1974年吴征镒及李锡文在研究中认为仍应置于肾茶属下，命名为*Clerodendranthus spicatus*（Thunb.）C.Y.Wu ex H.W.Li。[10]

　　【来源】 本品为唇形科植物肾茶*Clerodendranthus spicatus*（Thunb.）C.Y.Wu ex H.W.Li的干燥地上部分。秋季采收，除去杂质，晒干。

　　肾茶为多年生草本植物，高20~150 cm。茎直立，四棱形，常带淡紫色，被短柔毛。单叶对生；叶柄长1~3 cm，被短柔毛；叶片卵形、菱状卵形或卵状椭圆形，长2~6 cm，宽1~5 cm，先端渐尖，基部宽楔形或下延至叶柄，边缘在中部以上具粗齿，齿端具小突尖，两面被短柔毛，下面具腺点。夏秋季开淡紫色或白色花，轮伞花序具4~6朵花，在主茎和侧枝顶端组成间断的总状花序，长8~12 cm；苞片圆卵形，长约3.5 mm，先端柔尖，下面密被短柔毛；花萼钟形，长5~6 mm，外面被微柔毛及突起的锈色腺点，开花后增大，上唇大，圆形，下唇具4齿，齿三角形，先端具芒尖，正中2齿比侧2齿长1倍，边缘均具短柔毛；花冠浅紫色或白色，外面被微柔毛，上唇具腺点，花冠筒极狭，长9~19 mm，直径约1 mm，上唇大，外反，3裂，中裂片较大，先端微缺，下唇直伸，长圆形，微凹；雄蕊4枚，极度超

出花冠筒外2~4 cm，形如猫须，前对略长，花药小；子房4裂，花柱长长地伸出，柱头2浅裂；花盘前方呈指状膨大。小坚果卵形，深褐色，具网纹。花期6~11月，果期8~12月。

起草样品收集情况：共收集到样品10批，详细信息见表1、图1、图2。

表1　肾茶样品信息一览表

编号	原编号	药用部位	产地/采集地点/批号	样品状态	备注
SC-1	SG1，批号20111225	地上部分	南宁市沿溪路	饮片（短段）	购买
SC-2	SG2，批号20110310	地上部分	防城港市市场	饮片（短段）	购买
SC-3	SG3，批号20110325	地上部分	柳州市中草药行	饮片（短段）	购买
SC-4	SG4，批号20111225	地上部分	南宁市沿溪路	饮片（短段）	购买
SC-5	SG5，批号20110125	地上部分	桂林市六合路草药店	饮片（短段）	购买
SC-6	SG6，批号20110325	地上部分	百色市中草药行	饮片（短段）	购买
SC-7	SS1，批号20101124	地上部分	广西中医学院内	药材	采集
SC-8	SS2，批号20101202	地上部分	广西药用植物园	药材	采集
SC-9	SS3，批号20101102	地上部分	广西民族医院院内	药材	采集
SC-10	SS4，批号20101228	地上部分	玉林市药市	饮片（短段）	购买

备注：肾茶样品SC-9同时制成腊叶标本，经鉴定，结果确定其为唇形科植物肾茶，试验中以该样品作为肾茶的对照药材与其他样品进行对比。样品收集完成后，将所有10份样品（约300 g）进行粉碎处理，过3号筛，备用。

壮药质量标准注释

图1　肾茶原植物

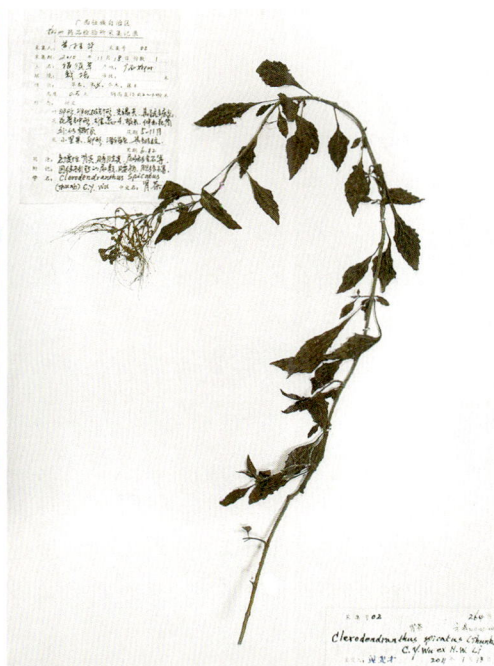

图2　肾茶标本

【化学成分】　肾茶中含有酚酸类化合物、黄酮及黄酮苷、香豆素类、二萜类、三萜类等成分。最近报道，肾茶含烷基苷A（clerspide A）和烷基苷B（clerspide B）。还含挥发油0.02%~0.7%，成分有B-揽香烯（B-elemene）、P-丁香烯（P-caryophyllene）等。上述诸多成分中，药理活性多酚、多甲氧基黄酮及咖啡酸衍生物被认为是主要的活性成分。[11]

【药理与临床】　（1）利尿及抑制草酸钙结合作用。肾茶提取物及其成分橙黄酮和一个四甲基黄酮以及甲基里帕色烯A对大鼠均有显著利尿作用，后者的利尿作用机制与双氢克尿塞不尽相同。

肾茶的甲醇：水（1∶1）提取物以2 g/kg的剂量给大鼠连续口服7天，可见尿量明显增加并降低高尿酸血大鼠的血尿酸。肾茶提取物能明显降低肾结石小鼠尿液及肾组织中草酸钙含量，减少草酸钙结晶在肾组织中的沉积。[12]

（2）抗炎作用。肾茶水煎液能显著抑制巴豆油所致的小鼠耳廓肿胀，肾茶氯仿提取物可抑制角叉菜胶所引起的小鼠足趾肿胀。通过化学–药理追踪认为两类多甲氧基的黄酮——泽兰黄素及橙黄酮为抗炎的有效成分。

从中国云南产肾茶分离提取的三萜类化合物熊果酸和齐墩果酸能够抑制125I–TGF–β_1与Balb／C小鼠成纤维细胞受体结合；同时对TGF–1（5 nm）刺激Minc MvlLu细胞的增殖有缓解作用，并可抑制TGF–1诱导的人成纤维细胞胶原合成，从而认为是一种TGF–β_1受体结合的抑制剂，熊果酸和齐墩果酸为其有效成分，为肾茶治疗肾炎的作用机制提供了实验依据。[13]

（3）抑菌作用。肾茶水煎液对链球菌、金黄色葡萄球菌、大肠杆菌、绿脓杆菌、肺炎链球菌、宋内氏志贺菌及普通变形杆菌等具有抑制作用；肾茶浸出物对巴斯德酵母、白色念珠菌、黑色根霉菌、青霉菌、镰刀菌这几种真菌的孢子发芽具有抑制作用。肾茶挥发油及粗提取物对多种真菌具有抑制作用。[14]

此外肾茶还具有降压作用及对微循环影响、降糖、抗肿瘤、抗氧化、保肝、解热作用。[15]

【性状】 本品茎方柱形，直径0.2~1.5 cm，节稍膨大；老茎表面灰棕色或灰褐色，有纵皱纹或纵沟，上部小枝紫褐色或紫红色，被短小柔毛。叶对生，皱缩，完整者展平后呈卵形或卵状披针形，具小柔毛，长2~5 cm，宽1~3 cm，先端尖，基部楔形，中部以下的叶缘具锯齿。叶柄长约2 cm。气微，味淡、微苦。

以茎枝幼嫩、色紫红、叶多者为佳。

本品主要鉴别特征为茎方柱形，节稍膨大，上部小枝紫褐色或紫红色，详见图3。

【鉴别】 （1）本品茎横切面：表皮细胞数列，有时可见非腺毛。皮层薄壁细胞5~10列，于棱角处有厚角组胞3~6列。中柱鞘纤维木化，3~10个成群，断续成环。形成层明显。木质部导管单个，少数2~3个相聚，径向散列。

图3　肾茶药材

粉末绿褐色。纤维成束，直径26~46 μm。叶表皮细胞垂周壁稍弯曲，气孔直轴式。腺毛头部单细胞，直径41~63 μm，腺柄单细胞。单细胞非腺毛基部直径31~38 μm；多细胞非腺毛由2~5个细胞组成，基部直径62~80 μm，壁厚，具壁疣。详见图4、图5。

（2）取本品粉末0.5 g，精密称定，加乙醇30 ml，浸泡过夜，超声处理30分钟，滤过，滤渣加入乙醇20 ml，同法再提取一次，合并滤液，蒸干，残渣加甲醇5 ml使溶解，作为供试品溶液。另取肾茶对照药材0.5 g，同法制成对照药材溶液。照薄层色谱法（中国药典2010年版一部附录Ⅵ B）实验，分别吸取对照药材溶液10 µl，供试品溶液1~10 µl，点于同一硅胶G薄层板上，以甲苯–甲

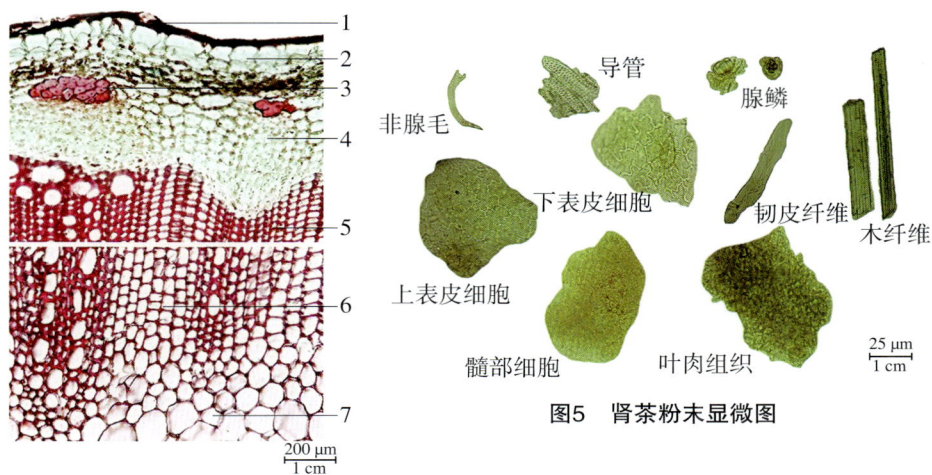

图4 肾茶茎横切面显微全貌图
1.表皮 2.皮层 3.韧皮纤维 4.韧皮部
5.木质部 6.射线 7.髓部

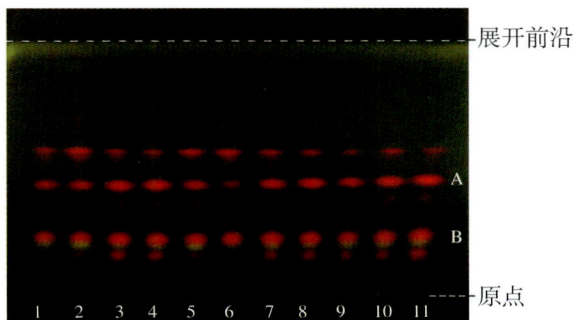

图5 肾茶粉末显微图

非腺毛　导管　腺鳞　下表皮细胞　韧皮纤维　木纤维　上表皮细胞　髓部细胞　叶肉组织

酸乙酯–甲酸（5∶4∶0.8）为展开剂，置盐酸蒸气饱和的展开缸内，预饱和30分钟，展开，取出，晾干，喷以2%三氯化铝的甲醇溶液，挥干，置紫外灯（365 nm）下检视。供试品色谱中，在与对照药材色谱相应的位置上，显相同颜色的斑点。薄层色谱分离效果好，斑点圆整清晰，重现性好，详见图6。

图6 肾茶样品TLC图
1.SC–1 2.SC–2 3.SC–3 4.SC–4 5.SC–5 6.对照药材 7.SC–6
8.SC–7 9.SC–8 10.SC–9 11.SC–10 A、B.红色荧光斑点

色谱条件： 硅胶G薄层预制板，生产厂家：浙江省台州市路桥四甲生化塑料厂，批号：20060529，规格：10 cm×10 cm
圆点状点样，点样量：样品供试液各5 µl，对照药材溶液10 µl；温度：35 ℃；相对湿度：52RH%
展开剂：甲苯–甲酸乙酯–甲酸（5∶4∶0.8）（置盐酸蒸气饱和的展开缸内，预饱和30分钟）

实验考察了不同提取溶剂和提取方法：甲醇索氏提取、先用乙醚索氏提取除杂再用甲醇索氏提取、25%盐酸–甲醇（1∶4）回流和乙醇超声提取的提取效果。展开剂：甲苯–三氯甲烷–乙酸乙酯（10∶5∶3）、甲苯–甲酸乙酯–甲酸（5∶4∶0.8）。点样量：1 µl，2 µl，5 µl，10 µl。显色剂：1%三氯化铁乙醇溶液，5%碳酸钠溶液，2%三氯化铝的甲醇溶液。预饱和、不进行预饱和、预饱和30分钟后展开。结果：以正文所述实验条件为最佳。

耐用性实验考察：对自制板、预制板（浙江省台州市路桥四甲生化塑料厂提供，规格为10 cm×10 cm，厚度0.20~0.25 mm，生产日期为2006年5月29日）的展开效果进行考察，对不同展开温度（5 ℃、25 ℃、35 ℃）进行考察，对点状、条带状点样进行考察，结果均表明本法的耐用性良好。

【检查】 水分 照水分测定法（中国药典2010年版一部附录ⅨH第一法）测定。

对本品10批样品进行水分测定，结果见表2，据最高值、最低值及平均值，暂定本品药材水分限度为不得过15.0%。

表2 肾茶样品水分测定结果一览表

样品	水分均值（%）	样品	水分均值（%）
SC-1	11.5	SC-6	12.8
SC-2	13.4	SC-7	13.9
SC-3	13.9	SC-8	13.8
SC-4	13.8	SC-9	13.7
SC-5	13.6	SC-10	14.0
SC-3-FH	10.4	SC-7-FH	11.5
SC-5-FH	10.8		

总灰分 照灰分测定法（中国药典2010年版一部附录ⅨK）测定。

对本品10批样品进行总灰分测定，结果见表3，据最高值、最低值及平均值，将本品总灰分限度为不得过13.0%。

表3 肾茶样品总灰分测定结果一览表

样品	总灰分（%）	样品	总灰分（%）
SC-1	8.3	SC-6	9.5
SC-2	8.0	SC-7	9.0
SC-3	10.6	SC-8	14.8
SC-4	9.0	SC-9	9.3
SC-5	9.1	SC-10	8.6
SC-3-FH	8.3	SC-7-FH	5.0
SC-5-FH	8.2		

酸不溶性灰分 照灰分测定法（中国药典2010年版一部附录ⅨK）测定。

对本品10批样品进行酸不溶性灰分测定，结果见表4，据最高值、最低值及平均值，将本品酸不溶性灰分拟定为不得过4.8%。

表4 肾茶样品酸不溶性灰分测定结果一览表

样品	酸不溶性灰分（%）	样品	酸不溶性灰分（%）
SC-1	0.5	SC-6	0.3
SC-2	0.2	SC-7	1.2
SC-3	0.5	SC-8	7.2
SC-4	0.2	SC-9	4.0
SC-5	0.2	SC-10	3.9
SC-3-FH	0.4	SC-7-FH	0.6
SC-5-FH	0.7		

【浸出物】 查阅文献表明[16-18]，肾茶主要给药方式为水煎剂，药理活性成分既有水溶

性的物质，也有醇溶性的物质，故照浸出物测定法（中国药典2010年版一部附录Ⅹ A）分别考察了水溶性浸出物测定法（冷浸法与热浸法）和醇溶性浸出物测定法（乙醇浓度为60%，热浸法）。结果表明，肾茶药材浸出物以60%乙醇热浸法所得浸出物含量较高，故选用60%乙醇为提取溶剂。

对本品10批样品进行浸出物含量测定，结果见表5，据最高值、最低值及平均值，将本品浸出物限度为不得少于18.0%。

表5　肾茶样品浸出物测定结果一览表

样 品	水溶性浸出物（冷浸）的含量（%）	水溶性浸出物（热浸）的含量（%）	60%乙醇溶性浸出物（热浸）的含量（%）
SC-1	16.34	20.80	24.1
SC-2	11.96	18.06	23.8
SC-3	16.03	22.68	24.4
SC-4	13.72	19.36	26.0
SC-5	16.30	21.46	25.7
SC-6	14.06	19.23	23.2
SC-7	16.40	21.98	24.6
SC-8	14.03	19.46	25.2
SC-9	13.86	18.87	25.8
SC-10	12.76	16.10	25.6
平均值	12.68	16.08	24.8
SC-3-FH	–	–	25.6
SC-5-FH	–	–	29.7
SC-7-FH	–	–	28.2

参考文献

[1]许娜，许旭东，杨峻山. 猫须草的研究进展［J］. 中草药，2010，41（5）：12-16.

[2]［16］《全国中草药汇编》编写组. 全国中草药汇编：下册［M］. 北京：人民卫生出版社，1988：581-582.

[3]中国科学院中国植物志编辑委员会. 中国植物志：第六十六卷［M］. 北京：科学出版社，1977：574-577.

[4]中国科学院植物研究所. 中国高等植物图鉴：第三册［M］. 北京：科学出版社，1974：707.

[5]［17］广西壮族自治区革命委员会卫生局. 广西本草选编：下册［M］. 南宁：广西人民出版社，1974：1918-1919.

[6]广西壮族自治区中医药研究所. 广西药用植物名录［M］. 南宁：广西人民出版社，1986：502-503.

[7]广西医药研究所药用植物园. 药用植物名录［M］. 南宁：广西人民出版社，1974：337-338.

[8]张平. 肾茶的研究进展［J］. 中国野生植物资源，2000，19（5）：16-19.

[9]赵爱华，赵勤实，李蓉涛，等. 肾茶的化学成分［J］. 云南植物研究，2004，26（5）：563-568.

[10]［11］［12］［13］［14］［15］［18］肖伟，彭勇，刘勇，等. 肾茶的研究与开发新进展［J］. 世界科学技术-中医药现代化，2009（3）：434-438.

药学编著：黄桂华　黄铭　黄璇
药学审校：广西壮族自治区食品药品检验所

壮药质量标准注释

281

肾蕨　　棍熔

Shenjue　　　　　　Gutrongh

NEPHROLEPIDIS RHIZOMA

【概述】 肾蕨，俗名马骝卵、凤凰蛋、麻雀蛋、猫蛋果等，皆因其圆形肉质块茎形似而得名。[1]其药用始见于《植物名实图考》，其后《广州植物志》、《广西药用植物志》、《陆川本草》、《南宁市药物志》、《贵州民间药物》等均有记载。《全国中草药汇编》、《中药大辞典》、《中华本草》等大型辞书中对其药用价值、原植物、地理分布、产销情况等亦有简要记述。同时，肾蕨又是一种多民族使用的民间草药，壮、瑶、哈尼、佤、傈僳、畲、水等[2]多个民族的民间药书中都有记载。该植物主要分布于华南、西南及浙江、江西、福建、台湾、湖南等地的林下、溪边、树干或石缝中[3]，广西主产于武鸣、南宁、百色、柳州、河池、岑溪等县市。[4]在民间有较长的使用历史，但中国药典及《广西中药材标准》尚无收载。

【来源】 本品为骨碎补科植物肾蕨*Nephrolepis auriculata*（Linn.）Trimen的干燥地下块茎或新鲜地下块茎。

肾蕨植株高30~70 cm。根茎近直立，有直立的主轴及从主轴向四面生长的长匍匐茎，并从匍匐茎的短枝上生出圆形肉质块茎，主轴与根茎上密被钻状披针形鳞片，匍匐茎、叶柄和叶轴疏生钻形鳞片。叶簇生；叶柄长5~10 cm；叶片革质，光滑无毛，披针形，长30~70 cm，宽3~5 cm，基部渐变狭，一回羽状；羽片无柄，互生，以关节着生于叶轴，似镰状而钝，基部下侧呈心形，上侧呈耳形，常覆盖于叶轴上，边缘有浅齿；叶脉羽状分叉。孢子囊群生于每组侧脉的上侧小脉先端；囊群盖肾形。[5]

肾蕨为蕨类植物，主要以地下块茎入药。该药材全年可采，除去泥沙，鲜用，或置沸水中烫约3分钟，捞出，干燥。肾蕨块茎富含水分，较难干燥，但经沸水烫后，则干燥变得容易。实验表明，鲜品置沸水中烫约3分钟，效果最佳。本品多鲜用，故在生鲜市场中常见。

起草样品收集情况：共收集到样品13批，详细信息见表1、图1、图2。

表1　肾蕨样品信息一览表

编号	原编号	药用部位	产地/采集地点/批号	样品状态
SJ-1	南宁1010	块茎	南宁市	药材
SJ-2	柳州融安110206	块茎	柳州市融安县	药材
SJ-3	河池110208	块茎	河池市	药材
SJ-4	河池110215	块茎	河池市	药材
SJ-5	百色110215	块茎	百色市	药材
SJ-6	南宁110227	块茎	南宁市	药材
SJ-7	柳州融安110404	块茎	柳州市融安县	药材

《广西壮族自治区壮药质量标准第二卷（2011年版）》注释

编号	原编号	药用部位	产地/采集地点/批号	样品状态
SJ-8	南宁110521	块茎	南宁市	药材
SJ-9	南宁腾翔110524	块茎	南宁市腾翔镇	药材
SJ-10	百色靖西110605	块茎	百色市靖西县	药材
SJ-11	南宁马山县10605	块茎	南宁市马山县	药材
SJ-12	南宁110727	块茎	南宁市	药材
SJ-13	河池110815	块茎	河池市	药材

备注：肾蕨样品SJ-13同时制成腊叶标本，经鉴定，结果确定其为骨碎补科植物肾蕨，实验中以该样品作为肾蕨的对照药材与其他样品进行对比。完成样品收集后，将所有13份样品（约300 g）进行粉碎处理，并统一过40目筛，备用。

图1　肾蕨原植物

图2　肾蕨标本

【化学成分】　肾蕨中含有糖、多糖、苷类、酚类和鞣质、有机酸、香豆素、内酯等化学成分。梁志远等[6]从肾蕨乙醇提取物中分离得到 □-谷甾醇、羊齿-9（11）-烯（Fern-9（11）-ene）、齐墩果酸、肉豆蔻酸十八烷基酯、正三十一烷酸和正三十烷醇；王光荣等[7,8]对马骝卵乙酸乙酯部分进行了化学成分研究，依据理化性质和光谱数据鉴定为□-谷甾酮-1，22-二烯、胡萝卜苷、7，4′-二羟黄酮醇-3-O-□-葡萄糖苷、山奈酚-3-O-□-葡萄糖苷、槲皮素-3-O-□-鼠李糖苷、油酸单甘油酯等化合物，并用气相色谱-质谱-计算机联用仪定性分离分析肾蕨中的挥发油成分，主要成分为十六酸乙酯、十六酸正丁酯、月桂酸乙酯、亚油酸乙酯、顺式油酸乙酯、9，12-二烯-十八酸丁酯、顺-9-烯-硬脂酸丁酯、十二酸

乙酯、雪松醇、2，3，4，7，8，8a–六氢化1H–3a，7–亚甲基奥等。另有报道[9, 10]，肾蕨中含有里白烯（Diploptene）、□–谷甾醇–□–D–葡萄糖苷（□–sitosteryl–□–D–glucoside）、□–谷甾醇–棕榈酸酯（□–sitosteryl–palmitate）和环鸦片甾烯醇（Cyclolaudenol）、蛋白质、脂肪、还原糖及戊聚糖等。

【药理与临床】 肾蕨具有清热利湿、止咳通淋、消肿解毒的功效，常用于治疗外感发热、肺热咳嗽、黄疸、淋浊、小便涩痛、泄泻、痢疾、带下、乳痈、瘰疬痰核、水火烫伤、金刃损伤。陶广松等[11]以肾蕨水提取液为试验材料，采用纸片扩散法测定其对金黄色葡萄球菌、大肠杆菌、枯草杆菌和浓杆菌的抑菌活性效果。结果表明肾蕨全草对以上4种供试菌的抗菌性均显著，肾蕨各部分水提取液对4种供试菌的抑菌活性差异显著，叶的水提取液对金黄色葡萄球菌的抑菌活性最强，根的水提取液对4种供试菌的抑菌活性最强；陈晓清等[12]对肾蕨多糖进行了抑菌实验，结果表明肾蕨多糖具有广谱抗菌活性，其对肠炎病病原菌、黑曲霉与稻瘟病病原菌的最低菌浓度为7.5 mg/ ml。

【性状】 本品鲜品呈块茎球形或扁圆形，直径1.5~3 cm；表面多有棕色绒毛状鳞片，可见自根茎脱落后的圆形疤痕，除去鳞片后表面显亮黄色，有明显的不规则皱纹。干品极皱缩，表面黄棕色绒毛状鳞片明显。质硬脆，断面黄棕色至棕褐色。气香，味微甜。

本品主要鉴别特征为鲜品呈类球形，表面有绒毛状鳞片或光亮，肉质，气香，味微甜。详见图3、图4。

图3　肾蕨块茎鲜品图

【鉴别】 肾蕨的显微结构研究已有报道[13]，通过对多地采集的标本进行对比研究，结果一致。

（1）本品横切面：表皮细胞1列，排列紧密，可见鳞片。维管束10~22个，环状排列；维管束外内皮层细胞明显，中柱鞘薄壁细胞2~3列，内含棕色物，维管束周韧型。

粉末黄棕色。鳞片细胞浅棕色，壁薄，长梭形，直径22~56 μm，镶嵌排列成片状。薄壁细胞类圆形，直径60~250 μm。表皮细胞壁较厚，类多角形，排列紧密。内皮层细胞三面增厚，

图4　肾蕨块茎药材性状图

一面较薄，胞腔大，孔沟明显，宽40~70 μm。管胞多为具缘纹孔或环纹。

本品主要鉴别特征为鳞片细胞、管胞易见，详见图5、图6。

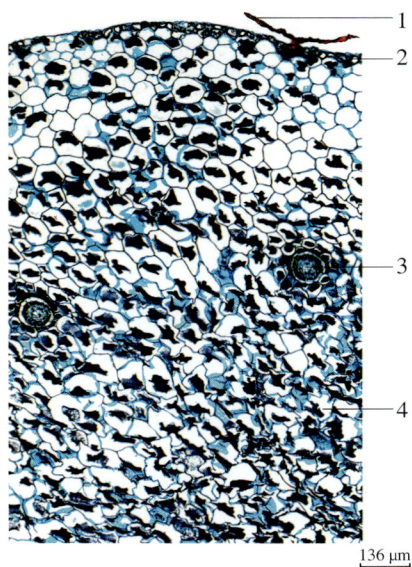

图5　肾蕨块茎横切面显微全貌图
1. 鳞片细胞　2. 表皮
3. 分体中柱　4. 基本组织

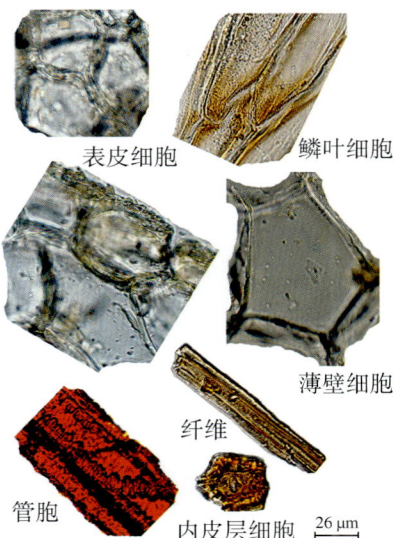

图6　肾蕨块茎粉末特征图

（2）取本品粉末1 g，加乙醇20 ml，加热回流1小时，放冷，滤过，滤液蒸干，加乙醇2 ml使溶解，作为供试品溶液。另取肾蕨对照药材1 g，同法制成对照药材溶液。照薄层色谱法（中国药典2010年版一部附录Ⅵ B）试验，吸取上述两种溶液各10~15 μl，分别点于同一硅胶G薄层板上，以石油醚（60~90 ℃）-三氯甲烷-丙酮（10：5：1）为展开剂，展开，取出，晾干，喷以10%的磷钼酸乙醇溶液，在105 ℃加热至斑点显色清晰。供试品色谱中，在与对照药材色谱相应的位置上，显相同颜色的斑点。13批样品按本法检验，均符合规定，且薄层色谱分离效果好，斑点圆整清晰，比移值适中，重现性好，详见图7。

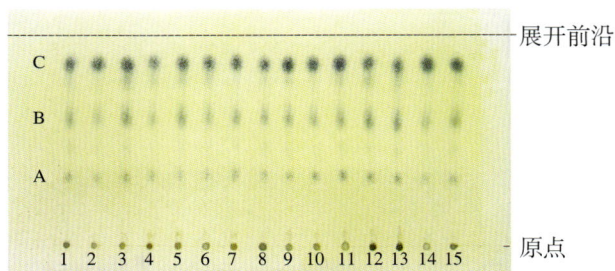

图7　肾蕨样品TLC图

1. SJ-13（对照药材）　　2. SJ-1　　3. SJ-2　　4. SJ-3　　5. SJ-4　　6. SJ-5
7. SJ-6　　8. SJ-13（对照药材）　　9. SJ-7　　10. SJ-8　　11. SJ-9　　12. SJ-10
13. SJ-11　　14. SJ-12　　15. SJ-13（对照药材）　　A、B、C. 均在黄色背景上显蓝色的斑点

色谱条件： 硅胶G薄层自制板，规格：10 cm×20 cm
圆点状点样，点样量：10~15 μl；温度：26 ℃；相对湿度：76RH%
展开剂：石油醚（60~90 ℃）-三氯甲烷-丙酮（10：5：1）

【检查】 水分 照水分测定法（中国药典2010年版一部附录Ⅸ H第一法）测定。

对本品13批样品进行水分测定，结果见表2，据最高值、最低值及平均值，并考虑到该药材为南方所产，而南方气候较为湿润，暂定本品药材水分限度为不得过15.0%。

表2 肾蕨样品水分测定结果一览表

样品	水分均值（%）	样品	水分均值（%）
SJ-1	8.2	SJ-8	12.1
SJ-2	11.6	SJ-9	11.0
SJ-3	10.8	SJ-10	8.3
SJ-4	11.0	SJ-11	11.1
SJ-5	10.4	SJ-12	9.1
SJ-6	12.8	SJ-13	7.5
SJ-7	11.7	SJ-4-FH	12.8
SJ-7-FH	13.2	SJ-8-FH	11.3

总灰分 照灰分测定法（中国药典2010年版一部附录Ⅸ K）测定。

对本品13批样品进行总灰分测定，结果见表3，据最高值、最低值及平均值，将本品总灰分限度为不得过12.0%。

表3 肾蕨样品总灰分测定结果一览表

样品	总灰分（%）	样品	总灰分（%）
SJ-1	7.5	SJ-8	10.7
SJ-2	6.1	SJ-9	8.1
SJ-3	9.4	SJ-10	9.1
SJ-4	7.2	SJ-11	8.6
SJ-5	6.0	SJ-12	8.3
SJ-6	7.9	SJ-13	6.1
SJ-7	5.8	SJ-4-FH	6.0
SJ-7-FH	5.8	SJ-8-FH	10.2

酸不溶性灰分 照灰分测定法（中国药典2010年版一部附录Ⅸ K）测定。

对本品13批样品进行酸不溶性灰分测定，结果见表4，据最高值、最低值及平均值，将本品酸不溶性灰分拟定为不得过1.6%。

表4 肾蕨样品酸不溶性灰分测定结果一览表

样品	酸不溶性灰分（%）	样品	酸不溶性灰分（%）
SJ-1	0.2	SJ-8	1.4
SJ-2	0.9	SJ-9	0.3
SJ-3	0.8	SJ-10	0.6
SJ-4	0.1	SJ-11	0.3
SJ-5	0.5	SJ-12	0.7
SJ-6	0.3	SJ-13	0.6
SJ-7	0.1	SJ-4-FH	0.4
SJ-7-FH	0.1	SJ-8-FH	1.3

【浸出物】 实验之初对比了加热提取和冷浸提取的提取效果，结果表明，冷浸提取较加热提取效果优。对比了水和三种不同浓度的乙醇（稀乙醇、75%乙醇及乙醇）作为提取溶剂的提取效果，结果表明，水提取的提取效果较乙醇提取的提取效果优。最终确定以水为提取溶剂，照水溶性浸出物测定法（中国药典2010年版一部附录ⅩA）项下的冷浸法测定。

对本品13批样品进行浸出物测定，结果见表5，据最高值、最低值及平均值，将本品浸出物限度为不得少于37.0%。

表5　肾蕨样品浸出物测定结果一览表

样品	浸出物均值（%）	样品	浸出物均值（%）
SJ-1	52.1	SJ-8	38.6
SJ-2	54.8	SJ-9	42.4
SJ-3	42.9	SJ-10	37.1
SJ-4	55.0	SJ-11	37.5
SJ-5	52.0	SJ-12	46.1
SJ-6	48.7	SJ-13	39.7
SJ-7	53.2	SJ-4-FH	57.5
SJ-7-FH	58.6	SJ-8-FH	47.8

参考文献

[1][3][5][9]国家中医药管理局《中华本草》编委会.中华本草：第2册[M].上海：上海科学技术出版社，1999：214-215.

[2]贾敏如，李星炜.中国民族药志要[M].北京：中国医药科技出版社，2005：420-421.

[4][10]梁启成，钟鸣.中国壮药学[M].南宁：广西民族出版社，2005：265.

[6]梁志远，杨小生，朱海燕，等.肾蕨的化学成分研究[J].广西植物，2008，28（3）：420-421.

[7]王光荣.中药马骝卵的化学成分研究[D].桂林：广西师范大学，2003.

[8]王恒山，王光荣，潘英明.马骝卵挥发油的GC-MS分析[J].光谱实验室，2004，21（3）：535-537.

[11]陶广松，崔胜彬，蒋建辉，等.3种药用蕨类植物水提取液抗菌性研究[J].现代农业科技，2010（11）：23-25.

[12]陈晓清，苏育才，李晓晶，等.抗菌肾蕨多糖的提取与分离[J].漳州师范学院学报：自然科学版，2006（4）：112-115.

[13]朱华，苏玲，朱意麟，等.肾蕨的显微鉴别[J].时珍国医国药，2008，19（7）：1755.

药学编著： 朱 华　蔡 毅　马雯芳
药学审校： 广西壮族自治区食品药品检验所

DYB45-GXZYC0114-2011

罗汉茶　　茶罗汉

Luohancha　　Cazlozhan

ENGELHARDIAE ROXBURGHIANAE FOLIUM

【概述】 罗汉茶，俗名甜茶、桂平甜茶、土厚朴等。其药用始见于广西壮族自治区卫生局主编的《广西本草选编》[1]，其后赵素兰主编的《中国本草图录》、广西壮族自治区卫生厅主编的《广西中药材标准》（第二册）[2]等均有记载。罗汉茶原植物主要分布在台湾、广东、广西、海南、福建、湖南、贵州、云南、四川等省（区）海拔200~1500 m的山地、林缘、河边及树丛中。主产于广西各地。

【来源】 本品为胡桃科植物黄杞 *Engelhardia roxburghiana* Wall. 的干燥叶。

黄杞为半常绿乔木，高达10余米，全体无毛，被有橙黄色盾状着生的圆形腺体；枝条细瘦，老后暗褐色，干时黑褐色，皮孔不明显。偶数羽状复叶长12~25 cm，叶柄长3~8 cm，小叶3~5对，稀同一枝条上亦有少数2对，近于对生，具长0.6~1.5 cm的小叶柄，叶片革质，长6~14 cm，宽2~5 mm，长椭圆状披针形至长椭圆形，全缘，顶端渐尖或短渐尖，基部歪斜，两面具光泽，侧脉10~13对。雌雄同株或稀异株。雌花序1条及雄花序数条，长而俯垂，生疏散的花，常形成一顶生的圆锥状花序束，顶端为雌花序，下方为雄花序，或雌雄花序分开则雌花序单独顶生。雄花无柄或近无柄，花被片4枚，兜状，雄蕊10~12枚，几乎无花丝。雌花有长约1 mm的花柄，苞片3裂而不贴于子房，花被片4枚，贴生于子房，子房近球形，无花柱，柱头4裂。果序长达15~25 cm。果实坚果状，球形，直径约4 mm，外果皮膜质，内果皮骨质，3裂的苞片托于果实基部；苞片的中间裂片长约为两侧裂片长的2倍，中间的裂片长3~5 cm，宽0.7~1.2 cm，长矩圆形，顶端钝圆。5~6月开花，8~9月果实成熟。[3]

罗汉茶以叶入药，夏、秋二季采收，除去杂质，晒干。近代研究表明，黄杞中存在高含量的二氢黄酮醇糖苷、落新妇苷，认为除具有抑制致癌作用外，还具有多种活性[4]，其中以叶子含量最高。[5]罗汉茶在广西民间以叶入药，《壮药质量标准》将罗汉茶的药用部位定为叶，并以落新妇苷作为控制质量的含量测定具有一定的科学依据。

起草样品收集情况：共收集到样品10批，详细信息见表1、图1、图2。

表1　罗汉茶样品信息一览表

编号	原编号	药用部位	产地/采集地点/批号	样品状态
LHC-1	10081101	叶	上思县南屏乡	药材
LHC-2	11012601	叶	防城港市峒中林场	药材
LHC-3	11041703	叶	武鸣县两江镇	药材
LHC-4	10061501	叶	金秀瑶族自治县老山林场	药材
LHC-5	11042901	叶	那坡县龙合乡	药材
LHC-6	11050901	叶	钦州市灵山县	药材
LHC-7	11061201	叶	钦州市大寺镇	药材
LHC-8	10121001	叶	南宁市草药市场	商品药材

《广西壮族自治区壮药质量标准第二卷（2011年版）》注释

编号	原编号	药用部位	产地/采集地点/批号	样品状态
LHC-9	11031901	叶	南宁市草药市场	商品药材
LHC-10	11022101	叶	南宁市草药市场	商品药材

备注：罗汉茶样品LHC-1同时制成腊叶标本，经方鼎和黄燮才两位植物分类学家鉴定为胡桃科植物黄杞，实验中以该样品作为罗汉茶的对照药材与其他样品进行对比研究。完成样品收集后，将所有10批样品（约600 g）进行粉碎处理，并统一过40目筛，备用。

图1　罗汉茶原植物

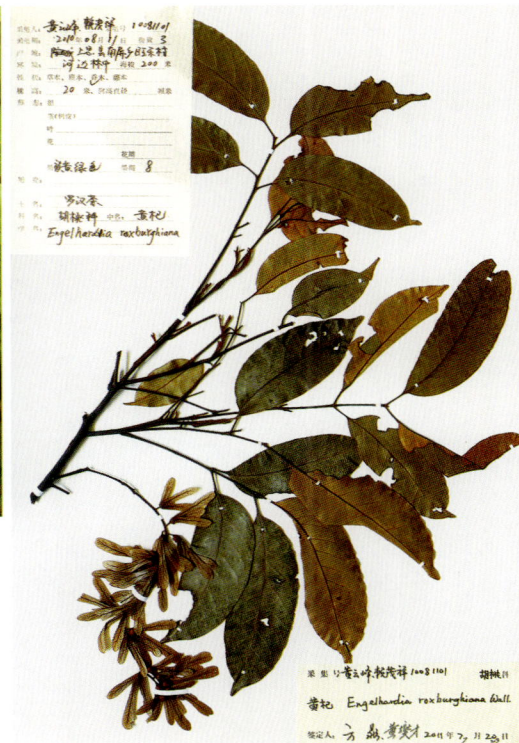

图2　罗汉茶标本

【化学成分】　罗汉茶中含有黄酮类化合物（flavonoids）、落新妇苷（astilbin）、异落新妇苷（isoastilbin）、新异落新妇苷（neoiso astilbin）、新落新妇苷（neo astilbin）和紫杉素（taxifolin）。[6]近年来，不断有研究人员采用准确度比较高的HPLC法对罗汉茶叶中落新妇苷的含量进行研究[7, 8]，结果表明罗汉茶叶中落新妇苷的含量比较高。而落新妇苷具有抗氧化作用、保护红细胞免受氧化而溶血、完全抑制黑色素瘤细胞（B₁₆ melanoma F-1）中黑色素的形成、抗炎作用及醛糖还原酶抑制作用等[9]，因此可以认为落新妇苷是罗汉茶的主要有效成分，可用落新妇苷作为罗汉茶的质量控制指标。

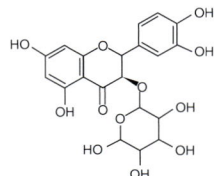

落新妇苷（$C_{21}H_{22}O_{11}$）

【药理与临床】　罗汉茶具有清热解毒、生津解渴、解暑利湿的功效，用于治疗脾胃湿滞、胸腹胀闷、感冒发热等症。[10]李晨岚等[11]实验研究表明：罗汉茶具有降血糖作用。黄杞

壮药质量标准注释

叶水提物和黄杞叶水提物经聚酰胺柱色谱分离，乙醇洗脱部分（Fr–3）对体外α–葡萄糖苷酶活性具有明显的抑制作用，且呈良好的量效关系，Fr–3的抑制作用较黄杞叶水提物增强，程度与样品浓缩倍数吻合。在小鼠体内实验中，黄杞叶水提物和Fr–3对小鼠空腹血糖没有显著影响，但使负荷高糖的小鼠血糖水平显著降低。钟正贤等[12]实验研究表明：罗汉茶总黄酮具有体外抗凝、抗血小板聚集和抗血栓形成作用；能降低血液黏度和血脂水平；延长耐缺氧时间。其急性毒性的最大耐受量为198 g/kg。水谷健二等[13]实验研究表明：罗汉茶对小鼠多脏器致癌有抑制作用。罗汉茶中存在高含量的二氢黄酮醇糖苷、落新妇苷，认为除具有抑制致癌作用外，还具有多种活性，实验结果表明，在抗促癌初级筛选的EBV–EA表达试验中，罗汉茶提取液有强的抑制作用，认为与含有黄酮醇类有关。

毒理学研究表明：黄杞叶毒性极低，其急性毒性的最大耐受量为198 g/kg。[14]

【性状】 本品呈棕黄色。完整的叶片为偶数羽状复叶，具小叶6~8片，近对生，通常不完整，无毛，小叶片多卷曲，展平后呈长椭圆状披针形至长椭圆形，长6~13 cm，宽2~5 cm，顶端渐尖，基部歪斜，革质，全缘，侧脉8~13对，主脉于下表面显著凸起；可见有细小的点状腺体。质脆，易破碎。气微，味微苦、甘。

本品主要鉴别特征为小叶基部歪斜，革质，全缘，两面无毛。以叶表面黄绿色者为佳。详见图3。

图3 罗汉茶药材

【鉴别】 根据收集的7个产地采集品和3批商品共10批药材样品，经制片观察拟定。显微组织片的制备以石蜡切片为主，采用番红–固绿双重染色。制片过程经过取材—固定—脱水—透明—浸蜡—包埋—切片—染色—封藏。观察了本品叶的横切面和粉末，每个部位均观察不同产地不同批号药材15张制片以上。为了力求直观和真实，全部组织显微图均采用显微照相技术进行拍照。

（1）本品横切面：上表皮细胞类方形，外被角质层，中脉处明显凸出；下表皮细胞较小；栅栏组织为2~3列细胞；海绵组织约占叶肉的

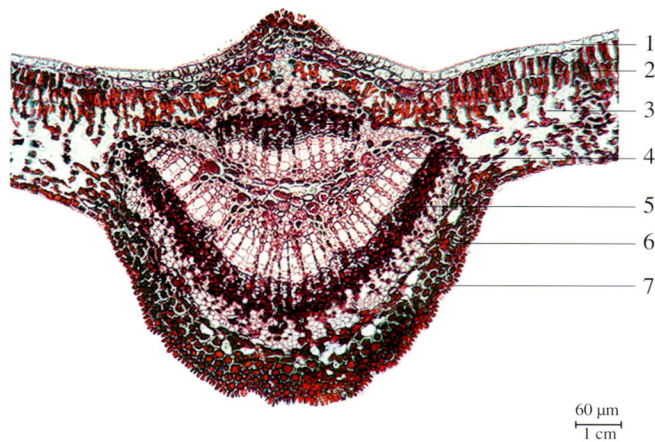

图4 罗汉茶叶中脉横切面显微全貌图
1. 上表皮 2. 栅栏组织 3. 海绵组织 4. 木质部
5. 韧皮部 6. 中柱鞘纤维 7. 下表皮

1/2；主脉维管束类三角状或半圆形，中柱鞘纤维为数列细胞排成环状，韧皮部较大的细胞中具黄棕色内含物。叶肉和中脉薄壁细胞内偶见草酸钙簇晶。详见图4、图5。

（2）取本品粉末1 g，加乙醇10 ml，加热回流30分钟，滤过，滤液蒸干，残渣加水10 ml使溶解，滤过，滤液加乙酸乙酯提取2次，每次10 ml，合并乙酸乙酯液，蒸干，残渣加甲醇1 ml使溶解，作供试品溶液。另取罗汉茶对照药材1 g，同法制成对照药材溶液。照薄层色谱法（中国药典2010年版一部附录Ⅵ B）试验，吸取上述两种溶液各5~10 μl，分别点于同一以羧甲基纤维素钠为黏合剂的硅胶G薄层板上，以三氯甲烷–甲醇–冰醋酸（8：2：0.5）为展开剂，展开，取出，晾干，喷以1%的三氯化铝乙醇溶液，在105 ℃加热至斑点显色清晰。供试品色谱中，在与对照药材色谱相应的位置上，显相同颜色的斑点。8批样品按本法检验，均符合规定，重现性较好，故收入正文，见图6。

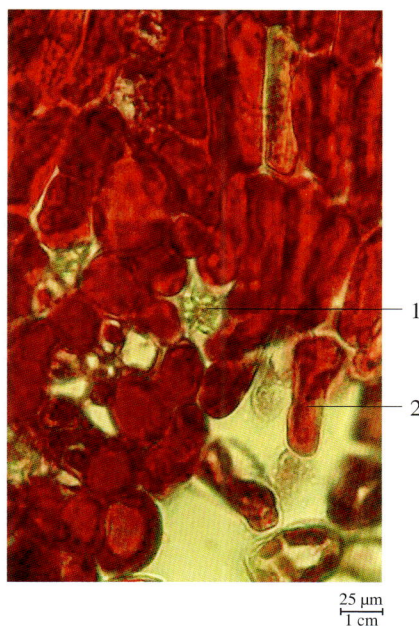

$\frac{25\ \mu m}{1\ cm}$

图5　罗汉茶叶横切面显微放大图
1. 草酸钙簇晶　2. 叶肉细胞

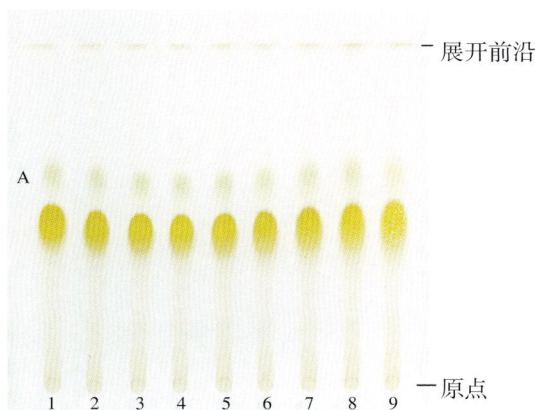

图6　罗汉茶样品TLC图（日光下）

1. LHC-1（对照药材）　2. LHC-2　3. LHC-3　4. LHC-4
5. LHC-5　　　　　　6. LHC-6　7. LHC-7　8. LHC-8
A. 黄色斑点（日光下）；黄绿色荧光斑点（紫外光365 nm下）

色谱条件：硅胶G薄层预制板，生产厂家：青岛海洋化工厂，批号：20111008，规格：10 cm×10 cm
圆点状点样，点样量：10 μl；温度：32 ℃；相对湿度：70RH%
展开剂：三氯甲烷–甲醇–冰醋酸（8：2：0.5）
显色条件：1%三氯化铝乙醇溶液，在105 ℃加热至斑点显色清晰，在日光下检视

耐用性实验考察：采用点状点样对自制板、预制板（青岛海洋化工厂提供，批号：20111008）的展开效果进行考察，对不同展开温度（10 ℃、30 ℃）进行考察，结果均表明本法的耐用性良好。

【检查】 重点考察了水分、总灰分和浸出物三项指标，并根据多批样品的实测数据制定限度。

水分 照水分测定法（中国药典2010年版一部附录Ⅸ H 第一法）测定。

对本品10批样品进行水分测定，结果见表2，据最高值、最低值及平均值，并考虑到该药材主产于广西热带雨林，产区气候较为潮湿，因此，暂定本品药材水分限度为不得过13.0%。

表2 罗汉茶样品水分含量测定结果一览表

样品	水分均值（%）	样品	水分均值（%）
LHC-1	11.4	LHC-6	10.9
LHC-2	10.0	LHC-7	10.4
LHC-3	9.8	LHC-8	11.1
LHC-4	9.9	LHC-9	11.0
LHC-5	9.5	LHC-10	11.2
LHC-1-FH	11.0	LHC-7-FH	8.3
LHC-2-FH	8.0		

总灰分 照灰分测定法（中国药典2010年版一部附录Ⅸ K）测定。

对本品10批样品进行总灰分测定，结果见表3，据最高值、最低值及平均值，将本品总灰分限度为不得过5.6%。

表3 罗汉茶样品总灰分测定结果一览表

样品	总灰分（%）	样品	总灰分（%）
LHC-1	3.1	LHC-6	3.6
LHC-2	2.1	LHC-7	3.5
LHC-3	2.1	LHC-8	4.7
LHC-4	2.5	LHC-9	3.3
LHC-5	4.5	LHC-10	3.7
LHC-1-FH	3.1	LHC-7-FH	2.8
LHC-2-FH	2.9		

【浸出物】 查阅文献表明[15]，罗汉茶中的主要化学成分有落新妇苷（astilbin）、异落新妇苷（isoastilbin）、新异落新妇苷（neoiso astilbin）、新落新妇苷（neo astilbin）等黄酮类化合物。由于黄酮类化合物极性较大，多为水溶性和醇溶性成分，因此考虑用水和乙醇作为溶剂。由于加热提取一方面有利于化学成分的溶出，另一方面又节省时间，所以采用热浸法进行实验。

对本品10批样品进行浸出物测定，结果见表4和表5。结果表明，水浸出物含量比醇浸出物含量高一些，但总体差异不大，表明两种方法均可使用，考虑到水溶性浸出物普遍收率较高，而且出来杂质不多，易过滤，再考虑到采用水为溶剂进行测定时具有经济性和安全性，因此，我们在正文中选用了水溶性浸出物测定法（热浸法）。据最高值、最低值及平均值，将本品浸出物限度为不得少于11.0%。

《广西壮族自治区壮药质量标准第二卷（2011年版）》注释

表4 罗汉茶样品水溶性浸出物（热浸法）测定结果一览表

样品	浸出物均值（%）	样品	浸出物均值（%）
LHC–1	12.0	LHC–6	14.2
LHC–2	19.8	LHC–7	15.6
LHC–3	16.4	LHC–8	13.5
LHC–4	14.8	LHC–9	14.0
LHC–5	13.0	LHC–10	13.9
LHC–1–FH	25.1	LHC–7–FH	41.2
LHC–2–FH	40.7		

表5 罗汉茶样品醇溶性浸出物（热浸法）测定结果一览表

样品	浸出物均值（%）	样品	浸出物均值（%）
LHC–1	11.16	LHC–6	12.37
LHC–2	17.55	LHC–7	14.23
LHC–3	15.57	LHC–8	11.96
LHC–4	15.29	LHC–9	12.62
LHC–5	13.95	LHC–10	12.16

【含量测定】 罗汉茶具有高含量的落新妇苷，认为除具有抑制致癌作用外，还具有降血糖、抗凝、抗血小板聚集、抗血栓形成、降低血液黏度和血脂水平、延长耐缺氧时间等多种活性。[16-18]为提高本品质量控制水平，参照有关文献，采用高效液相色谱法，对本品中落新妇苷进行含量测定，结果显示该方法灵敏，精密度高，重现性好，结果准确，可作为本品内在质量的控制方法，测定方法考察及验证结果如下。

1. 方法考察与结果

1.1 色谱条件

以十八烷基硅烷键合硅胶为填充剂；以甲醇–0.1%磷酸为流动相；进样量10 µl，流速1.0 ml/min。用紫外–可见分光光度计在200~400 nm进行扫描，落新妇苷对照品在290 nm波长处有最大吸收，详见图7，故确定检测波长为290 nm。

1.2 提取方法

1.2.1 提取溶剂考察

取本品（LHC–1）粉末0.5 g，精密称定，共3份，分别精密加入甲醇、60%甲醇、水各50 ml，称定重量，超声处理45分钟，取出，放冷，再称定重量，用相应的溶剂补足减失的重量，摇匀，滤过，精密量取续滤液1 ml置10 ml量瓶中，用甲醇稀释至刻度，摇匀，滤过，弃去初滤液，取续滤液，用微孔滤膜过滤，即得。结果详见表6，用甲醇作提取溶剂时，效果最优，故确定选用甲醇作提取溶剂。

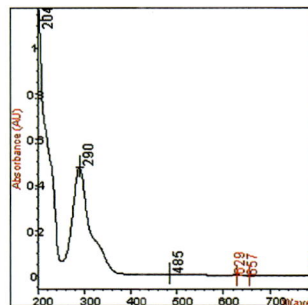

图7 落新妇苷对照品紫外扫描图

表6　提取溶剂考察结果

提取溶剂	落新妇苷含量（%）
甲醇	2.15
60%甲醇	2.10
水	1.49

1.2.2 提取方法考察

取本品（LHC-1）粉末0.5 g，精密称定，共3份，精密加入甲醇50 ml，称定重量，分别采用超声、加热回流、80 ℃水浴回流三种提取方法各进行提取45分钟，放冷，同上操作，即得。结果详见表7，加热回流提取效果最优，故确定加热回流为提取方法。

表7　提取方法考察结果

提取方法	落新妇苷含量（%）
回流提取	2.52
超声提取	2.27
80 ℃水浴	2.41

1.2.3 提取时间考察

取本品（LHC-1）粉末0.5 g，精密称定，共4份，精密加入甲醇50 ml，称定重量，分别加热回流30分钟、45分钟、60分钟、80分钟后，放冷，同上操作，即得。结果详见表8，加热回流提取45分钟效果最优，故确定加热回流提取时间为45分钟。

表8　提取时间考察结果

提取时间（分钟）	落新妇苷含量（%）
30	2.28
45	2.41
60	2.35
80	2.34

综合以上试验结果，最终提取方法确定如下：取本品粉末0.5 g，精密称定，精密加入甲醇50 ml，称定重量，加热回流45分钟，放冷，同上操作，即得。

2. 方法学验证与结果

2.1 线性及范围

精密称取落新妇苷对照品10 mg，置25 ml量瓶中，加甲醇使溶解并稀释至刻度，摇匀，备用。分别精密吸取以上对照品溶液0.2 ml、0.2 ml、0.1 ml、0.2 ml、0.2 ml置10 ml、5 ml、2 ml、2 ml、1 ml量瓶中，各加甲醇稀释至刻度，摇匀，作为不同浓度的对照品溶液。

将上述对照品溶液按正文拟定的色谱条件分别进样10 µl，以对照品的进样量（µg）为横坐标，峰面积为纵坐标，绘制标准曲线，结果表明：当落新妇苷对照品进样量在0.07812~0.7812 μg范围内时，进样量与峰面积呈良好的线性关系，回归方程为$Y=2.29 \times 10^{6}X - 3.02 \times 10^{3}$，$r=0.9996$。

2.2 精密度试验

2.2.1 重复性

取同一份供试品溶液（LHC-1），按正文拟定的色谱条件，连续测定6次。结果表明6次测定的落新妇苷峰面积平均值为582348，RSD=1.12%（$n=6$），试验表明本法的精密度良好。

2.2.2 重现性

取同一批供试品（LHC-1）粉末0.5 g，精密称定，按正文的方法平行测定6份，计算，6份样品测得落新妇苷含量的平均值为2.44%，RSD=2.10%（$n=6$），试验结果表明本法的重现性较好。

2.3 准确度试验

精密称取落新妇苷对照品10 mg，置25 ml量瓶中，加甲醇溶解并稀释至刻度，摇匀，作为落新妇苷对照品储备液。

精密称取已知含量（落新妇苷含量为2.44%）的供试品（LHC-1）粉末0.25 g，置平底烧瓶中，共6份，精密吸取上述对照品储备液3 ml分别置上述平底烧瓶中，按正文拟定的方法提取、测定，计算加样回收率，结果落新妇苷平均回收率为107.82%，RSD=2.38%（$n=6$）。

2.4 耐用性试验

2.4.1 色谱柱的考察

分别采用不同品牌的色谱柱〔Kromasil C18（5 μm，4.6 mm×250 mm）、Ultimate XB- C18（5 μm，4.6 mm×250 mm）、Inertsil ODS-SP（5 μm，4.6 mm×150 mm）〕测定样品（LHC-1）中落新妇苷的含量，结果三根色谱柱测定结果平均值为2.43，RSD=1.72%（$n=3$）。

2.4.2 色谱仪的考察

分别采用不同型号的色谱仪（岛津10AT型、岛津20A型）测定样品（LHC-1）中落新妇苷的含量，结果两台色谱仪测定结果平均值为2.42，RAD=1.17%（$n=2$）。

按正文含量测定方法，测定了本品10批样品中的落新妇苷的含量（详见表9），据最高值、最低值及平均值，并考虑药材来源差异情况，暂定本品含量限度为不得少于1.8%。

空白溶剂HPLC图、落新妇苷对照品HPLC图、罗汉茶样品HPLC图分别见图8、图9、图10。

表9　10批样品测定结果

编号	采集（收集）地点/批号	落新妇苷含量（%）	RSD（%）
LHC-1	上思县南屏乡	2.37	0.90
LHC-2	防城港市峒中林场	6.51	1.63
LHC-3	武鸣县两江镇	5.54	0.77
LHC-4	金秀瑶族自治县老山林场	6.58	0.54

编号	采集（收集）地点/批号	落新妇苷含量（%）	RSD（%）
LHC–5	那坡县龙合乡	3.57	1.39
LHC–6	钦州市灵山县	7.63	0.28
LHC–7	钦州市大寺镇	7.0	1.92
LHC–8	南宁市草药市场	3.24	0.66
LHC–9	南宁市草药市场	2.30	1.84
LHC–10	南宁市草药市场	2.54	1.67
LHC–1–FH	上思县南屏乡	2.0	0.75
LHC–2–FH	防城港市峒中林场	11.8	0.35
LHC–7–FH	钦州市大寺镇	12.2	0.39

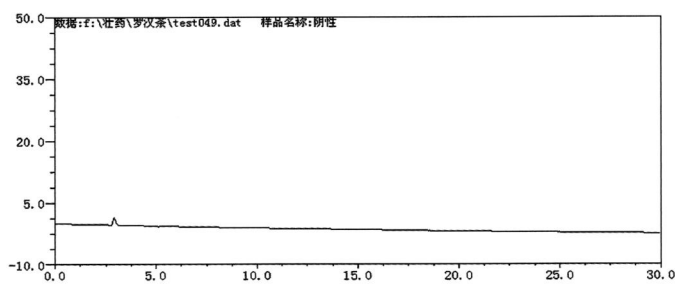

图8　空白溶剂HPLC图

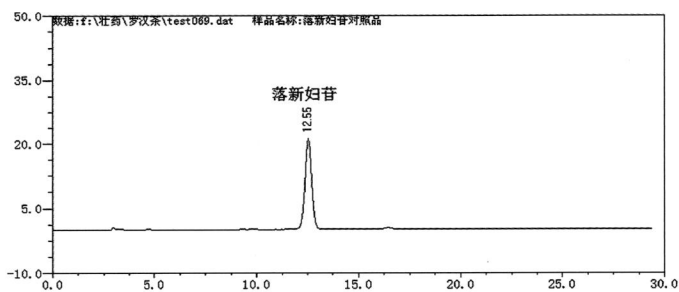

图9　落新妇苷对照品HPLC图

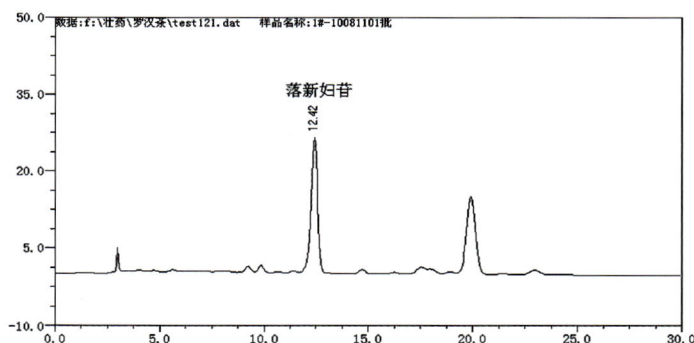

图10　罗汉茶样品HPLC图

参考文献

[1]广西壮族自治区革命委员会卫生局.广西本草选编:上册[M].南宁:广西人民出版社,1974:755.

[2][10]广西壮族自治区卫生厅.广西中药材标准:第二册[M].南宁:广西人民出版社,1996:146-148.

[3]中国科学院中国植物志编辑委员会.中国植物志:第二十一卷[M].北京:科学出版社,1979:12-13.

[4][13][18]水谷健二.黄杞茶的抗促癌作用:小鼠肝二阶段致癌抑制试验[J].国外医学:中医中药分册,1998,20(3):56.

[5][8]曲佳,周军,侯文彬,等.HPLC法测定黄杞叶中落新妇苷和黄杞苷[J].中草药,2009,40(2):306-307.

[6][15]黄燮才.《广西本草选编》一些植物学名的更动[J].广西植物,1982,2(1):50.

[7]姚毅,周翔,陈婷.高效液相色谱法测定罗汉茶中落新妇苷的含量[J].中国现代应用药学,2006,23(9):920-921.

[9]陈蕙芳.植物活性成分辞典:第三册[M].北京:中国医药科技出版社,2001:147.

[11][16]李晨岚,王大鹏,蔡兵,等.黄杞叶提取物降血糖作用的研究[J].中草药,2008,39(11):1696-1698.

[12][14][17]钟正贤,周桂芬,陈学芬,等.黄杞总黄酮活血化瘀作用研究[J].广西中医药,1999,22(4):45-48.

药学编著：赖茂祥　覃兰芳　胡琦敏
药学审校：广西壮族自治区食品药品检验所

DYB45-GXZYC0117-2011

金边蚂蟥　　堵平怀

Jinbianmahuang　　　　Duzbing' vaiz

POECILOBDELLA

【概述】　金边蚂蟥，俗名蚂蟥、水蛭、菲牛蛭。金边蚂蟥是水蛭的一种，水蛭类药材的药用记述始见于《神农本草经》，《名医别录》、《本草拾遗》等大型辞书对水蛭类药材的药用价值、产销情况等有简要记载。历版中国药典和《广西中药材标准》均未有金边蚂蟥质量标准的收载。《中国动物志》[1]对其原动物、地理分布有简要记载。金边蚂蟥在广西是一种多民族使用的民间药材，壮、瑶等民族都有药用的历史。金边蚂蟥原动物分布于广西、福建、台湾、广东、海南、香港，生活于稻田、池塘、河沟、水库、湖泊、山涧溪流等水域中，还有的在水域附近的丛林中生活。广西全区各地均有分布，已有人工大量养殖。[2]

【来源】　本品为医蛭科动物菲牛蛭*Poecilobdella manillensis*的干燥全体。

菲牛蛭体长4~11 cm或更长，最大体宽0.35~2 cm，尾吸盘直径3~14 mm，明显小于体宽。身体狭长且扁平。背部呈黄褐色或橄榄绿色，背中有一条不明显的蓝灰色纵纹。腹部浅黄色，两侧边缘呈明显的金黄色。两生殖孔通常被5环隔开。颚很大，两侧表面有排列成3或4纵列的唾液腺乳突，通常颚脊上约有150个锐利的齿。射精管粗大，呈纺锤形。精管膨腔短，呈圆球形并被一层疏松的腺体覆盖着。阴道短，没有柄，总输卵管与其一起开口向外。[3]

菲牛蛭以全体入药，于夏、秋二季捕捉，洗净，用沸水烫死，晒干或低温干燥。广西部分地区已有人工养殖，目前广西各地未有该药材商品流通。实验研究表明，水蛭素、菲牛蛭素A、菲牛蛭素B等抗凝血活性成分为金边蚂蟥的主要活性成分，全体均有抗凝血作用。因此将金边蚂蟥的药用部位定为全体，有一定的科学依据。

起草样品收集情况：共收集到样品11批，详细信息见表1、图1、图2。

表1　金边蚂蟥样品信息一览表

编号	原编号	药用部位	产地/采集地点/批号	样品状态
JBMH-1	1	全体	天峨县	原动物加工
JBMH-2	2	全体	融水苗族自治县	原动物加工
JBMH-3	3	全体	天等县	原动物加工
JBMH-4	4	全体	临桂县	原动物加工
JBMH-5	5	全体	田东县	原动物加工
JBMH-6	6	全体	防城港市	原动物加工
JBMH-7	7	全体	融水苗族自治县	原动物加工
JBMH-8	8	全体	天等县	原动物加工
JBMH-9	9	全体	临桂县	原动物加工
JBMH-10	10	全体	陆川县	原动物加工
JBMH-11	11	全体	陆川县	原动物加工

备注：在广西各地收集了11批金边蚂蟥药材样品，全部样品经鉴定，结果均确定为医蛭科动物菲牛蛭，实验中以JBMH-11作为金边蚂蟥对照药材。完成样品收集后，将所有11份样品（约300 g）进行粉碎处理，并统一过三号筛，备用。

图1 金边蚂蟥原动物

图2 金边蚂蟥药材

【化学成分】 金边蚂蟥中含有蛋白质、氨基酸及水蛭素等成分。欧兴长等[4]对金边蚂蟥进行了化学成分研究，测定出其含有17~19种氨基酸，总量高达73.11％以上，其中7种人体必需的氨基酸含量占氨基酸总量的36.64％以上；苗艳丽等[5]用等离子发射光谱法测定出金边蚂蟥含有Ca、Cr、Cu、Fe、Mg、Mn、V、Zn等8种元素，且Fe、Mg、Zn的含量均符合抗癌药物中的微量元素含量范围；黄爱民等[6]从金边蚂蟥的消化液中分离得到抗凝血物质水蛭素（hirudin）、菲牛蛭素A（BDA）和菲牛蛭素B（BDB）；方富永等[7]用气相色谱法和等离子发射光谱法对金边蚂蟥中脂肪酸进行化学分析，鉴定了16个组分，占脂肪酸总量的92.52％。

【药理与临床】 金边蚂蟥具有破血通经、逐瘀消癥的功效。广西壮族民间用于治疗各种脑血栓、冠心病、脑水肿、跌打损伤、月经不调、经闭、慢性关节炎等症。李文等[8]实验研究表明：在抗血小板聚集和抗凝血中，金边蚂蟥表现了较强的抗凝血作用。曹斌等[9]经过研究发现金边蚂蟥具有能明显地降低血脂和抗血栓形成，并能降低全血黏度等作用。还有学者[10]经过实验研究发现，金边蚂蟥提取物具有很强的抗血栓和溶栓、抗血小板聚集作用。

黄超培等[11]以水蛭素冻干粉（50AT-U/g）给小鼠灌胃，进行Ames试验、小鼠骨髓细胞微核试验和精子畸形试验。结果：水蛭素冻干粉对小鼠的$LD_{50}>10.0$ g/kg；Ames试验显示在加与不加S9混合液的各剂量组回变菌落数与自发回变对照组无明显差别；各剂量组的微核率和精子畸形率与阴性对照组比较差别无统计学意义；未见有致突变作用。

【性状】 本品呈长椭圆形、长条形，或扭曲，扁平，柳叶状，长4~13 cm，体宽0.3~1.2 cm，体厚0.05~0.1 cm。背部黑色或黑褐色，有少许环节突起；腹面黑色，较光滑。前端略尖，后端钝圆，两端各具一吸盘，前吸盘不显著，后吸盘圆大。质脆，断面胶质状，黑色。气腥臭，味咸。

本品主要性状特征为长椭圆形、长条形，扁平，柳叶状，长4~13 cm，体宽0.3~1.2 cm。本品以条整齐、黑褐色、无杂质者为佳。详见图2。

【鉴别】 （1）取本品粉末1 g，加乙醇5 ml，超声处理15分钟，滤过，取滤液作为供试品溶液。另取金边蚂蟥对照药材1 g，同法制成对照药材溶液。照薄层色谱法（中国药典2010年版一部附录Ⅵ B）试验，吸取供试品溶液2~4 μl，对照药材溶液3 μl，分别点于同一硅

胶G薄层板上，以环己烷-乙酸乙酯（4：1）为展开剂，展开，取出，晾干，喷以10%硫酸乙醇溶液，在105 ℃加热至斑点显色清晰。供试品色谱中，在与对照药材色谱相应的位置上，显相同的紫红色斑点；紫外光灯（365 nm）下显相同的橙红色荧光斑点。10批样品按本法检验，均符合规定，且薄层色谱分离效果好，斑点集中清晰，比移值适中，重现性好。

耐用性实验考察：对不同品牌预制板（青岛海洋化工厂提供，批号：20110608；烟台市化工研究所提供，批号：20110412）的展开效果进行考察，对不同展开温度（8 ℃、30 ℃）进行考察，对点状、条带状点样进行考察，结果均表明本法的耐用性良好。

从10批金边蚂蟥的薄层鉴别图谱可以看到，在日光下与紫外光灯（365 nm）下检视，JBMH-1~JBMH-10在与对照药材相应的位置上显相同颜色的斑点，表明该方法重复性好，详见图3、图4。

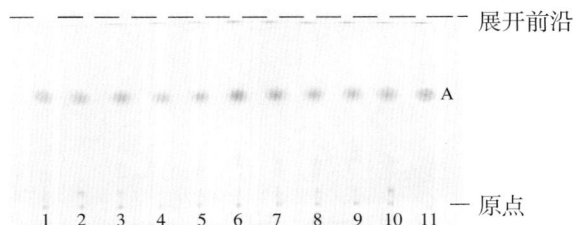

图3　金边蚂蟥样品TLC图（可见光色谱）　　　图4　金边蚂蟥样品TLC图（荧光色谱）

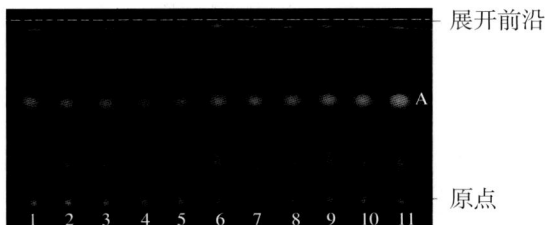

1. JBMH-1　2. JBMH-2　3. JBMH-3　4. JBMH-4　5. JBMH-5
6. JBMH-6　7. JBMH-7　8. JBMH-8　9. JBMH-9　10. JBMH-10
11. 金边蚂蟥对照药材　　　　A. 日光下：紫红色斑点；荧光灯下：橙红色斑点

色谱条件： 硅胶G薄层预制板，生产厂家：青岛海洋化工厂，批号：20110608；规格：10 cm × 20 cm
圆点状点样，点样量：供试品溶液2~4 μl，对照药材溶液3 μl；温度：27 ℃；相对湿度：48RH%
展开剂：环己烷-乙酸乙酯（4：1）

（2）取本品粉末1 g，加70%乙醇5 ml，超声处理30分钟，滤过，取滤液作为供试品溶液。另取金边蚂蟥对照药材1 g，同法制成对照药材溶液。再取亮氨酸对照品、缬氨酸对照品、丙氨酸对照品、谷氨酸对照品，加70%乙醇制成每1 ml各含1 mg的混合溶液，作为对照品溶液。照薄层色谱法（中国药典2010年版一部附录Ⅵ B）试验，吸取供试品溶液3~8 μl，对照药材溶液4 μl，混合对照品溶液1 μl，分别点于同一硅胶G薄层板上，以苯酚-水（3→1）为展开剂，展开，取出，晾干，喷以茚三酮试液，在105 ℃加热至斑点显色清晰。供试品色谱中，在与对照药材色谱和对照品色谱相应的位置上，显相同颜色的斑点。10批样品按本法检验，均符合规定，且薄层色谱分离效果好，斑点集中清晰，比移值适中，重现性好。

耐用性实验考察：对不同品牌预制板（青岛海洋化工厂提供，批号：20110608；烟台市化工研究所提供，批号：20110412）的展开效果进行考察，对不同展开温度（8 ℃、30 ℃）进行考察，对点状、条带状点样进行考察，结果均表明本法的耐用性良好。

从10批金边蚂蟥的薄层鉴别图谱可以看到，JBMH-1~JBMH-10在与对照药材及对照品相应的位置上显相同颜色的紫红色斑点，表明该方法重复性好，详见图5。

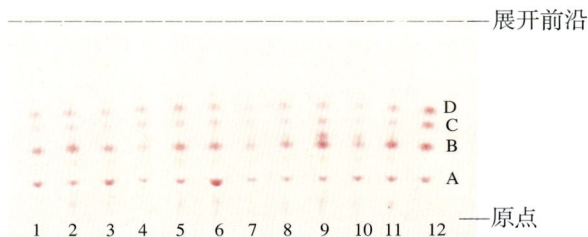

图5 金边蚂蟥样品TLC图（可见光色谱）

1. JBMH-1　2. JBMH-2　3. JBMH-3　4. JBMH-4　5. JBMH-5　6. JBMH-6
7. JBMH-7　8. JBMH-8　9. JBMH-9　10. JBMH-10　11. 金边蚂蟥对照药材　12. 混合对照品
A. 谷氨酸对照品：紫红色斑点　　　B. 丙氨酸对照品：紫红色斑点
C. 缬氨酸对照品：紫红色斑点　　　D. 亮氨酸对照品：紫红色斑点

色谱条件：硅胶G薄层预制板，生产厂家：青岛海洋化工厂，批号：20110608；规格：10 cm×20 cm
圆点状点样，点样量：供试品溶液3~8 μl，对照药材溶液4 μl，混合对照品溶液1 μl；
温度：27 ℃；相对湿度：48RH%
展开剂：苯酚-水（3→1）

【检查】　水分　照水分测定法（中国药典2010年版一部附录Ⅸ H第一法）测定。

对本品10批样品进行水分测定，结果见表2，据最高值、最低值及平均值，并考虑到该药材为南方所产，而南方气候较为湿润，药材在运输和贮存过程中发生变化等因素，因此，暂定本品药材水分限度为不得过15.0%。

表2　金边蚂蟥样品水分测定结果一览表

样品	水分均值（%）	样品	水分均值（%）
JBMH-1	10.4	JBMH-6	13.2
JBMH-2	7.8	JBMH-7	10.6
JBMH-3	9.8	JBMH-8	9.2
JBMH-4	10.4	JBMH-9	14.3
JBMH-5	8.9	JBMH-10	7.6
JBMH-2-FH	8.6	JBMH-10-FH	8.9
JBMH-8-FH	9.7		

总灰分　照灰分测定法（中国药典2010年版一部附录Ⅸ K）测定。

对本品10批样品进行总灰分测定，结果见表3，据最高值、最低值及平均值，将本品总灰分限度为不得过6.0%。

表3　金边蚂蟥样品总灰分测定结果一览表

样品	总灰分（%）	样品	总灰分（%）
JBMH-1	1.7	JBMH-6	2.7
JBMH-2	2.1	JBMH-7	2.1
JBMH-3	1.7	JBMH-8	3.8
JBMH-4	2.7	JBMH-9	3.6
JBMH-5	2.6	JBMH-10	2.2
JBMH-2-FH	3.2	JBMH-10-FH	4.9
JBMH-8-FH	3.0		

酸不溶性灰分 照灰分测定法（中国药典2010年版一部附录ⅨK）测定。

对本品10批样品进行酸不溶性灰分测定，结果见表4，据最高值、最低值及平均值，将本品酸不溶性灰分拟定为不得过0.5%。

表4　金边蚂蟥样品酸不溶性灰分测定结果一览表

样品	酸不溶性灰分（%）	样品	酸不溶性灰分（%）
JBMH-1	0.1	JBMH-6	0.2
JBMH-2	0.3	JBMH-7	0.1
JBMH-3	0.1	JBMH-8	0.3
JBMH-4	0.2	JBMH-9	0.2
JBMH-5	0.2	JBMH-10	0.3
JBMH-2-FH	0.2	JBMH-10-FH	0.4
JBMH-8-FH	0.2		

酸碱度 取本品粉末约1 g，加入0.9%氯化钠溶液10 ml，充分搅拌，浸渍30分钟，并时时振摇，离心，取上清液，照pH值测定法（中国药典2010年版一部附录ⅦG）测定。

对本品10批样品进行pH值测定，结果见表5，据最高值、最低值及平均值，将本品pH值拟定为5.5~7.5。

表5　金边蚂蟥样品酸碱度测定结果一览表

样品	pH值	样品	pH值
JBMH-1	6.8	JBMH-6	6.2
JBMH-2	6.4	JBMH-7	6.6
JBMH-3	6.8	JBMH-8	6.2
JBMH-4	7.3	JBMH-9	5.9
JBMH-5	7.3	JBMH-10	6.5
JBMH-2-FH	6.4	JBMH-10-FH	6.2
JBMH-8-FH	6.4		

【浸出物】 查阅文献表明[12-15]，金边蚂蟥中的活性成分为氨基酸及水蛭素等，因此，考虑用醇溶性浸出物来考察金边蚂蟥中所含活性成分的多少，而加热提取一方面有利于化学成分的溶出，另一方面又节省了实验时间，经研究最终确定采用稀乙醇热浸法来进行实验。照醇溶性浸出物测定法（中国药典2010年版一部附录ⅩA）项下的热浸法测定。

对本品10批样品进行浸出物测定，结果见表6，据最高值、最低值及平均值，将本品浸出物限度为不得少于8.0%。

表6　金边蚂蟥样品浸出物测定结果一览表

样品	浸出物均值（%）	样品	浸出物均值（%）
JBMH-1	9.4	JBMH-6	20.0
JBMH-2	16.5	JBMH-7	10.3
JBMH-3	11.3	JBMH-8	18.2
JBMH-4	16.1	JBMH-9	21.7
JBMH-5	19.2	JBMH-10	17.0
JBMH-2-FH	13.4	JBMH-10-FH	14.0
JBMH-8-FH	14.3		

《广西壮族自治区壮药质量标准第二卷（2011年版）》注释

【含量测定】 水蛭素及类组织胺化合物等是本品的主要活性成分[16, 17]，为提高本品质量控制水平，参照有关文献，采用凝血酶滴定法[18]，对本品的抗凝血酶活性进行含量测定，结果显示该方法重现性好，结果准确，可作为本品内在质量的控制方法，测定方法考察及验证结果如下。

1. 方法考察与结果

采用正交设计方法，对提取溶剂浓度、提取时间、提取溶剂量等三因素三水平进行考察，以抗凝血酶活性为考核指标。根据试验结果确定本品供试品溶液的制备方法为：取本品粉末（过三号筛）0.5 g，精密称定，精密加入0.9%氯化钠溶液15 ml，充分搅拌，浸提45分钟，并时时振摇，离心，精密量取上清液100 µl，置小试管中，加入含0.5%（牛）纤维蛋白原（以凝固物计）的三羟甲基氨基甲烷盐酸缓冲液（临用配制）200 µl，摇匀，置水浴中（37 ℃±0.5 ℃）温浸5分钟，滴加每1 ml中含40单位的凝血酶溶液（每1分钟滴加1次，每次5 µl，边滴加边轻轻摇匀）至凝固，记录消耗凝血酶溶液的体积，按下式计算：

$$U = C_1 V_1 / C_2 V_2$$

式中，U：每1 g含凝血酶活性单位，U/g；

$\quad\quad$ C_1：凝血酶溶液的浓度，U/ml；

$\quad\quad$ C_2：供试品溶液的浓度，g/ml；

$\quad\quad$ V_1：消耗凝血酶溶液的体积，µl；

$\quad\quad$ V_2：供试品溶液的加入量，µl。

2. 方法学验证与结果

2.1 精密度实验

2.1.1 重复性

取同一份供试品溶液（JBMH-11），按正文拟定的条件，连续测定6次。结果表明6次测定的抗凝血酶活性的平均值为269.2 U/g，RSD=0%（n=6），试验结果表明本法的精密度良好。

2.1.2 重现性

取同一批供试品（JBMH-11）粉末0.5 g，精密称定，按正文的方法平行测定6份，计算，6份样品的抗凝血酶活性的平均值为269.3 U/g，RSD=0.12%（n=6），试验结果表明本法的重现性较好。

3. 样品测定及含量限度的确定

按正文含量测定方法，测定了本品10批样品中的抗凝血酶活性（详见表7），据最高值、最低值及平均值，并考虑药材来源差异情况，暂定本品含量限度为按干燥品计算，本品每1 g含抗凝血酶活性应不得低于220.0 U。

表7　10批样品测定结果

编号	采集（收集）地点/批号	抗凝血酶活性（U/g）
JBMH-1	天峨县	268.0
JBMH-2	融水苗族自治县	260.4

续表

编号	采集（收集）地点/批号	抗凝血酶活性（U/g）
JBMH-3	天等县	298.7
JBMH-4	临桂县	268.0
JBMH-5	田东县	263.3
JBMH-6	防城港市	276.6
JBMH-7	融水苗族自治县	268.2
JBMH-8	天等县	264.4
JBMH-9	临桂县	244.8
JBMH-10	陆川县	259.6
JBMH-2-FH	融水苗族自治县	287.1
JBMH-8-FH	天等县	287.0
JBMH-10-FH	陆川县	287.7

参考文献

[1] [3]杨潼. 中国动物志·环节动物门 蛭纲 [M]. 北京：科学出版社，1996：120.

[2]周维官，周维海，覃国森. 菲牛蛭的人工养殖方式试验 [J]. 广西科学，2008，15（3）：317-320.

[4] [12]欧兴长，刘振丽，丁家欣，等. 十种水蛭的氨基酸分析 [J]. 天然产物研究与开发，1995，7（1）：23-25.

[5] [13]苗艳丽，方富永，宋文东. 中药菲牛蛭化学成分的分析 [J]. 中成药，2007，29（8）：1248.

[6] [14]黄爱民，黎肇炎，廖共山，等. 广西菲牛蛭消化液中抗凝物质的分离纯化 [J]. 中国生化药物杂志，2006，27（5）：273-276.

[7] [15]方富永，苗艳丽，宋文东. 中药菲牛蛭中脂肪酸及微量元素的测定 [J]. 食品科技，2007，32（2）：218-220.

[8]李文，廖福龙，殷晓杰，等. 七种水蛭抗血小板聚集与抗凝血研究 [J]. 中药药理与临床，1997，13（5）：32-34.

[9]曹斌，周维海，韦锦斌，等. 菲牛蛭对实验性高脂血症血脂及血液流变学的影响 [J]. 广西医科大学学报，2010，27（2）：198-220.

[10] [16]欧兴长，张秋海，丁家欣，等. 四种水蛭抗凝血酶作用的研究 [J]. 天然产物研究与开发，1996，8（2）：54-56.

[11] [17]黄超培，赵鹏，李彬，等. 水蛭素冻干粉急性毒性和致突变性研究 [J]. 癌变·畸变·突变，2010，22（4）：312-314.

[18]国家药典委员会. 中华人民共和国药典2010年版一部 [M]. 北京：中国医药科技出版社，2010：78.

药学编著：黄瑞松　陆峥琳　潘红平
药学审校：广西壮族自治区食品药品检验所

金花茶叶　　茶花现

Jinhuachaye　　　　　　Cazvahenj

CAMELLIAE PETELOTII FOLIUM

【概述】 金花茶，别名大叶茶、大叶金花茶、亮叶离蕊茶、多瓣山茶等。本品为广西壮族民间草药，民间习惯代茶饮，已有较长的历史。明代医药学家李时珍在《本草纲目》中记载："山茶产南方。……深冬开花，红瓣黄蕊。……或云亦有黄色者。"又云："山茶嫩叶炸熟水淘可食，亦可蒸晒做饮。"这里所说的"亦有黄色者"即指广西壮族民间习用的金花茶。《中国本草图录》等药学文献亦有记载。1996年以"金花茶"收入《广西中药材标准》（第二册）。[1]《中华本草》中对其药用价值、原植物、地理分布情况等有简要记述。金花茶分布于广西。在广西防城港、邕宁、扶绥、隆安等县（市）的沟谷两旁及山坡常绿阔叶林中有产。

【来源】 本品为山茶科植物金花茶 *Camellia petelotii*（Merrill）Sealy 的干燥叶。金花茶的拉丁学名曾用名有*Theepsis chrysantha* Hu，*Camellia chrysantha*（Hu）Tuyama，*Camellia nitidissima* Chi。

金花茶为常绿灌木，高2~3 m。树皮灰黄褐色，近平滑。单叶互生，革质，狭长圆形、倒卵状长圆形或披针形，长11~20 cm，宽4~8 cm，先端尾状渐尖，基部楔形，边缘有锯齿，齿端有1黑褐色小腺点，两面无毛，上面深绿色，有光泽，下面淡绿色，散生黄棕色或黄褐色小腺点，在放大镜下可见密布灰白色腺鳞，侧脉每边约9条；叶柄长7~11 mm，无毛，上面有纵沟。花金黄色，单生于叶腋；花梗长约1 cm，其上全为苞片覆盖，苞片5~6枚，微微张开，宽卵形，先端近圆形，长2~3 mm，宽3~25 mm，苞片与萼片同色；萼片5片，卵形，长4~8 mm，宽7~8 mm，先端近圆形，无毛，边缘具小睫毛；花冠直径4~6.5 cm，花瓣7~10枚，带蜡质，近圆形，长1.5~3 cm，宽1.2~2 cm，先端圆形，边缘具睫毛；雄蕊多数，外面的数轮与花瓣基部合生，内轮的离生；花药椭圆形，黄色，长2~3 mm，子房近球形，无毛，3室；花柱3裂，完全分离，长约2 cm，无毛或近无毛。蒴果扁球形或三角状扁球形，无毛，成熟时黄绿色或带淡紫色，直径达5 cm，基部具宿存萼片，种子6~8颗。种子近球形，或有棱角，表面灰黄色至淡黄棕色，近平滑或微具小窝点及小瘤点。花期12月至翌年2月，果期10~12月。

金花茶叶全年均可采收，晒干即可入药。实验研究表明，金花茶叶中含有黄酮苷，其苷元为槲皮素和山奈素。[2-4] 山奈素具有抗菌、抗炎、止咳祛痰、抑酶作用[5]，与金花茶叶的功效、功用一致，因此认为山奈素是金花茶叶的主要有效活性成分之一有一定的科学依据。

起草样品收集情况：共收集到样品10批，详细信息见表1、图1、图2。

表1　金花茶叶样品信息一览表

编号	原编号	药用部位	产地/采集地点	样品状态
JHCY-1	11030101	叶	广西药用植物园	药材
JHCY-2	11032202	叶	南宁市金花茶公园	药材

续表

编号	原编号	药用部位	产地/采集地点	样品状态
JHCY-3	11040701	叶	南宁市四塘同仁村	药材
JHCY-4	11022702	叶	防城区峒中镇	药材
JHCY-5	11040702	叶	防城区那良镇	药材
JHCY-6	10111201	叶	防城区十万大山	药材
JHCY-7	11042501	叶	上思县十万大山魔石谷	药材
JHCY-8	10082301	叶	南宁市良凤江	药材
JHCY-9	11070501	叶	桂人堂金花茶栽培基地	药材
JHCY-10	11060901	叶	桂人堂金花茶栽培基地	药材

备注：所有金花茶叶样品均由各产地采集，并压制成同号腊叶标本，腊叶标本经过方鼎和黄燮才两位植物分类专家鉴定为山茶科山茶属植物金花茶。完成样品收集后，将所有10份样品（约300 g）进行粉碎处理，并统一过三号筛，备用。

图1　金花茶原植物

图2　金花茶标本

【化学成分】　金花茶叶中含有茶多酚、黄酮类、茶多糖及天然有机锌、硒、钼、锗、锰、钒等多种对人体有重要保健作用的微量元素。[6]陈全斌等从金花茶叶中分离出黄酮苷元，并通过熔点、薄层色谱、高效液相色谱法、红外光谱、核磁共振波谱法等分析手段进行了结构鉴定，其苷元为槲皮素和山奈素。[7-10]

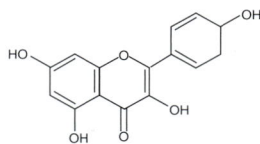

山柰素（$C_{15}H_{10}O_6$）

【药理与临床】 金花茶叶具有清热解毒、利尿利湿等功效，常用于治疗咽喉炎、痢疾、肾炎、水肿、尿路感染、黄疸型肝炎、肝硬化腹水、高血压、疮疡、预防肿瘤。[11]广西中医学院[12]实验研究证明金花茶叶的水浸出物对白色葡萄球菌、福氏痢疾杆菌、绿脓杆菌、乙型链球菌、白喉杆菌等的抗菌效果较好。李翠云等[13]实验研究证明金花茶对DEN诱发大鼠肝癌前病变有抑制作用，并呈一定的剂量—效应反应趋势；金花茶对体外培养的BEL-7404人肝癌细胞株的生长繁殖具有抑制作用，可作为肝癌的预防剂。段小娴等[14]也研究了5％的金花茶叶和5％的金花茶浓缩液对DEN致肝癌作用的影响，也表明其有抑制DEN致大鼠肝癌的作用。秦小明等[15]实验研究证明金花茶叶水提物对羟基自由基和超氧阴离子自由基均有显著的清除作用，金花茶叶水提物可以抑制超氧阴离子自由基的生成，当添加浓度为1.25 mg/ml时，可以完全阻止超氧阴离子自由基的生成。宁恩创等[16]采用高脂饲料喂养高血脂症Wistar大鼠模型，然后分别灌胃（ig）给予金花茶叶水提物，以临床降血脂药物洛伐他汀（0.01 g/kg）为阳性对照。试验结果表明金花茶叶水提物具有明显的降血脂作用；金花茶叶水提物高、中剂量组均能降低高血脂症模型大鼠血清中TC、TG和LDL-C的含量，效果与阳性对照药洛伐他汀相当，与高脂对照组比较，经t检验，差异均有显著性意义；高剂量组和洛伐他汀还能升高高血脂症模型大鼠血清中HDL-C含量。

【性状】 本品完整者展平后呈长圆形、倒卵状长圆形或披针形，表面黄褐色，长11~16 cm，宽2.5~4.5 cm，先端尾状渐尖，基部楔形，边缘有锯齿。齿端有1棕褐色或黑褐色小腺点。两面均无毛，下表面散生黄棕色或黄褐色小腺点。侧脉每边约9条。叶柄长7~11 mm，无毛。革质。气微，味微苦。详见图3。

【鉴别】 （1）本品横切面：上下表皮各有1列外壁增厚的细胞，主脉的表皮内具2~3列厚壁细胞。主脉维管束肾形，维管束鞘由数列厚壁细胞组成，叶肉组织中有草酸钙簇晶和星状或分枝状的石细胞散在。

显微鉴别要点为叶横切面薄壁组织细胞中含有星状或分枝形石细胞，详见图4。

（2）取本品粉末0.5 g，加甲醇20 ml，超声处理30分钟，滤过，滤液作为供试品溶液。另取金花茶对照药材0.5 g，同法制成对照药材溶

图3 金花茶叶药材

液。照薄层色谱法（中国药典2010年版一部附录Ⅵ B）试验，吸取上述两种溶液各1~5 μl，分别点于同一聚酰胺薄膜板上，以甲醇-冰醋酸-水（9∶0.3∶0.3）为展开剂，展开，取出，晾干，喷以5%三氯化铝乙醇溶液，在105 ℃加热1分钟，置紫外灯（365 nm）下检视。供试品色谱中，在与对照药材色谱相应的位置上，显相同颜色的荧光斑点。10批样品按本法检验，均符合规定，且薄层色谱分离效果好，斑点圆整清晰，比移值适中，重现性好。

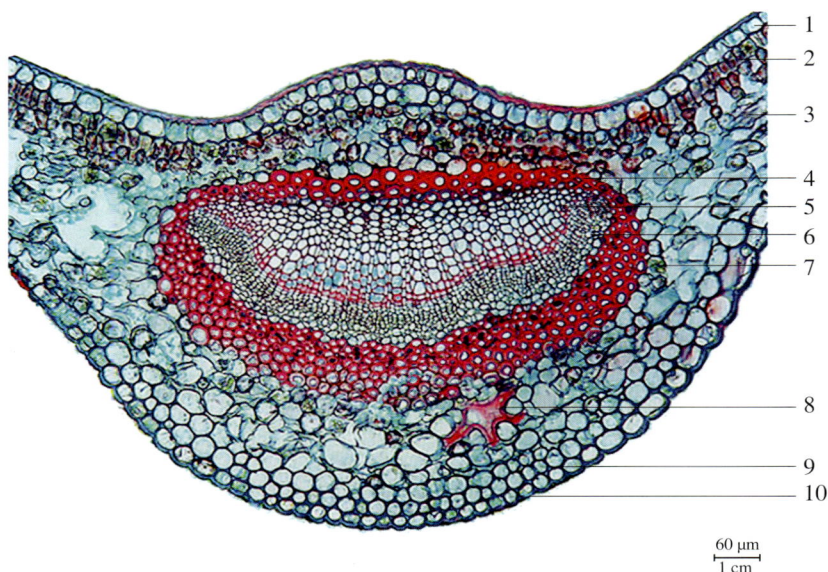

60 μm
1 cm

图4　金花茶叶横切面显微全貌图

1. 上表皮　　2. 栅栏组织　　3. 海绵组织　　4. 中柱鞘纤维
5. 木质部　　6. 韧皮部　　7. 草酸钙簇晶　　8. 石细胞（支柱细胞）
9. 厚角组织　　10. 下表皮

耐用性实验考察：采用点状点样，对不同批号的聚酰胺薄膜板（浙江省台州市路桥四甲生化塑料厂，批号：20020715、20101227）的展开效果进行考察，对不同展开温度（10 ℃、30 ℃）进行考察，结果均表明本法的耐用性良好，详见图5。

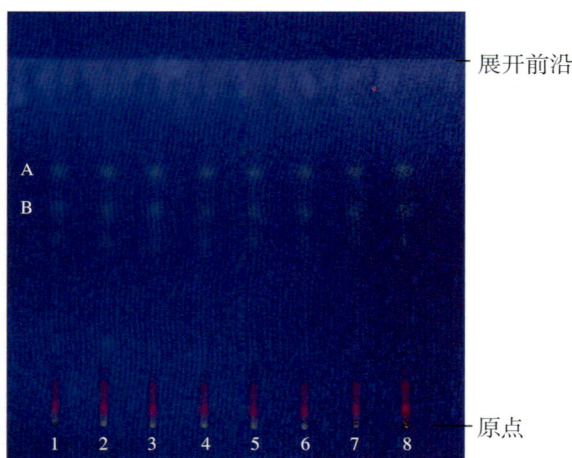

展开前沿

原点

图5　金花茶叶样品TLC图

1. JHCY-1（对照药材）　　2. JHCY-2　　3. JHCY-3　　4. JHCY-4　　5. JHCY-5
6. JHCY-6　　7. JHCY-7　　8. JHCY-8　　A、B. 黄色荧光斑点

色谱条件：聚酰胺薄膜板，生产厂家：浙江省台州市路桥四甲生化塑料厂，批号：20101227，规格：10 cm×10 cm
圆点状点样，点样量：1 μl；温度：26 ℃；相对湿度：72 RH %
展开剂：甲醇-冰醋酸-水（9∶0.3∶0.3）
检识：5%三氯化铝乙醇溶液，105 ℃加热1分钟，紫外光灯（365 nm）下检视

【检查】 水分 照水分测定法（中国药典2010年版一部附录Ⅸ H第一法）测定。

对本品10批样品进行水分测定，结果见表2，据最高值、最低值及平均值，并考虑到该药材为南方所产，而南方气候较为湿润，因此暂定本品药材水分限度为不得过16.0%。

表2 金花茶叶样品水分测定结果一览表

样品	水分均值（%）	样品	水分均值（%）
JHCY-1	12.2	JHCY-6	11.5
JHCY-2	11.3	JHCY-7	13.5
JHCY-3	11.6	JHCY-8	12.0
JHCY-4	11.0	JHCY-9	11.6
JHCY-5	12.0	JHCY-10	13.4
JHCY-4-FH	10.7	JHCY-7-FH	10.5
JHCY-6-FH	11.3		

总灰分 照灰分测定法（中国药典2010年版一部附录Ⅸ K）测定。

对本品10批样品进行总灰分测定，结果见表3，据最高值、最低值及平均值，将本品总灰分限度为不得过11.0%。

表3 金花茶叶样品总灰分测定结果一览表

样品	总灰分（%）	样品	总灰分（%）
JHCY-1	7.9	JHCY-6	8.9
JHCY-2	9.6	JHCY-7	9.8
JHCY-3	7.5	JHCY-8	7.6
JHCY-4	9.0	JHCY-9	8.7
JHCY-5	6.1	JHCY-10	8.8
JHCY-4-FH	7.7	JHCY-7-FH	9.4
JHCY-6-FH	7.7		

【浸出物】 实验之初对比进行了水溶性浸出物（冷浸法）和醇溶性浸出物（热浸法）试验，结果表明，水溶性浸出物比醇溶性浸出物普遍收率低，且测试时间长，而醇溶性浸出物收率高，测试时间短，因此最终确定以乙醇为提取溶剂，照醇溶性浸出物测定法（中国药典2010年版一部附录Ⅹ A）项下的热浸法测定。

对本品10批样品进行浸出物测定，结果见表4，据最高值、最低值及平均值，将本品浸出物限度为不得少于6.0%。

表4 金花茶叶样品浸出物测定结果一览表

样品	浸出物均值（%）	样品	浸出物均值（%）
JHCY-1	7.0	JHCY-6	8.2
JHCY-2	7.2	JHCY-7	7.0
JHCY-3	5.4	JHCY-8	7.1
JHCY-4	6.2	JHCY-9	5.9
JHCY-5	7.8	JHCY-10	6.2

续表

样品	浸出物均值（%）	样品	浸出物均值（%）
JHCY-4-FH	14.1	JHCY-7-FH	14.2
JHCY-6-FH	13.2		

【含量测定】 山奈素是本品活性成分之一[17-20]，为提高本品质量控制水平，参照有关文献，采用高效液相色谱法，对本品中山奈素进行含量测定，结果显示该方法灵敏，精密度高，重现性好，结果准确，可作为本品内在质量的控制方法，测定方法考察及验证结果如下。

1. 方法考察与结果

1.1 色谱条件

以十八烷基硅烷键合硅胶为填充剂；以甲醇–0.4%磷酸为流动相；进样量10 μl，流速1.0 ml/min。用紫外–可见分光光度计在200~400 nm进行扫描，山奈素对照品在360 nm波长处有最大吸收，故确定检测波长为360 nm。详见图6。

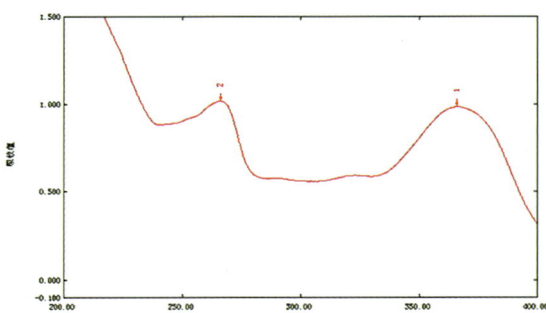
数据集: File_110421_151251_161132 - RawData

图6　山奈素对照品紫外扫描图

1.2 提取方法

金花茶叶中含有黄酮类成分，必须经过酸水解才能得到黄酮苷元之一的山奈素，中国药典2010年版中"瓦松"、"杠板归"、"垂盆草"、"银杏叶"等需要测定山奈素的项目中都采用甲醇–25%盐酸（4:1）混合溶液作为溶剂提取其中的山奈素，因此本实验参照采用甲醇–25%盐酸（4:1）混合溶液作为供试品溶液的提取溶剂，重点考察影响水解程度的提取方法和提取时间两个影响因素。

1.2.1 提取方法考察

取本品（JHCY-6）粉末1 g，精密称定，共3份，精密加入甲醇–25%盐酸（4:1）混合溶液25 ml，称定重量，分别采用超声、80 ℃水浴回流、加热回流三种提取方法各进行提取1小时，放冷，再称定重量，用甲醇溶剂补足减失的重量，摇匀，滤过，取续滤液，即得。结果详见表5，加热回流提取效果最优，故确定加热回流为提取方法。

表5　提取方法考察结果

提取方法	山奈素含量（%）
加热回流	0.040
超声提取	0.021
水浴回流	0.006

1.2.2 提取时间考察

取本品（JHCY-6）粉末1 g，精密称定，共4份，精密加入甲醇–25%盐酸（4:1）混合溶液25 ml，称定重量，分别加热回流40分钟、60分钟、80分钟、100分钟后，放冷，同上操作，即得。结果详见表6，回流提取100分钟较其余三者效果更佳。

表6　提取时间考察结果

提取时间（分钟）	山柰素含量（%）
40	0.032
60	0.038
80	0.043
100	0.045

综合以上试验结果，最终提取方法确定如下：取本品粉末1 g，精密称定，精密加入甲醇–25%盐酸（4：1）混合溶液25 ml，称定重量，加热回流100分钟，放冷，再称定重量，用甲醇溶剂补足减失的重量，摇匀，滤过，取续滤液，即得。

2. 方法学验证与结果

2.1 线性及范围

精密称取山柰素对照品13.5 mg，置25 ml棕色量瓶中，加甲醇使溶解并稀释至刻度，摇匀，备用。分别精密吸取以上对照品溶液0.1 ml、0.2 ml、0.3 ml、0.4 ml、0.5 ml置5 ml量瓶中，各加甲醇稀释至刻度，摇匀，作为不同浓度的对照品溶液。

将上述对照品溶液按正文拟定的色谱条件分别进样10 μl，以对照品的进样量（μg）为横坐标，峰面积为纵坐标，绘制标准曲线，结果表明：当山柰素对照品进样量在0.1~0.5 μg范围内，进样量与峰面积呈良好的线性关系，其线性回归方程为$Y=2.96 \times 10^6 X - 4.62 \times 10^3$，$r=0.9994$。

2.2 精密度试验

2.2.1 重复性

取同一份供试品溶液（JHCY–6），按正文拟定的色谱条件，连续测定6次。结果表明6次测定的山柰素峰面积平均值为647008，RSD=1.88%（$n=6$），试验结果表明本法的精密度良好。

2.2.2 重现性

取同一批供试品（JHCY–6）粉末1 g，精密称定，按正文拟定的方法平行测定6份，计算，6份样品测得山柰素含量的平均值为0.038%，RSD=2.69%（$n=6$），试验结果表明本法的重现性较好。

2.3 准确度试验

精密称取山柰素对照品13.5 mg，置25 ml量瓶中，加甲醇溶解并稀释至刻度，摇匀，作为山柰素对照品储备液A。

精密称取已知含量（山柰素含量为0.038%）的供试品（JHCY–6）粉末0.5 g，置平底烧瓶中，共6份，再精密吸取对照品储备液A 0.5 ml分别置上述6个平底烧瓶中，按正文拟定的方法提取、测定，计算加样回收率，结果山柰素平均回收率为96.36%，RSD=3.07%（$n=6$）。

2.4 耐用性试验

2.4.1 色谱柱的考察

分别采用不同品牌的色谱柱〔Kromasil C18（5 μm，4.6 mm×250 mm）、Ultimate XB-C18（5 μm，4.6 mm×250 mm）、Inertsil ODS-SP（5 μm，4.6 mm×150 mm）〕测定样品（JHCY-6）中山奈素的含量，结果三根色谱柱测定结果平均值为0.037，RSD=3.03%（n=3）。

2.4.2 色谱仪的考察

分别采用不同型号的色谱仪（岛津10AT型、岛津20A型）测定样品（JHCY-6）中山奈素的含量，结果两台色谱仪测定结果平均值为0.037，RAD=3.10%（n=2）。

按正文含量测定方法，测定了本品10批样品中的山奈素的含量（详见表7），据最高值、最低值及平均值，并考虑药材来源差异情况，暂定本品山奈素含量限度为不得少于0.015%。

空白溶剂HPLC图、山奈素对照品HPLC图、金花茶叶样品HPLC图分别见图7、图8、图9。

表7　10批样品山奈素含量测定结果一览表

编号	采集（收集）地点/批号	山奈素含量（%）	RSD（%）
JHCY-1	广西药用植物园	0.037	1.35
JHCY-2	南宁市金花茶公园	0.017	0.00
JHCY-3	南宁市四塘同仁村	0.066	1.08
JHCY-4	防城区峒中镇	0.035	2.05
JHCY-5	防城区那良镇	0.11	0.00
JHCY-6	防城区十万大山	0.039	0.00
JHCY-7	上思县十万大山鹰石谷	0.037	0.00
JHCY-8	南宁市良凤江	0.053	0.00
JHCY-9	桂人堂金花茶栽培基地	0.036	0.00
JHCY-10	桂人堂金花茶栽培基地	0.083	0.85
JHCY-4-FH	防城区峒中镇	0.031	2.97
JHCY-6-FH	防城区十万大山	0.038	1.97
JHCY-7-FH	上思县十万大山鹰石谷	0.024	2.57

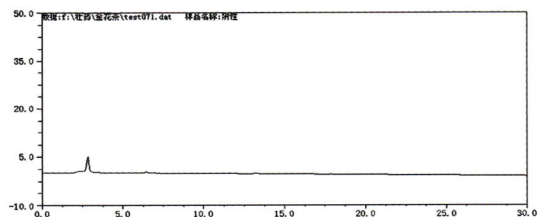

图7　空白溶剂HPLC图

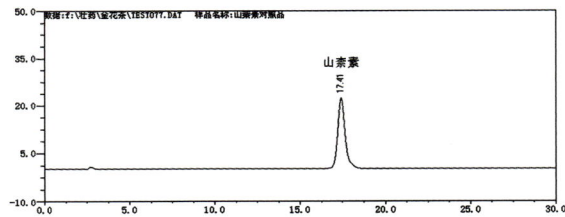

图8　山奈素对照品HPLC图

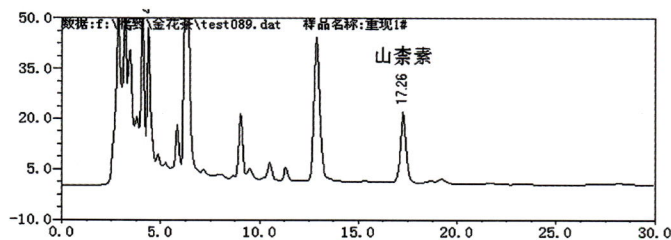

图9　金花茶叶样品HPLC图

参考文献

[1] [11]广西壮族自治区卫生厅. 广西中药材标准：第二册 [M]. 南宁：广西人民出版社，1996：157-161.

[2] [6] [7] [17]陈月圆，黄永林，文永新. 金花茶植物化学成分和药理作用研究进展 [J]. 广西热带农业，2009（1）：14-16.

[3] [8] [18]陈全斌，湛志华，张巧云，等. 金花茶叶中黄酮苷元的分离提纯及其表征 [J]. 广西热带农业，2005（6）：10-11.

[4] [9] [19]邹登峰，高雅，张可锋. 基于RP-HPLC法的金花茶叶中槲皮素含量测定 [J]. 安徽农业科学，2009，37（30）：14691-14692.

[5]江纪武，肖庆祥. 植物药有效成分手册 [M]. 北京：人民卫生出版社，1986：642.

[10] [20]陈全斌，湛志华，义祥辉，等. 金花茶抗氧化活性成分提取及其含量测定 [J]. 广西热带农业，2005（3）：1-2.

[12]陈即惠，吴树荣，赖德禄. 中国防城金花茶国际学术会议论文集 [C]. 南宁：广西科学技术出版社，1994：251-255.

[13]李翠云，段小娴，苏建家，等. 金花茶对二乙基亚硝胺致大鼠肝癌前病变及肝癌细胞株作用的影响 [J]. 广西医科大学学报，2007，24（5）：660-663.

[14]段小娴，唐小岚，苏建家，等. 金花茶对二乙基亚硝胺致大鼠肝癌抑制作用研究 [J]. 医学研究杂志，2006，35（6）：14-16.

[15]秦小明，林华娟，宁恩创，等. 金花茶叶水提物的抗氧化活性研究 [J]. 食品科技，2008（2）：189-191.

[16]宁恩创，秦小明，杨宏. 金花茶叶水提物的降脂功能试验研究 [J]. 广西大学学报：自然科学版，2004，29（4）：350-352.

药学编著： 赖茂祥　覃兰芳　黄云峰
药学审校： 广西壮族自治区食品药品检验所

壮药质量标准注释

DYB45–GXZYC0127–2011

面条树叶　　美屯

Miantiaoshuye　　　　Maexdwnz

ALSTONIAE SCHOLARIS FOLIUM

【概述】　面条树，俗名灯台树、糖胶树、鸭脚树、象皮木、凳板风等。曾收载于地方药志如《陆川本草》、《云南中草药选》中，并被《云南省药品标准》（1974年）和中国药典（1977年版一部）以"灯台叶"之名所收载。《全国中草药汇编》、《中国民族药志》、《中草药学》等大型辞书中对其药用价值、原植物、地理分布、产销情况等亦有简要记述。面条树是一种多民族使用的民间草药，壮、傣、佤、哈尼、景颇、基诺、拉祜等多个民族都有用药记载。面条树原植物生长于海拔650 m以下的丘陵、山地、疏林中，路旁或水沟边，分布于广西、广东、湖南、海南、台湾和云南南部，也有栽培。

【来源】　本品为夹竹桃科植物灯台树Alstonia scholaris（Linn.）R. Br. 的干燥叶。

面条树为常绿乔木，通常高约10 m。树皮灰白色，嫩枝绿色，具白色乳汁。叶3~8枚轮生，叶片长圆形、倒卵状长圆形或倒披针形，长7~28 cm，宽2~11 cm，顶端钝圆形或渐尖，基部楔形，侧脉30~50对，近平行，在叶缘处连接。聚伞花序顶生，多花；花萼短，裂片5枚，卵圆形，两面被短柔毛；花冠高脚蝶状，冠筒长6~10 mm，中部以上膨大，内面被短柔毛，花冠裂片5枚，向左覆盖，裂片长圆形或卵状长圆形，长2~4 mm，宽2~3 mm；雄蕊5枚，着生于冠筒的膨大处；花盘杯状；子房由2枚离生心皮组成，密被柔毛，柱头顶端2裂。蓇葖果线形，2枚离生，细长如豆角状，长20~57 cm，直径2~5 mm。种子长圆形，红棕色，两端具缘毛。花期6~11月，果期10月至翌年4月。[1-3]

面条树以叶入药，全年均可采收，晒干。[4]面条树叶主要含生物碱，其中鸭脚树叶碱为其主要有效成分。[5-8]目前以叶为原料研发的制剂产品有灯台叶片、灯台颗粒、灯台胶囊等，用于治疗慢性支气管炎、百日咳。因此将面条树的药用部位定为叶有一定的科学依据。

起草样品收集情况：共收集到样品11批，详细信息见表1、图1、图2。

表1　面条树叶样品信息一览表

编号	原编号	药用部位	产地/采集地点/批号	样品状态
MTSY-1	一号样	叶	广西梧州市	药材
MTSY-2	二号样	叶	广西崇左市	药材
MTSY-3	三号样	叶	广西崇左市	药材
MTSY-4	四号样	叶	广西崇左市	药材
MTSY-5	五号样	叶	广西崇左市	药材
MTSY-6	六号样	叶	广西崇左市	药材
MTSY-7	七号样	叶	广西南宁市	药材
MTSY-8	八号样	叶	云南西双版纳	饮片（切片）
MTSY-9	九号样	叶	云南普洱市思茅区	药材
MTSY-10	十号样	叶	云南普洱市	饮片（切片）
MTSY-11	十一号样	叶	云南普洱市思茅区	药材

图1 面条树原植物

【化学成分】 面条树叶含有生物碱、黄酮及黄酮苷类、萜类等成分。[9-14]蔡祥海等[15]运用硅胶柱色谱分离法，从面条树叶中分离得到4个化合物，采用光谱技术（核磁共振，红外，紫外和质谱）进行结构鉴定。这4个化合物分别为鸭脚树叶碱类型的单萜吲哚生物碱：5□-methoxyaspidophylline，鸭脚树叶碱，鸭脚树叶醛，5-methoxystrictamine。杜国顺等[16]从乙醇提取物中经酸碱处理得非碱性成分，经 NMR、MS等波谱技术

图2 面条树叶标本

鉴定化合物的结构，结果分离得到14个非碱性化合物：环桉烯醇（1）、乙酰-□-香树醇酯（2）、□-香树醇-3-棕榈酸酯（3）、羽扇豆-20（29）-烯-3-醇（4）、羽扇豆-20（29）-烯-3-棕榈酸酯（5）、□-谷甾醇（6）、角鲨烯（7）、□-生育酚（8）、□-生育醌（9）、

315

邻苯二甲酸二（2-乙基）己酯（10）、邻苯二甲酸二丁酯（11）、1-羟基-3，5-二甲氧基-酮（12）、7，3'，4'-三甲氧基-5-羟基黄酮（13）、3，5，7，4'-四羟基黄酮-3-O-□-D-葡萄糖苷（14）。惠婷婷等[17]从灯台树叶中分离得到山奈酚、槲皮素、异鼠李素、山奈酚-3-O-□-D-半乳糖苷、槲皮素-3-O-□-D-半乳糖苷、异鼠李素-3-O-□-D-半乳糖苷、山奈酚-3-O-□-D-半乳糖（2→1）-O-□-D-木糖苷、槲皮素-3-O-□-D-半乳糖（2→1）-O-□-D-木糖苷、异鼠李素等黄酮类化合物。

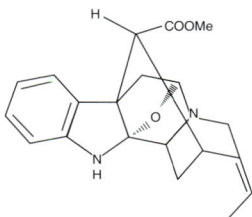

鸭脚树叶碱（$C_{20}H_{22}N_2O_3$）

【药理与临床】 面条树叶具有清热解毒、祛痰止咳、止血消肿之功。用于治疗感冒发热、肺热咳喘、百日咳、黄疸、胃痛吐泻、疟疾、疮疡痈肿、跌打肿痛、外伤出血等症。[18-22]杨泳等[23]采用枸橼酸喷雾法构建豚鼠咳嗽模型观察灯台叶不同有效部位的止咳作用，采用小鼠气管酚红排泄模型观察灯台叶不同有效部位的祛痰作用，采用二甲苯小鼠耳廓肿胀模型观察灯台叶不同有效部位的抗炎作用。结果显示：生物碱具有较强的镇咳作用，黄酮具有较强的平喘和抗急性炎症作用，而混合成分具有较强的镇咳、平喘和抗急性炎症的作用，同时还具有较好的祛痰作用。研究结果表明：灯台叶具有较强的止咳平喘作用，不同有效部位均参与了其止咳平喘的药理效应。左爱学等[24]记载灯台叶在临床上主要用于呼吸系统疾病的治疗。以灯台叶浸膏片治疗210例慢性气管炎病人，结果临床治愈56例，显效54例，好转94例，无效6例，总有效率97.1%。

【性状】 本品完整叶展平后呈长圆形、倒卵状长圆形或倒披针形，长7~28 cm，宽2~11 cm，叶柄长5~9 mm。灰绿色，全缘，上表面具光泽，侧脉30~50对，近平行，于边缘处连接。革质。气微，味微苦。

本品主要鉴别特征为长圆形、倒卵状长圆形或倒披针形，全缘，上表面具光泽，侧脉近平行，于边缘处连接，革质，且以叶厚、色灰绿者为佳，详见图3。

图3　面条树叶药材

【鉴别】 （1）本品横切面：上表皮细胞1列，内侧为1列下皮细胞。栅栏组织1列细胞，海绵组织排列疏松。下表皮细胞外壁呈绒毛状突起。主脉上、下表皮内侧均有厚角组织，维管束双韧型，外韧部有纤维鞘，呈环状排列，木质部略呈弯月形。薄壁细胞含草酸钙方晶。

显微鉴别要点：双韧型维管束及薄壁细胞含草酸钙方晶为其显微鉴别的主要特征，详见图4、图5。

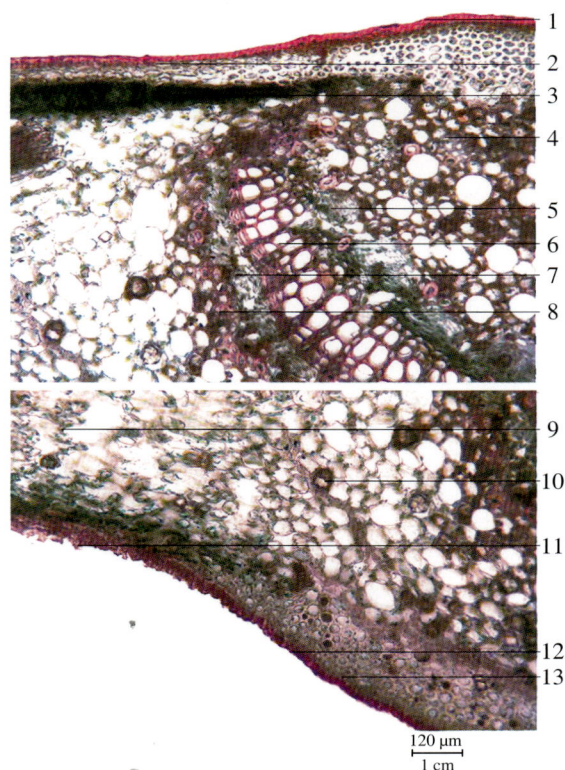

图4　面条树叶横切面显微图

1. 上表皮　　2. 下皮细胞　　3. 栅栏组织　　4. 髓部
5. 内韧部　　6. 导管　　　　7. 外韧部　　8. 纤维鞘
9. 海绵组织　10. 草酸钙方晶　11. 绒毛状突起
12. 下表皮　　13. 厚角组织

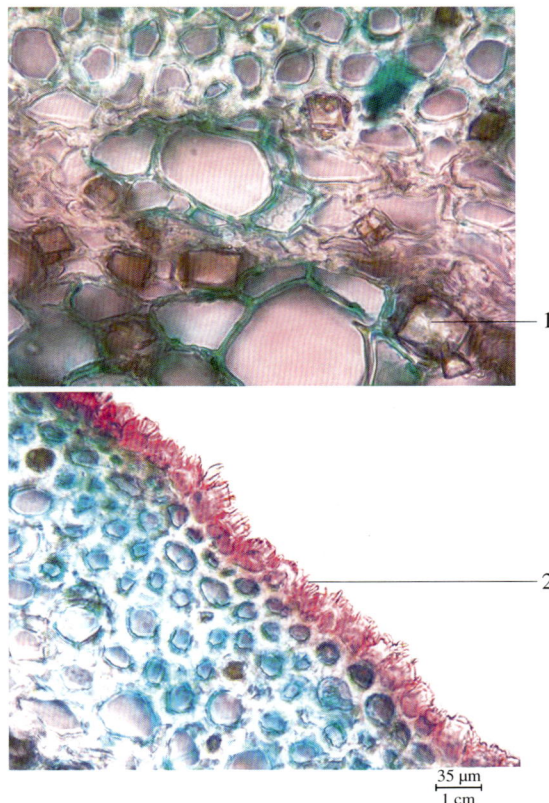

图5　面条树叶横切面显微放大图

1. 草酸钙方晶　2. 绒毛状突起

（2）取本品粉末2 g，加水25 ml，超声处理30分钟，滤过，滤液用氨试液调pH值8~9；用二氯甲烷振摇提取2次，每次20 ml，合并二氯甲烷液，蒸干，残渣加甲醇0.5 ml使溶解，作为供试品溶液。另取面条树叶对照药材2 g，同法制成对照药材溶液。再取鸭脚树叶碱对照品，加甲醇制成每1 ml含1 mg的溶液，作为对照品溶液。照薄层色谱法（中国药典2010年版一部附录Ⅵ B）试验，吸取供试品溶液5~10 μl、对照药材溶液5 μl、对照品溶液3 μl，分别点于同一硅胶G薄层板上，以二氯甲烷-乙酸乙酯-甲醇（2：2：1）为展开剂，展开，取出，晾干，喷以碘化铋钾试液。供试品色谱中，在与对照药材色谱和对照品色谱相应的位置上，显相同的橙红色斑点。11批样品按本法检验，均符合规定，且薄层色谱分离效果好，斑点圆整清晰，比移值适中，重现性好。

展开剂的选择实验：对不同展开剂乙酸乙酯-丁酮-甲酸-水（5：3：1：1）、乙酸乙酯-丙酮-乙醇-乙酸-水（1：1：8：1：0.5）及二氯甲烷-乙酸乙酯-甲醇（2：2：1）组分不同比例的展开效果进行考察，最终表明二氯甲烷-乙酸乙酯-甲醇（2：2：1）效果最好。

耐用性实验考察：对自制板、预制板（青岛海洋化工厂提供，批号：20090121）的展开

效果进行考察，对点状、条带状点样进行考察，结果均表明本法的耐用性良好，详见图6。

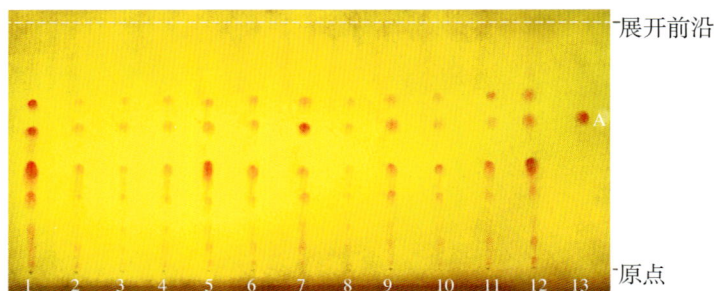

图6　面条树叶样品TLC图

1. 面条树叶对照药材　　　2. MTSY-1　　　3. MTSY-2　　　4. MTSY-3　　　5. MTSY-4
6. MTSY-5　　　　　　　7. MTSY-6　　　8. MTSY-7　　　9. MTSY-8　　　10. MTSY-9
11. MTSY-10　　　　　　12. MTSY-11　　13. 鸭脚树叶碱对照品　　A. 橙红色斑点

色谱条件：硅胶G薄层预制板，生产厂家：青岛海洋化工厂，批号：20090121，规格：10 cm×20 cm
　　　　　圆点状点样，点样量：对照药材、供试品5 μl，对照品3 μl；温度：29 ℃；相对湿度：58RH%
　　　　　展开剂：二氯甲烷-乙酸乙酯-甲醇（2：2：1）

【检查】　水分　照水分测定法（中国药典2010年版一部附录Ⅸ H第一法）测定。

对本品11批样品进行水分测定，结果见表2，据最高值、最低值及平均值，并考虑到该药材为南方所产，而南方气候较为湿润，因此暂定本品药材水分限度为不得过13.0%。

表2　面条树叶样品水分测定结果一览表

样品	水分均值（%）	样品	水分均值（%）
MTSY-1	8.4	MTSY-7	9.3
MTSY-2	7.4	MTSY-8	10.3
MTSY-3	7.3	MTSY-9	9.6
MTSY-4	6.6	MTSY-10	9.0
MTSY-5	9.2	MTSY-11	11.3
MTSY-6	9.2	MTSY-1-FH	7.6
MTSY-2-FH	7.1	MTSY-3-FH	6.9

总灰分　照灰分测定法（中国药典2010年版一部附录Ⅸ K）测定。

对本品11批样品进行总灰分测定，结果见表3，据最高值、最低值及平均值，将本品总灰分限度为不得过15.0%。

表3　面条树叶样品总灰分测定结果一览表

样品	总灰分（%）	样品	总灰分（%）
MTSY-1	10.1	MTSY-7	10.3
MTSY-2	12.3	MTSY-8	10.1
MTSY-3	9.4	MTSY-9	8.1
MTSY-4	9.5	MTSY-10	10.5
MTSY-5	8.2	MTSY-11	7.4
MTSY-6	8.7	MTSY-1-FH	12.6
MTSY-2-FH	12.7	MTSY-3-FH	10.7

酸不溶性灰分 照灰分测定法（中国药典2010年版一部附录Ⅸ K）测定。

对本品11批样品进行酸不溶性灰分测定，结果见表4，据最高值、最低值及平均值，将本品酸不溶性灰分限度为不得过2.5%。

表4 面条树叶样品酸不溶性灰分测定结果一览表

样品	酸不溶性灰分（%）	样品	酸不溶性灰分（%）
MTSY-1	1.2	MTSY-7	1.2
MTSY-2	0.6	MTSY-8	1.3
MTSY-3	0.4	MTSY-9	0.5
MTSY-4	0.4	MTSY-10	1.2
MTSY-5	0.3	MTSY-11	0.5
MTSY-6	0.4	MTSY-1-FH	2.0
MTSY-2-FH	1.7	MTSY-3-FH	0.9

【浸出物】 分别用冷浸法和热浸法，选取不同溶剂进行考察，结果热浸法浸出物含量较高，实验对比了热浸法分别使用70％乙醇、稀乙醇、水作为提取溶剂的提取效果，结果浸出物含量差别不大，提取混合液滤过难易程度差别也不大。从环保和节约的角度出发，考虑选取水作为溶剂较适宜。照水溶性浸出物测定法（中国药典2010年版一部附录Ⅹ A）项下的热浸法测定。

对本品11批样品进行浸出物测定，结果见表5，据最高值、最低值及平均值，将本品浸出物限度为不得少于18.0%。

表5 面条树叶样品浸出物测定结果一览表

样品	浸出物均值（%）	样品	浸出物均值（%）
MTSY-1	25.7	MTSY-7	26.0
MTSY-2	32.3	MTSY-8	20.3
MTSY-3	29.6	MTSY-9	34.6
MTSY-4	33.2	MTSY-10	20.5
MTSY-5	38.5	MTSY-11	24.9
MTSY-6	31.4	MTSY-1-FH	24.6
MTSY-2-FH	24.3	MTSY-3-FH	32.6

【含量测定】 鸭脚树叶碱是本品活性成分之一[25-28]，为提高本品质量控制水平，参照有关文献，采用高效液相色谱法，对本品中鸭脚树叶碱进行含量测定，结果显示该方法灵敏，精密度高，重现性好，结果准确，可作为本品内在质量的控制方法，测定方法考察及验证结果如下。

1. 方法考察与结果

1.1 色谱条件

以十八烷基硅烷键合硅胶为填充剂；以甲醇-0.01%三乙胺溶液（47∶53）为流动相；进样量10 μl，柱温35 ℃，流速1.0 ml/min，检测波长287 nm。[29]

1.2 提取方法

1.2.1 提取方法考察

取本品（MTSY-6）粉末（过三号筛）2 g，精密称定，共4份，置具塞锥形瓶中，精密加入甲醇25 ml，称定重量，每2份分别加热回流30分钟或超声处理30分钟，放冷，再称定重量，用甲醇补足减失的重量，摇匀，滤过，精密吸取续滤液5 ml，加在碱性氧化铝柱（100~200目，2 g，内径为1 cm）上，用50 ml甲醇洗脱，收集洗脱液，蒸干，残渣加甲醇适量使溶解，移至5 ml容量瓶中，加甲醇至刻度，摇匀，滤过，取续滤液，即得。结果详见表6，结果表明这两种提取方法的差异不明显，而超声提取更简单方便，故确定超声处理为提取方法。

表6　提取方法考察结果

提取方法	鸭脚树叶碱含量（%）
回流提取	0.136
超声提取	0.140

1.2.2 提取溶剂考察

取本品（MTSY-6）粉末（过三号筛）2 g，精密称定，共4份，每2份分别精密加入甲醇、乙醇25 ml，称定重量，超声处理30分钟，放冷，同上操作，即得。结果详见表7，两种提取溶剂中以甲醇的提取效果最佳，故确定甲醇为提取溶剂。

表7　提取溶剂考察结果

提取溶剂	鸭脚树叶碱含量（%）
甲醇	0.135
乙醇	0.114

1.2.3 提取溶剂使用量考察

取本品（MTSY-6）粉末（过三号筛）2 g，精密称定，共6份，每2份分别精密加入甲醇25 ml、50 ml、100 ml，称定重量，超声处理30分钟，放冷，同上操作，即得。结果详见表8，结果表明，三种溶剂提取效果相差不大，从环保节约角度考虑，选择用25 ml，故确定提取溶剂的量为25 ml。

表8　提取溶剂使用量考察结果

溶剂量（ml）	鸭脚树叶碱含量（%）
25	0.135
50	0.136
100	0.138

1.2.4 提取时间考察

取本品（MTSY-6）粉末（过三号筛）2 g，精密称定，共6份，置具塞锥形瓶中，分别精密加入甲醇25 ml，称定重量，每2份分别超声处理15分钟、30分钟及60分钟，放冷，同上操作，即得。结果详见表9，结果表明超声处理30分钟已能提取完全，故选择超声处理30分钟。

表9　提取时间考察结果

提取时间（分钟）	鸭脚树叶碱含量（%）
15	0.135
30	0.140
60	0.141

《广西壮族自治区壮药质量标准第二卷（2011年版）》注释

1.2.5 样品除杂方式的选择

对超声处理后的提取液考察了以下三种处理方式：①过滤后直接进样；②二氯甲烷萃取；③过碱性氧化铝柱。实验表明：方法①色谱图杂峰较多；方法②萃取容易发生乳化现象，而且操作较为繁琐；方法③除杂效果好，方法简便。故选择方法③作为除杂方法。

另外还考察了碱性氧化铝加入量分别为1 g、2 g、3 g的洗脱效果，实验表明2 g碱性氧化铝已能很好除杂，因此选择2 g碱性氧化铝层析柱。

综合以上试验结果，提取方法最终确定如下：取本品粉末（过三号筛）2 g，精密称定，置具塞锥形瓶中，精密加入甲醇25 ml，称定重量，超声处理30分钟，放冷，再称定重量，用甲醇补足减失的重量，摇匀，滤过，精密吸取续滤液5 ml，加在碱性氧化铝柱（100~200目，2 g，直径为1 cm）上，用50 ml甲醇洗脱，收集洗脱液，蒸干，残渣加甲醇适量使溶解，移至5 ml量瓶中，加甲醇至刻度，摇匀，滤过，取续滤液，即得。

2. 方法学验证与结果

2.1 线性及范围

精密称取鸭脚树叶碱14.0 mg（按98.8%计算），置10 ml容量瓶中，加入甲醇至刻度，摇匀，制成1.38 mg/ml的鸭脚树叶碱对照品溶液①。精密量取上述对照品溶液①1 ml置2 ml容量瓶中，加入甲醇至刻度，摇匀，即得对照品溶液②。精密量取上述对照品溶液①1 ml置10 ml容量瓶中，加入甲醇至刻度，摇匀，即得对照品溶液③。精密量取上述对照品溶液③1 ml置2 ml容量瓶中，加入甲醇至刻度，摇匀，即得对照品溶液④。精密量取上述对照品溶液③1 ml置10 ml容量瓶中，加入甲醇至刻度，摇匀，即得对照品溶液⑤。

将上述对照品溶液按正文拟定的色谱条件分别进样10 μl，以对照品的进样量（μg）为横坐标，峰面积为纵坐标，绘制标准曲线。结果表明：当鸭脚树叶碱对照品进样量在0.14~14 μg范围内时，进样量与峰面积呈良好的线性关系，回归方程为$Y=441.67X-0.1055$，$r=0.9999$。

2.2 精密度试验

2.2.1 重复性

取同一份供试品溶液（MTSY-6），按正文拟定的色谱条件，连续测定6次。结果表明6次测定的鸭脚树叶碱峰面积平均值为384.3，RSD=0.90%（$n=6$），试验表明本法的精密度良好。

2.2.2 重现性

取同一批供试品（MTSY-6）粉末2 g，精密称定，按正文的方法平行测定6份，计算，6份样品测得鸭脚树叶碱含量的平均值为0.10%，RSD=2.5%（$n=6$），试验结果表明本法的重现性较好。

2.3 准确度试验

精密称取鸭脚树叶碱36.71 mg，置5 ml容量瓶中，加入甲醇至刻度线，摇匀，即得对照品储备液，浓度为7.25 mg/ml。

分别精密吸取对照品储备液1.2 ml、1.5 ml、2.0 ml置5 ml量瓶中，加甲醇稀释至刻

度，摇匀，作为对照品溶液A（浓度为1.74 mg/ml）、B（浓度为2.18 mg/ml）、C（浓度为2.90 mg/ml）。

精密称取已测定含量（鸭脚树叶碱含量为0.10%）的供试品（MTSY-6）共9份，每份2 g，精密称定，置锥形瓶中，分别精密加入对照品溶液A、B、C各1 ml，每种浓度3份，按正文拟定的方法提取、测定，计算加样回收率，结果鸭脚树叶碱平均回收率为96.98%，RSD=0.90%（$n=9$）。

2.4 耐用性试验

2.4.1 色谱柱的考察

分别采用不同品牌的色谱柱〔XB-C18（5 μm，4.6 mm×250 mm）、Eclipse XDB-C18（5 μm，4.6 mm×150 mm）、kinetex 2.6u C18 100A（5 μm，4.6 mm×100 mm）、hypersil GOLD（5 μm，4.6 mm×250 mm）〕测定样品（MTSY-6）中鸭脚树叶碱的含量，结果四根色谱柱测定结果平均值为0.103%，RSD=0.70%（$n=4$）。

2.4.2 色谱仪的考察

分别采用不同品牌的色谱仪（Agilent 1200型、岛津LC20A型）测定样品（MTSY-6）中鸭脚树叶碱的含量，结果两台色谱仪测定结果平均值为0.103%，RAD=0.80%（$n=2$）。

按正文含量测定方法，测定了本品11批样品中的鸭脚树叶碱的含量（详见表10），据最高值、最低值及平均值，并考虑药材来源差异情况，暂定本品含量限度为不得少于0.050%。

空白溶剂HPLC图、鸭脚树叶碱对照品HPLC图、面条树叶样品HPLC图分别见图7、图8、图9。

表10　11批样品鸭脚树叶碱含量测定结果一览表

编号	采集（收集）地点/批号	鸭脚树叶碱含量（%）	RSD（%）
MTSY-1	广西梧州市	0.09	2.7
MTSY-2	广西崇左市	0.15	0.8
MTSY-3	广西崇左市	0.13	2.2
MTSY-4	广西崇左市	0.11	1.5
MTSY-5	广西崇左市	0.14	0.1
MTSY-6	广西崇左市	0.10	1.1
MTSY-7	广西南宁市	0.13	0.8
MTSY-8	云南西双版纳	0.06	1.0
MTSY-9	云南普洱市思茅区	0.15	0.3
MTSY-10	云南普洱市	0.06	0.2
MTSY-11	云南普洱市思茅区	0.18	1.6
MTSY-1-FH	广西梧州市	0.070	2.78
MTSY-2-FH	广西崇左市	0.076	1.52
MTSY-3-FH	广西崇左市	0.168	0.86

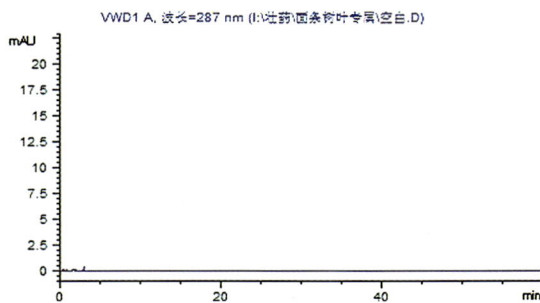

图7 空白溶剂HPLC图

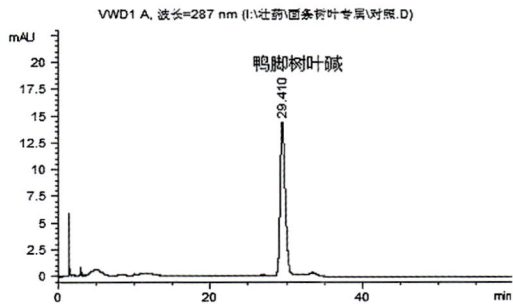

图8 鸭脚树叶碱对照品HPLC图

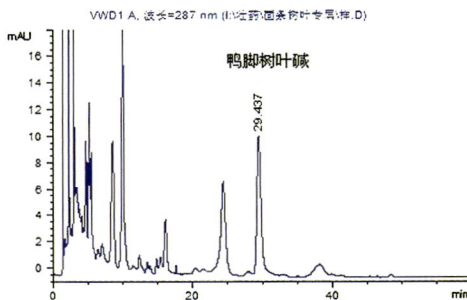

图9 面条树叶样品HPLC图

参考文献

[1][18]卫生部药品生物制品检定所. 中国民族药志：第二卷［M］. 北京：人民卫生出版社，1984：222.

[2][19]中国医学科学院药用植物资源开发研究所. 中药志：第五册［M］. 北京：人民卫生出版社，1994：67－71.

[3][20]中国科学院华南植物园. 广东植物志［M］. 广州：广东科学技术出版社，2009：448－449.

[4][21]中华人民共和国药典委员会. 中华人民共和国药典一九七七年版一部［M］. 北京：人民卫生出版社，1977：245.

[5][22][25]江苏新医学院. 中药大辞典：下册［M］. 上海：上海人民出版社，1977：2214.

[6][9][26]孙赟，惠婷婷，朱丽萍，等. 灯台叶中鸭脚树叶碱化学对照品的制备［J］. 云南中医学院学报，2007，30（6）：1－4.

[7][10][27][29]饶高雄，孙赟，惠婷婷，等. 测定灯台叶颗粒中鸭脚树叶碱含量的HPLC方法研究［J］. 云南中医学院学报，2008，31（3）：9－12.

[8][11][15][28]蔡祥海，刘亚平，冯涛，等. 灯台树叶中鸭脚树叶碱型生物碱［J］. 中国天然药物，2008，6（1）：20－22.

[12][24]左爱学，饶高雄，唐丽萍，等. 傣药"灯台叶"的现代研究进展［J］. 中国民族医药杂志，2005（增刊）：76－77.

[13][16]杜国顺，蔡祥海，尚建华，等. 灯台叶中的非碱性成分［J］. 中国天然药物，2007，5（4）：259－262.

[14][17]惠婷婷，孙赟，朱丽萍，等. 云南傣族药物灯台叶中黄酮类成分［J］. 中国中药杂志，2009，34（9）：1111－1113.

[23]杨泳，周玲，李颖，等. 灯台叶止咳平喘的药效学研究［J］. 云南中医中药杂志，2007，28（1）：38－39.

药学编著：黄蘅　廖强　欧妮

药学审校：广西壮族自治区食品药品检验所

壮药质量标准注释

南蛇簕　　勾温秒

Nanshele　　　　　　Gaeuoenmeuz

CAESALPINIAE MINACIS CAULIS

【概述】 南蛇簕，俗名鸦枕头、猫爪簕、苦石莲、广石莲、青蛇子等。主要分布于广西、四川、贵州、广东、福建、台湾等省（区）。其药用始见于萧步丹的《岭南采药录》[1]，其后《陆川本草》、《广西中药志》、《全国中草药汇编》等均有记载。同时，南蛇簕是广西壮族、瑶族民间常用的草药之一，主要用于治疗流行性感冒和带状疱疹等。

【来源】 本品为豆科植物南蛇簕*Caesalpinia minax* Hance的干燥茎。

南蛇簕为有刺藤本，全株被短柔毛。二回羽状复叶，羽片5~8对，托叶锥状；小叶12~24枚，近无柄，矩形或倒卵形，长1.6~3.5 cm，宽0.8~1.2 cm，先端急尖或细尖，基部圆形，全缘。总状花序或圆锥花序顶生，长20~40 cm，花序轴有刺，被绒毛；苞片卵状披针形，先端短渐尖，两面有绒毛；花萼管阔倒卵形，长0.7 cm，裂片5枚，矩形，最下1个萼片稍长；花瓣5枚，红紫色，倒卵形，长约1.8 cm，宽1.2 cm，上面1枚花瓣较短；雄蕊10枚，不等长，花丝分离，下部密被柔毛，花药"丁"字着生；子房密生细刺，花柱比雄蕊稍长，无毛。荚果长圆形，长10~15 cm，宽4~5 cm，先端圆，有长0.5~2.5 cm的喙，稍扁，果瓣密生棕色针状刺。种子4~8粒，椭圆形，似莲子，铅灰色，一端稍凹，有环纹。花期4~5月，果期7~9月。[2]

南蛇簕以茎入药，全年均可采收，鲜用，或切段、切片晒干。玉林药市、广西多数药店均有销售。

起草样品收集情况：共收集到样品11批，详细信息见表1、图1、图2。

表1　南蛇簕样品信息一览表

编号	原编号	药用部位	产地/采集地点/批号	样品状态
NSL-1	1	茎	广西那坡县	药材
NSL-2	2	茎	广西靖西县	药材
NSL-3	3	茎	广西贵港市	药材
NSL-4	4	茎	广西崇左县	饮片（块片）
NSL-5	5	茎	广西田东县	药材
NSL-6	6	茎	广西隆安县	药材
NSL-7	7	茎	广西扶绥县	药材
NSL-8	8	茎	广西武鸣县	药材
NSL-9	9	茎	广西桂平县	饮片（块片）
NSL-10	10	茎	广西药用植物园	药材
NSL-11	11	茎	广西大新县	药材

备注：南蛇簕样品NSL-1同时制成腊叶标本，经鉴定，结果确定其为豆科云实属植物南蛇簕（喙荚云实），实验中以该样品作为南蛇簕的对照药材与其他样品进行对比。完成样品收集后，将所有11份样品分别进行粉碎处理，并分别过40目筛，备用。

图1 南蛇簕原植物

图2 南蛇簕标本

【化学成分】 南蛇簕中主要含有木栓烷型三萜等成分，分别为1□，5□，14□- trihydroxy-6□、7□-diacetoxyvouacapane、5□，6□，7□，14□-pentahydroxyvouacapane、1□，5□-dihydroxy-14□-methoxy-6□、7□-diacetoxyvouacapane等。[3]

【药理与临床】 南蛇簕具有清热解暑、消肿、止痛、止痒的功效。用于治疗感冒发热，风湿性关节炎；外用治跌打损伤，骨折，疮疡肿毒，皮肤瘙痒，毒蛇咬伤。[4]余旭亚等[5,6]从南蛇簕中分离纯化的蛋白质具有抑制小鼠黑色素瘤细胞K1735M2增殖的活性及抑菌活性。蒋三元等[7]实验研究表明，南蛇簕饮片的水煎液有很好的抗细菌内毒素作用。李景新等[8]采用鲎试剂试验法，研究发现南蛇簕饮片的水煎液为0.5 g/ml浓度时可抗10倍量眼镜蛇毒的凝集反应，提示本品具有较强的抗眼镜蛇毒作用。叶焕优等[9]采用临床观察法观察93例带状疱疹病例，分为对照组（口服阿昔洛韦）和治疗组（口服阿昔洛韦+南蛇簕水煎液外洗），结果表明，对照组有效率为73.6%，治疗组有效率为96.8%，表明配伍用南蛇簕煎剂外洗，对带状疱疹确有缩短止疱、止痛、结痂时间的作用，能提高阿昔洛韦的治愈率及显效率。

【性状】 本品呈斜切片状，直径1~5 cm，厚度0.2~0.5 cm。皮部表面灰褐色或黑褐色，粗糙，部分脱落，露出木质部，有的残留皮刺基部。断面皮部菲薄，木部黄白色，或近内侧呈棕褐色，密布小孔。质地疏松，易折断。髓部宽广，呈棕褐色或黄白色，海绵状，或完全脱落。气清香，味淡。

本品主要鉴别特征为表面具有皮刺或残留的皮刺基部，髓部海绵状，或有些完全退落，成中空。质地疏松，易折断；且以气味浓郁者质佳。详见图3。

【鉴别】（1）本品横切面：表皮细胞1列，外被角质层，嫩茎具皮刺；中柱鞘纤维较宽，成环状；韧皮部狭窄，筛管群分布在韧皮部外侧；木射线细胞1~3列；导管单个散在或2~7个相聚；髓部外侧有1~3列切向延长的环髓厚壁细胞，细胞较小。详见图4、图5。

（2）取本品粉末3 g，加95%乙醇50 ml，超声处理1小时，滤过，滤液挥干，残渣加2 ml甲醇使溶解，作为供试品溶液。另取南蛇簕对照药材（采于广西那坡县）3 g，同法制成对照药材溶液。照薄层色谱法（中国药典2010年版一部附录Ⅵ B）试验，吸取上述两种溶液各10 μl，分别点于同一硅胶GF254薄层板上，以石油醚（60~90 ℃）-乙酸乙酯-甲酸（7：2：0.05）为

图3　南蛇簕药材

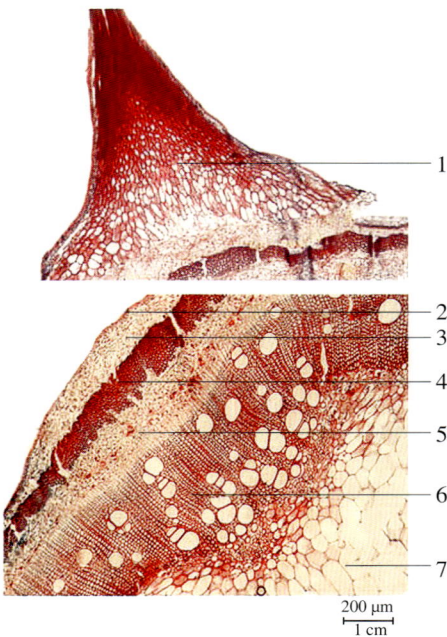

图4　南蛇簕茎横切面显微全貌图
1.皮刺　2.表皮和角质层　3.皮层
4.中柱鞘纤维　5.韧皮部　6.木质部
7.髓部

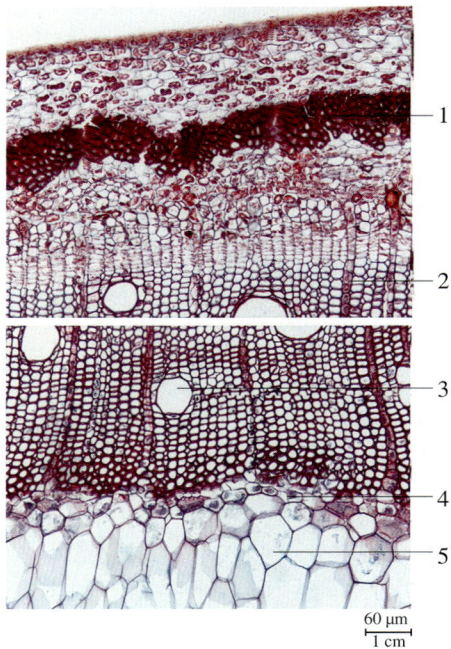

图5　南蛇簕茎横切面局部放大图
1.中柱鞘纤维　2.木射线
3.导管　4.环髓区　5.髓部

展开剂，展开，取出，晾干，喷以10%磷钼酸溶液，在105 ℃加热至斑点显色清晰。供试品色谱中，在与对照药材色谱相应的位置上，显相同颜色的斑点。11批样品按本法检验，均符合规定，薄层色谱分离效果好，斑点圆整清晰，比移值适中，重现性好。

耐用性实验考察：对自制GF254板、预制GF254板（青岛海洋化工厂提供，批号：20110412）的展开效果进行考察，对不同展开温度（5 ℃、29 ℃、40 ℃）进行考察，对点状、条带状点样进行考察，结果均表明本法的耐用性良好。

11批南蛇簕药材和对照药材的薄层图谱详见图6。

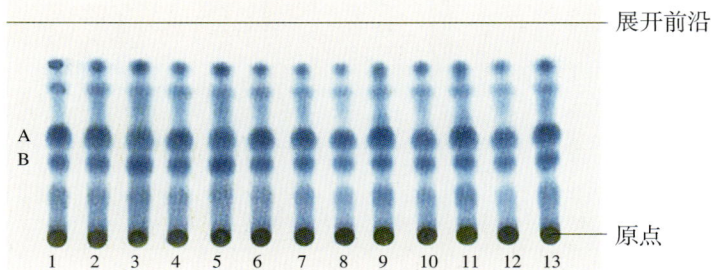

图6 南蛇簕样品TLC图

1. NSL-1（对照药材） 2. NSL-2 3. NSL-3 4. NSL-4 5. NSL-5 6. NSL-6
7. NSL-1（对照药材） 8. NSL-7 9. NSL-8 10. NSL-9 11. NSL-10 12. NSL-11
13. NSL-1（对照药材） A. 深蓝色主斑点 B. 深蓝色主斑点

色谱条件：硅胶GF254薄层板，生产厂家：青岛海洋化工厂，批号：20110412，规格：10 cm×20 cm
圆点状点样，点样量：5 μl；温度：30 ℃；相对湿度：60RH%
展开剂：石油醚（60~90 ℃）-乙酸乙酯-甲酸（7∶2∶0.05）

【检查】 水分 照水分测定法（中国药典2010年版一部附录Ⅸ H第一法）测定。

对本品11批样品进行水分测定，结果见表2，据最高值、最低值及平均值，暂定本品药
材水分限度为不得过11.0%。

表2 南蛇簕样品水分测定结果一览表

样品	水分均值（%）	样品	水分均值（%）
NSL-1	8.0	NSL-7	9.0
NSL-2	8.7	NSL-8	7.6
NSL-3	7.6	NSL-9	7.7
NSL-4	9.1	NSL-10	7.5
NSL-5	9.0	NSL-11	7.8
NSL-6	9.0	NSL-4-FH	6.1
NSL-6-FH	6.3	NSL-8-FH	7.1

总灰分 照灰分测定法（中国药典2010年版一部附录Ⅸ K）测定。

对本品11批样品进行总灰分测定，结果见表3，据最高值、最低值及平均值，将本品总
灰分限度为不得过5.0%。

表3 南蛇簕样品总灰分测定结果一览表

样品	总灰分（%）	样品	总灰分（%）
NSL-1	4.1	NSL-7	3.5
NSL-2	3.4	NSL-8	4.5
NSL-3	3.8	NSL-9	4.2
NSL-4	3.7	NSL-10	3.6
NSL-5	4.2	NSL-11	4.2
NSL-6	4.0	NSL-4-FH	3.1
NSL-6-FH	3.3	NSL-8-FH	3.8

酸不溶性灰分 照灰分测定法（中国药典2010年版一部附录Ⅸ K）测定。

对本品11批样品进行酸不溶性灰分测定，结果见表4，据最高值、最低值及平均值，将
本品酸不溶性灰分限度为不得过0.4%。

表4　南蛇簕样品酸不溶性灰分测定结果一览表

样品	酸不溶性灰分（%）	样品	酸不溶性灰分（%）
NSL-1	0.3	NSL-7	0.2
NSL-2	0.2	NSL-8	0.2
NSL-3	0.3	NSL-9	0.3
NSL-4	0.3	NSL-10	0.3
NSL-5	0.3	NSL-11	0.2
NSL-6	0.2	NSL-4-FH	0.2
NSL-6-FH	0.2	NSL-8-FH	0.3

【浸出物】　照浸出物测定法（中国药典2010年版一部附录Ⅹ A）测定，发现以水作为溶剂，过滤困难，故选择醇溶性浸出物测定法。

对本品11批样品进行浸出物测定，结果见表5，据最高值、最低值及平均值，将本品浸出物限度为不得少于3.5%。

表5　南蛇簕样品浸出物测定结果一览表

样品	浸出物均值（%）	样品	浸出物均值（%）
NSL-1	3.6	NSL-7	8.9
NSL-2	5.3	NSL-8	9.6
NSL-3	5.1	NSL-9	6.3
NSL-4	7.5	NSL-10	5.4
NSL-5	6.3	NSL-11	8.3
NSL-6	6.4	NSL-4-FH	5.8
NSL-6-FH	7.2	NSL-8-FH	9.3

参考文献

[1] 萧步丹. 岭南采药录 [M]. 广州：广东科学技术出版社，1932.

[2][4]《全国中草药汇编》编写组. 全国中草药汇编 [M]. 北京：人民卫生出版社，1996：596.

[3] Jiang R W，Ma S C，He Z D，et al. Molecular structures and antiviral activities of naturally occurring and modied cassane furanoditerpenoids and friedelane triterpenoids from Caesalpinia minax [J]. Bioorganic & Medicinal Chemistry，2002，10（7）：2161-2170.

[5] Yu X Y，Xie L P，Zhang Y，et al. Multiple Suppressive Effects of a Protein from Caesalpinia minax on Murine Melanoma Cells [J]. Tsinghua Science and Technology，2002，7（6）：641-644.

[6] 余旭亚，李涛，林连兵，等. 南蛇簕蛋白对黑色素瘤细胞的抑制及分化作用 [J]. 中国生化药物杂志，2004，25（5）：292-296.

[7] 蒋三元，罗治华，张健民，等. 南蛇簕抗细菌内毒素作用的实验研究 [J]. 中国医药导报，2006，3（30）：148.

[8] 李景新，蒋三员，唐荣德，等. 南蛇簕抗眼镜蛇毒的实验研究 [J]. 蛇志，2006，18（2）：96-97.

[9] 叶焕优，唐荣德，蒋三员，等. 南蛇簕外用治疗带状疱疹的临床观察 [J]. 中国中西医结合皮肤性病学杂志，2005，4（2）：105.

药学编著：袁经权　陈庆淑　樊溪源
药学审校：广西壮族自治区食品药品检验所

柿叶　　盟内

Shiye　　Mbawndae

KAKI FOLIUM

【概述】　柿叶，其入药始见于明《滇南本草》记载"经霜叶敷臁疮"，其后《本草再新》、《分类草药性》等均有记载。本品为广西常用特色壮药材，亦为广西梧州制药（集团）股份有限公司主流产品"妇炎净胶囊"的原料药材，每年生产需求较大。柿叶味苦、性寒，具有抗菌消炎、生津止渴、清热解毒、润肺强心、镇咳止血、抗癌防癌等功能。[1]《广西中药材标准》记载："清凉止咳，凉血止血，活血化瘀，降血压。"[2]此外，《中华本草》[3]、《中药大辞典》[4]、《中国高等植物图鉴》[5]、《中国植物志》[6]、《广西药用植物名录》[7]等亦均有记载。我国大部分省区及广西全区各地均有栽培。[8]

【来源】　本品为柿树科植物柿*Diopyros kaki* Thunb. 的干燥叶。

柿为落叶乔木，高10 m以上。叶互生；叶片纸质，卵状椭圆形至倒卵形或近圆形，长5~18 cm，宽2.8~12 cm，先端尖，基部圆形或钝圆，全缘。新生叶疏生绒毛，老叶上面有光泽，深绿色，无毛，下面绿色，有柔毛或无毛；侧脉5~7对，叶柄长8~20 mm，上有浅槽。聚伞花序，雄花序腋生在当年生枝上；花萼钟状，深4裂，被毛；花冠钟状，黄白色，4裂，裂片卵形或心形，被毛，雄蕊16~24枚；雌花常单生于叶腋，花萼深4裂，绿色；花冠4裂，壶形或近钟形，淡黄白色或黄白色而带紫色；退化雄蕊8枚，被长柔毛；花梗长6~20 mm，密被短柔毛。果球形、卵形或扁球形等，直径3.5~8.5 cm，嫩时绿色，后变黄色，成熟时呈橙红色或大红色；有褐色种子数枚，椭圆状，侧扁，长约2 cm。花期5~6月，果期9~10月。[9]

广西壮族民间常以柿叶入药。夏、秋季采收，除去杂质，晒干。广西靖西药市、玉林药市及部分地区药店均有销售。

起草样品收集情况：共收集到样品9批，详细信息见表1、图1、图2。

表1　柿叶药材情况

编号	原编号	药用部位	产地/采集地点/批号	样品状态
SY-1	1	叶	玉林北流市	药材
SY-2	2	叶	隆安县	药材
SY-3	3	叶	桂林市	药材
SY-4	4	叶	临桂县	药材
SY-5	5	叶	鹿寨县	药材
SY-6	6	叶	靖西县	药材
SY-7	7	叶	兴安县	药材
SY-8	8	叶	荔浦县	药材
SY-9	9	叶	南宁市	药材

　　备注：将柿叶样品SY-2、SY-3、SY-4、SY-5同时制成腊叶标本，经鉴定，结果均确定其为柿树科植物柿。完成样品收集后，将所有9份样品（约300 g）进行粉碎处理，备用。

图1 柿叶原植物

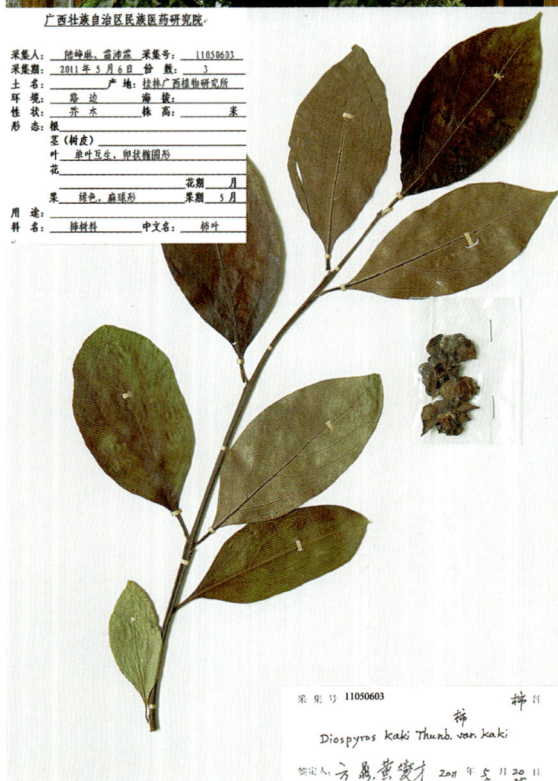

图2 柿叶标本

【化学成分】 文献记载，柿叶化学成分主要分为以下几类：（1）黄酮类，有黄芪苷（astragalin）、异槲皮素（isoquercitrin）、山奈酚–3–O–□–D–葡萄糖苷（kaempfetol–3–O–□–D–glucopyranoside）、山奈酚（kaempferol）、槲皮素（quercetin）、山奈酚–3–O–□–L–鼠李糖苷（kaempferol–3–O–□–L–rhamnopyranoside）、山奈酚–3–□–D–木糖苷（kaempferol–3–□–D–xylopyramoside）、山奈酚–3–O–□–L–阿拉伯糖苷（kaempferol–3–O–□–L–arabinopyranoside）、槲皮素–3–O–［2"–O–（3，4，5–三羟基苯甲酰）］–□–D–葡萄糖苷（quercetin–3–O–［2"–O–（3，4，5–galloyl）］–□–D–glucopyranoside）、芦丁（rutin）、金丝桃苷（槲皮素–3–半乳糖苷）（hyperin）、杨梅树皮苷（myricitrin）等[10]；（2）三萜类，有乌苏醇、乌苏酸（ursolic acid）、齐墩果酸（oleanolic acid）、白桦脂酸、19□–羟基乌苏酸、19□，24–二羟基乌苏酸、熊果苷（uvasol）等[11]；（3）有机酸，包括琥珀酸（succinic acid）、苯甲酸（benzoic acid）、水杨酸（salicylic acid）、糠酸（pyromucic acid）、丁香酸（syringic acid）、对羟基苯甲酸、原儿茶酚酸、吲哚醋酸和苹果酸。[12]

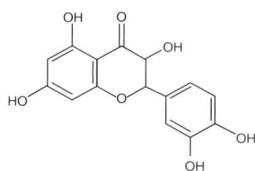

槲皮素（C$_{15}$H$_{10}$O$_7$）　　　　　　　　山奈素（C$_{15}$H$_{10}$O$_6$）

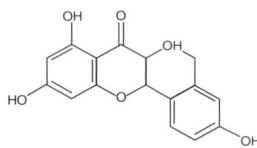

【药理与临床】　柿叶具有止咳定喘、生津止渴、活血止血等之功。中医及壮医常用来治疗咳嗽、消渴（糖尿病）、各种内出血及臁疮等。谭宏棣等[13]研究表明：柿叶总黄酮对大鼠心肌缺血再灌注损伤具有显著的保护作用。覃斐章等[14, 15]证实：柿叶黄酮能明显降低L-NAME（NG-硝基-L-精氨酸甲酯）诱导的高血压大鼠的血压（$P<0.05$），并在剂量范围内呈剂量依赖性；对血浆ET和Angn含量的降低及NO含量的升高均呈剂量依赖性，可降低糖尿病小鼠脂质过氧化物（MDA）的生成，提高其抗氧化酶系统（SOD）的活力，有助于糖尿病大鼠抗氧化能力的提高。广西生产的"脑心宁"注射液以柿叶为主药，用于治疗患有脑动脉硬化症、短暂脑缺血发作、脑血栓形成及其后遗症、脑栓塞等伴有或不伴有高血压、冠心病者共163例，显效39例，良效60例，有效58例，无效6例，总有效率达96.3%。[16]

【性状】　本品略皱或破碎，完整的叶片展开后呈卵状椭圆形至倒卵形或近圆形，长5~18 cm，宽2.8~12 cm，先端尖，基部圆形或钝圆，全缘，边缘微反卷，上表面灰绿色或棕褐色，无毛，较光滑，下表面无毛或具短柔毛。中脉处有微绒毛，侧脉每边5~7条，叶柄长0.5~2.0 cm。质脆。气微，味微苦、涩。

本品主要性状特征为上表面无毛，下表面无毛或具短绒毛。以叶大、完整者为佳。详见图3。

图3　柿叶药材

【鉴别】　（1）本品粉末为淡黄色。上表皮细胞大小近一致，垂周壁近平直。下表皮细胞垂周壁弯曲，气孔较多。非腺毛长11~131 μm，腺毛长34~70 μm；草酸钙方晶存在于薄壁细胞中或散出，棱角较尖。淀粉粒较多见，直径2~6 μm；导管多为螺纹导管，直径9~32 μm。

柿叶粉末显微鉴别要点：草酸钙方晶棱角较尖，见图4。

表皮细胞　　淀粉粒　　非腺毛

螺纹导管　　草酸钙方晶　　腺毛

43 μm

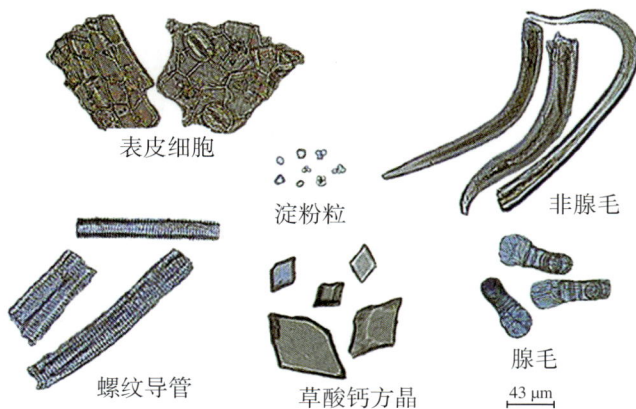

图4　柿叶粉末显微图

（2）取本品粉末0.5 g，加乙醇-25%盐酸（4∶1）10 ml，加热回流1小时，滤过，放冷，滤液加水10 ml，混匀，用石油醚（60~90 ℃）振摇提取2次，每次10 ml，弃去石油醚液，水液用乙酸乙酯振摇提取2次，每次10 ml，合并乙酸乙酯液，蒸干，残渣加甲醇1 ml使溶解，作为供试品溶液。另取槲皮素对照品、山柰素对照品，分别加甲醇制成每1 ml各含0.5 mg的溶液，作为对照品溶液。照薄层色谱法（中国药典2010年版一部附录Ⅵ B）试验，吸取供试品溶液2~4 μl、对照品溶液1 μl，分别点于同一硅胶G薄层板上，以甲苯-乙酸乙酯-甲酸（6∶4∶1）为展开剂，展开，取出，晾干，喷以三氯化铝试液，在105 ℃加热数分钟，置紫外光灯（365 nm）下检视。供试品色谱中，在与对照品色谱相应的位置上，显相同颜色的荧光斑点。9批样品按本法检验，均符合规定，且薄层色谱分离效果好，斑点圆整清晰，比移值适中，重现性好。

耐用性实验考察：对两种预制板（青岛海洋化工厂提供，批号：20110308；烟台市化工研究所提供，批号：20110412）的展开效果进行考察，对不同展开温度（10 ℃、30 ℃）进行考察，对点状、条带状点样进行考察，结果均表明本法的耐用性良好，见图5。

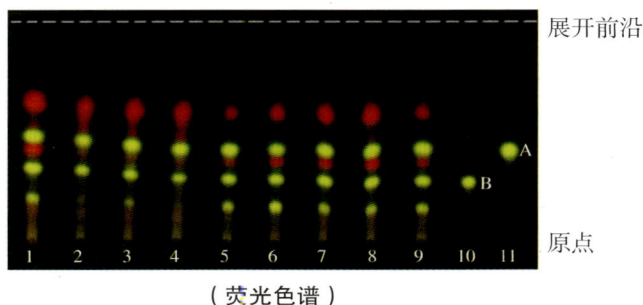

（荧光色谱）

图5　柿叶药材TLC色谱图

1. SY-1　　2. SY-2　　3. SY-3　　4. SY-4　　5. SY-5　　6. SY-6
7. SY-7　　8. SY-8　　9. SY-9　　10. 槲皮素对照品　　11. 山柰素对照品
A. 黄绿色荧光斑点　　B. 黄绿色荧光斑点

色谱条件：硅胶G薄层预制板，生产厂家：烟台市化工研究所，批号：20110412，规格：10 cm×20 cm
圆点状点样，点样量：供试品溶液2~4 μl，对照品溶液1 μl；温度：27 ℃；相对湿度：46RH%
展开剂：甲苯-乙酸乙酯-甲酸（6∶4∶1）

（3）取本品粉末0.5 g，加甲醇10 ml，超声处理30分钟，滤过，取续滤液，作为供试品溶液。另取齐墩果酸对照品，加甲醇制成每1 ml含1 mg的溶液，作为对照品溶液。照薄层色谱法（中国药典2010年版一部附录Ⅵ B）试验，吸取供试品溶液2~4 μl、对照品溶液2 μl，分别点于同一硅胶G薄层板上，以甲苯-甲酸乙酯-冰醋酸（12∶4∶0.5）为展开剂，展开，取出，晾干，喷以10%硫酸乙醇溶液，在110 ℃加热至斑点清晰，分别置日光和紫外光灯（365 nm）下检视。供试品色谱中，在与对照品色谱相应的位置上，显相同颜色的斑点或荧光斑点。9批样品按本法检验，均符合规定，且薄层色谱分离效果好，斑点圆整清晰，比移值适中，重现性好。

耐用性实验考察：对两种预制板（青岛海洋化工厂提供，批号：20110308；烟台市化工研究所提供，批号：20110412）的展开效果进行考察，对不同展开温度（10 ℃、30 ℃）进行考察，对点状、条带状点样进行考察，结果均表明本法的耐用性良好，见图6。

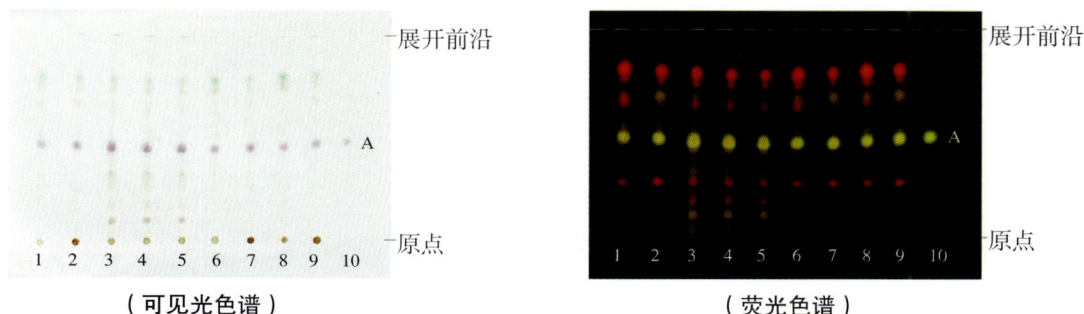

（可见光色谱）　　　　　　　　　（荧光色谱）

图6　柿叶药材TLC色谱图

1. SY-1　　　2. SY-2　　　3. SY-3　　　4. SY-4　　　5. SY-5
6. SY-6　　　7. SY-7　　　8. SY-8　　　9. SY-9　　　10. 齐墩果酸对照品

A. 日光下：紫红色斑点　　　紫外光灯下：黄绿色斑点

色谱条件：硅胶G薄层预制板，生产厂家：青岛海洋化工厂，批号：20110308；规格：10 cm × 20 cm
　　　　　圆点状点样，点样量：供试品溶液2~4 μl，对照品溶液2 μl；温度：29 ℃；相对湿度：45RH%
　　　　　展开剂：甲苯-甲酸乙酯-冰醋酸（12：4：0.5）

【检查】　水分　照水分测定法（中国药典2010年版一部附录Ⅸ H第一法）测定。

对本品9批样品进行水分测定，结果见表2，据最高值、最低值及平均值，并考虑到该药材为南方所产，而南方气候较为湿润，药材在运输和贮存过程中发生变化等因素，因此，暂定本品药材水分限度为不得过14.0%。

表2　柿叶样品水分测定结果一览表

样品	水分均值（%）	样品	水分均值（%）
SY-1	10.9	SY-6	10.2
SY-2	10.0	SY-7	10.2
SY-3	12.4	SY-8	10.8
SY-4	12.6	SY-9	10.0
SY-5	12.2	SY-2-FH	9.2
SY-5-FH	10.3	SY-8-FH	9.5

总灰分　照灰分测定法（中国药典2010年版附录一部Ⅸ K）测定。

对本品9批样品进行总灰分测定，结果见表3，据最高值、最低值及平均值，将本品总灰分限度为不得过14.0%。

表3　柿叶样品总灰分测定结果一览表

样品	总灰分（%）	样品	总灰分（%）
SY-1	11.1	SY-6	11.8
SY-2	6.6	SY-7	12.8
SY-3	6.8	SY-8	12.2
SY-4	7.9	SY-9	7.8

样品	总灰分（%）	样品	总灰分（%）
SY-5	7.8	SY-2-FH	9.4
SY-5-FH	7.6	SY-8-FH	11.0

酸不溶性灰分　照灰分测定法（中国药典2010年版一部附录ⅨK）测定。

对本品9批样品进行酸不溶性灰分测定，结果见表4，据最高值、最低值及平均值，将本品酸不溶性灰分限度为不得过0.6%。

表4　柿叶样品酸不溶性灰分测定结果一览表

样品	酸不溶性灰分（%）	样品	酸不溶性灰分（%）
SY-1	0.2	SY-6	0.1
SY-2	0	SY-7	0.2
SY-3	0.1	SY-8	0.2
SY-4	0.4	SY-9	0.3
SY-5	0.1	SY-2-FH	0.5
SY-5-FH	0.4	SY-8-FH	0.5

【浸出物】　文献记载[17-20]，柿叶中的活性成分为黄酮类和三萜类，这些成分均溶于乙醇，因此，考虑用醇溶性浸出物来考察柿叶中所含活性成分的多少，而加热提取一方面有利于化学成分的溶出，另一方面又节省了实验时间，经研究最终确定采用热浸法来进行实验。照醇溶性浸出物测定法（中国药典2010年版一部附录ⅩA）项下的热浸法测定。

对本品9批样品进行浸出物测定，结果见表5，据最高值、最低值及平均值，将本品浸出物限度为不得少于8.0%。

表5　柿叶样品浸出物测定结果一览表

样品	浸出物均值（%）	样品	浸出物均值（%）
SY-1	15.6	SY-6	15.0
SY-2	20.8	SY-7	13.3
SY-3	8.1	SY-8	15.4
SY-4	9.6	SY-9	12.6
SY-5	12.7	SY-2-FH	20.4
SY-5-FH	10.5	SY-8-FH	12.5

【含量测定】　槲皮素和山奈素是本品主要有效成分[21-26]，为提高本品质量控制水平，参考有关文献，采用高效液相色谱法，对本品中槲皮素和山奈素进行含量测定，结果显示该方法灵敏，精密度高，重现性好，结果准确，可作为本品内在质量的控制方法。测定方法考察及验证结果如下。

1. 方法考察与结果

1.1 色谱条件

以十八烷基硅烷键合硅胶为填充剂；以甲醇–0.4%磷酸溶液（50：50）为流动相；进样量20 µl，柱温30 ℃，流速1.0 ml/min。用紫外–可见分光光度计在200~600 nm波长进行扫

《广西壮族自治区壮药质量标准第二卷（2011年版）》注释

描，槲皮素和山柰素对照品均在360 nm波长处有最大吸收，故确定检测波长为360 nm。详见图7、图8。

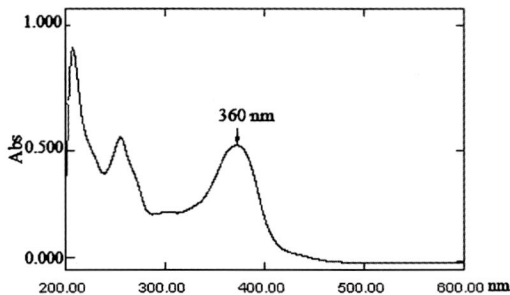

图7　槲皮素对照品紫外扫描图

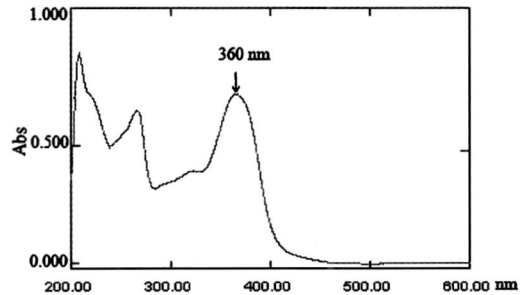

图8　山柰素对照品紫外扫描图

1.2 提取方法

1.2.1 提取方法初步筛选

取本品粉末0.2 g，共4份，其中2份分别以甲醇–25%盐酸（4∶1）、乙醇–25%盐酸（4∶1）作为溶剂，加热回流提取1小时；另外2份分别以甲醇、乙醇作为溶剂，超声处理1小时，滤过，滤液再加入一定量的25%盐酸，继续加热回流1小时。取上述续滤液，照标准正文测定。结果：甲醇–25%盐酸（4∶1）回流提取槲皮素、山柰素得率及两者总得率均较高，故初步确定提取方法为甲醇–25%盐酸（4∶1）回流提取。详见表6。

表6　不同方法制备的供试液槲皮素、山柰素得率及总得率（n=2）

提取方法	槲皮素得率（%）	山柰素得率（%）	槲皮素和山柰素总得率（%）
甲醇–25%盐酸回流	0.25	0.61	0.86
乙醇–25%盐酸回流	0.22	0.53	0.75
甲醇超声，甲醇–25%盐酸回流	0.21	0.55	0.76
乙醇超声，乙醇–25%盐酸回流	0.19	0.51	0.70

1.2.2 提取方法优化

采用正交设计方法，对药材破碎度、提取溶剂浓度、提取时间、提取溶剂量等"四因素三水平"进行考察，以槲皮素、山柰素为考核指标。根据试验结果确定本品供试品溶液的制备方法为：取本品粉末0.2 g（过三号筛），精密称定，精密加入甲醇–25%盐酸（4∶1）10 ml，称定重量，加热回流1小时，放至室温，再称定重量，用甲醇–25%盐酸（4∶1）补足减失的重量，摇匀，滤过，弃去初滤液，取续滤液，用微孔滤膜滤过，即得。

2. 方法学验证与结果

2.1 线性及范围

2.1.1 槲皮素线性范围考察

精密称取槲皮素对照品10.20 mg，置100 ml量瓶中，加甲醇使溶解并稀释至刻度，摇匀，备用。分别精密吸取以上对照品溶液0.1 ml、1 ml、2 ml、4 ml、6 ml、8 ml置10 ml量瓶中，各加甲醇–25%盐酸（4∶1）稀释至刻度，摇匀，作为不同浓度的对照品溶液。

将上述对照品溶液按正文拟定的色谱条件分别进样20 μl，以对照品的进样量（μg）为横坐标，峰面积为纵坐标，绘制标准曲线。结果：当槲皮素对照品进样量在0.0204~1.6320 μg范围内时，进样量与峰面积呈良好的线性关系，回归方程为$Y=5533597.7X-45189$，$r=0.9991$。

2.1.2 山柰素线性范围考察

精密称取山柰素对照品10.08 mg，置50 ml量瓶中，加甲醇使溶解并稀释至刻度，摇匀，备用。分别精密吸取以上对照品溶液0.1 ml、1 ml、2 ml、4 ml、6 ml、8 ml置10 ml量瓶中，各加甲醇−25%盐酸（4：1）稀释至刻度，摇匀，作为不同浓度的对照品溶液。

将上述对照品溶液按正文拟定的色谱条件分别进样20 μl，以对照品的进样量（μg）为横坐标，峰面积为纵坐标，绘制标准曲线。结果：当山柰素对照品进样量在0.0403~3.2256 μg范围内时，进样量与峰面积呈良好的线性关系，回归方程为$Y=5533797.73X-45189$，$r=0.9995$。

2.2 精密度试验

2.2.1 重复性

取同一份供试品溶液（SY−2），按正文拟定的色谱条件，连续测定5次。结果表明5次测定的槲皮素峰面积平均值为4138969.9，RSD=0.41%（$n=5$）；山柰素峰面积平均值为7862789.1，RSD=1.05%（$n=5$）。表明本法的精密度良好。

2.2.2 重现性

取同一批供试品（SY−2）粉末0.2 g，精密称定，按正文的方法平行测定6份，计算。结果：6份样品测得槲皮素含量的平均值为0.239%，RSD=3.45%；山柰素含量的平均值为0.548%，RSD=3.33%（$n=6$）。表明本法的重现性较好。

2.3 准确度试验

精密称取槲皮素对照品12.55 mg，置25 ml量瓶中，加甲醇溶解并稀释至刻度，摇匀，再精密称取山柰素对照品11.10 mg，置10 ml量瓶中，加甲醇溶解并稀释至刻度，摇匀。分别精密吸取上述对照品溶液各5 ml，共置于同一100 ml量瓶中，加甲醇−25%盐酸（4：1）稀释至刻度，摇匀，作为槲皮素和山柰素混合对照品溶液。

采用加样回收法，分别称取药材（SY−2）粉末0.1 g，共6份，精密称定，加入槲皮素和山柰素混合对照品溶液10 ml，按照正文拟定的方法提取、测定，计算加样回收率。结果：槲皮素平均回收率为98.05%，RSD=2.53%（$n=6$）；山柰素平均回收率为99.13%，RSD=3.21%（$n=6$）。

2.4 耐用性试验

2.4.1 色谱柱的考察

分别采用不同品牌的色谱柱（岛津公司Hypersil ODS2 C18柱、菲罗门公司 Gemini C18柱、依利特公司Inertsil ODS−SP C18柱，规格均为5 μm，4.6 mm×250 mm），测定样品（SY−2）中的槲皮素和山柰素总量。结果：三根色谱柱测定总量平均值为0.82%，RSD=1.73%（$n=3$）。

《广西壮族自治区壮药质量标准第二卷（2011年版）》注释

2.4.2 色谱仪的考察

分别采用不同品牌的色谱仪（岛津LC-20AT、Agilent 1200）测定样品（SY-2）中槲皮素和山柰素的总量。结果：两台色谱仪测定总量平均值为0.79%，RAD=1.88%（n=2）。

3. 样品测定及含量限度的确定

按正文【含量测定】方法，测定了本品9批样品中的槲皮素和山柰素的总量（详见表7），据最高值、最低值及平均值，并考虑药材来源差异情况，暂定本品含量限度为槲皮素和山柰素总量不得少于0.20%。

空白溶剂（甲醇）HPLC图、槲皮素和山柰素混合对照品HPLC图、柿叶样品HPLC图分别见图9、图10、图11。

表7　9批样品测定结果

编号	采集（收集）地点/批号	槲皮素和山柰素总量（%）
SY-1	玉林北流市	0.28
SY-2	隆安县	0.82
SY-3	桂林市	0.42
SY-4	临桂县	0.35
SY-5	鹿寨县	0.49
SY-6	靖西县	0.52
SY-7	兴安县	0.49
SY-8	荔浦县	0.49
SY-9	南宁市	0.24
SY-2-FH	隆安县	0.69
SY-5-FH	鹿寨县	0.48
SY-8-FH	荔浦县	0.35

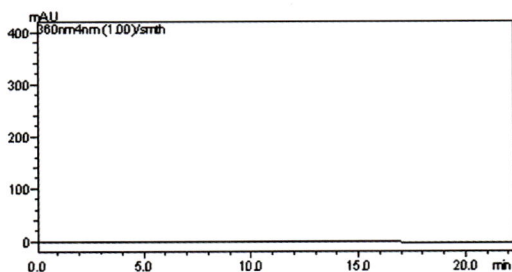

图9　空白溶剂（甲醇）HPLC图

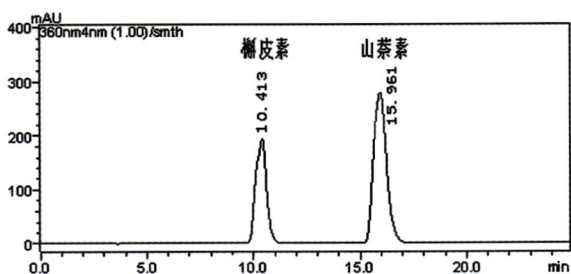

图10　槲皮素和山柰素混合对照品HPLC图

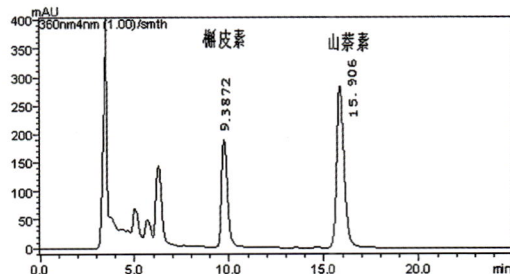

图11　柿叶样品HPLC图

参考文献

[1]［17］《全国中草药汇编》编写组. 全国中草药汇编：下册［M］. 北京：人民卫生出版社，1978：416.

[2]广西壮族自治区卫生厅. 广西中药材标准［M］. 南宁：广西科学技术出版社，1990：243.

[3]［18］国家中医药管理局《中华本草》编委会. 中华本草［M］. 上海：上海科学技术出版社，1999，16（6）：140.

[4]江苏新医学院. 中药大辞典：下册［M］. 上海：上海科学技术出版社，1986：1668-1670.

[5]［9］中国科学院植物研究所. 中国高等植物图鉴：第三册［M］. 北京：科学出版社，1974：301.

[6]中国科学院中国植物志编辑委员会. 中国植物志：第六十卷［M］. 北京：科学出版社，1987：142.

[7]广西壮族自治区中医药研究所. 广西药用植物名录［M］. 南宁：广西人民出版社，1986：345.

[8]覃海宁，刘演. 广西植物名录［M］. 北京：科学出版社，2010：298.

[10]［19］郭玫，董晓萍. 柿叶的研究概况［J］. 重庆中草药研究，1999（40）：164-166.

[11]［12］［20］［21］陈光，徐绥绪，沙沂. 柿叶的化学成分研究（Ⅰ）［J］. 中国药物化学杂志，2000，10（4）：298-299.

[13]［22］谭宏棣，孙懿，覃斐章，等. 柿叶总黄酮对大鼠心肌缺血再灌注损伤的保护作用［J］. 中药药理与临床，2009，25（1）：27-29.

[14]［23］覃斐章，林兴，张绪东，等. 柿叶黄酮的降血压作用及其作用机制研究［J］. 广西科学，2009，16（3）：310-313.

[15]［24］高永峰，高允生，辛晓明. 柿叶总黄酮对糖尿病小鼠降血糖降血脂作用及其机制研究［J］. 泰山医学院学报，2009，30（4）：245-246.

[16]［25］余云真，于中原，郭进. 脑心宁治疗缺血性脑血管病的实验与临床观察［J］. 解放军医学杂志，1988，13（1）：30-31.

[26]王先楷. 天然药物化学［M］. 北京：人民出版社，1988：276.

药学编著： 黄瑞松　张　鹏　梁子宁
药学审校： 广西壮族自治区食品药品检验所

韭菜　　从决

Jiucai　　Coenggep

ALLII TUBEROSI HERBA

【概述】 韭菜，俗名丰本、草钟乳、起阳草、懒人菜、长生韭、壮阳草、扁菜。

本品以韭根之名始见于《民医别录》，韭菜之名则始载于《滇南本草》。《本草纲目》云："叶从生丰本，长叶青翠，可以根分，可以子种，其性内生，不得外长，叶高三寸便剪，剪忌日中，一岁不过五剪，收子者只可一剪。八月开花成丛，收取醃藏供馔，谓之长生韭，言剪而复生，久而不乏也。九月收子，其子黑色而扁，须风处阴干，勿令泡郁。北人至冬移根于土窖中，培以马屎，暖则即长，高可尺许，不见风日，其叶黄嫩，谓之韭黄，豪贵皆珍之。"其所述应为本品石蒜科植物韭*Allium tuberosum* Rottl. ex Spreng.。本品也见于我国一些中草药专著和南方地区中草药手册或植物学专著中，如《中国植物志》、《中华本草》、《全国中草药汇编》、《广西中药资源名录》、《中药大辞典》等均有记载。本品原植物全国各地均有分布，各地均有较大面积的人工种植。

【来源】 本品为石蒜科植物韭*Allium tuberosum* Rottl. ex Spreng. 的干燥全草。全年均可采收，除去杂质，晒干或鲜用。

韭为多年生草本，高20~40 cm。具特殊强烈气味。根茎横卧，鳞茎狭圆锥形，簇生；鳞式外皮黄褐色，网状纤维质。叶基生，条形，扁平，长15~30 cm，宽1.5~7 mm。总苞2裂，比花序短，宿存；伞形花序簇生状或球状，多花；花梗为花被的2~4倍长；具苞片；花白色或微带红色；花被片6片，狭卵形至长圆状披针形，长4.5~7 mm；花丝基部合生并与花被贴生，长为花被片的4/5，狭三角状锥形；子房外壁具细的疣状突起。蒴果具倒心形的果瓣。花、果期7~9月。[1]

韭以全草入药，全年均可采收，除去泥土，晒干。[2]各地药材市场及菜市均有销售。韭菜全草含挥发油，测定精油含量可望成为评定韭菜品质的量化指标之一，这对传统的感官鉴定法无疑是一个重要补充，所得结论会更加科学可靠。[3]

起草样品收集情况：共收集到样品7批，详细信息见表1、图1、图2。

表1　韭菜样品信息一览表

编号	原编号	药用部位	产地/采集地点	样品状态
JC-1	11051001	全草	马山县白山镇新汉村	药材
JC-2	11040601	全草	荔浦县马岭镇	药材
JC-3	11052001	全草	南宁市江南区明阳农场	药材
JC-4	11060501	全草	临桂县宛田乡宛天村	药材
JC-5	11062001	全草	南宁市苏圩镇	药材
JC-6	11042101	全草	那坡县百都乡	药材
JC-7	11042601	全草	巴马县西山乡	药材

备注：韭菜样品JC-1同时压制成腊叶标本，腊叶标本经过方鼎和黄燮才两位植物分类专家鉴定为石蒜科植物韭，实验中以该样品作为韭菜的对照药材与其他样品进行对比。完成样品收集后，将所有7份样品（约450 g）进行粉碎处理，并统一过40目筛，备用。

图1 韭菜原植物

图2 韭菜腊叶标本

【化学成分】 王鸿梅等[4]研究表明韭菜挥发油成分含量为81.3%，其中挥发油主要含量是二硫化物和三硫化物，四硫化物含量较少。二硫化物含量从高到低依次为韭菜花（26.66%）、韭菜叶（22.20%）、韭菜根茎（15.63%）。三硫化物含量从高到低依次为韭菜根茎（53.53%）、韭菜花（44.94%）、韭菜叶（38.08%）。韭菜挥发油中主要成分为二甲基二硫醚（dimethy dithioether）、二甲基三硫醚（dimethy trithioether）、甲基丙基二硫醚（methyl propyl dithioether）、甲基丙基三硫醚（methyl propyl trithioether）、甲基丙稀基二硫醚（methyl propylere dithioether）、甲基丙烯基三硫醚（methyl propylere trithioether）、丙基丙烯基二硫醚（反式）（propyl propylere dithioether）、丙基丙烯基三硫醚（propyl propylere trithioether）、二丙基三硫醚（dipropyl trithioethe）等化合物。[5]

全草含二甲基硫代亚磺酸酯［dimethylthiosulfinate MeS（O）Sme］，二丙烯基硫代亚磺酸酯［dipropenylthiosulfinate，PrS（O）SPr］，丙烯基硫代亚磺酸甲酯［methylpropenylthiosulfinate，MeSS（O）Pr］，甲基硫代亚磺酸丙烯酯［propenylmethylthiosulfinate，MeS（O）SPr］，（Z）-（E）-甲基硫代亚磺酸-1-烯丙酯［（Z）-and（E）-1-propenylmethylthiosulfinate，（Z）-and（E）-MeS（O）SCH：CHMe］，（E）-1-丙烯基硫代亚磺酸甲酯［（E-methyl-1-propenylthiosulfinate，（E-MeS（O）CH：CHMe］，（Z）-和（E）-二丙烯基硫代亚磺酸酯［（Z）-and（E）-dipropenylthiosulfinate，（Z）-and（E）-PrS（O）SCH：CHMe］，2，3-二甲基-5，6-二硫代二环［2.1.1］己烷5-氧代化合物{2，3-dimethyl-5，6-dithiabicyclo［2.1.1］hexane5-oxides}。

【药理与临床】 孙志勇等[6]的抑菌试验证明，韭菜汁对大肠杆菌、绿脓杆菌、金黄色葡萄球菌、痢疾杆菌、变形杆菌、枯草杆菌有抑制作用。陈馨远[7]研究表明韭菜叶研磨后的滤液，1∶4在试管内接触30分钟，对阴道滴虫有杀灭作用。王向阳等[8]用韭菜粗提物对小鼠进行研究，结果显示韭菜粗提液具有显著的改善小鼠性功能作用，但是对提高小鼠抗疲劳功能作用不明显。黄永红等[9]研究表明，韭菜对香蕉枯萎病菌4号生理小种（Foc4）有很高的拮抗效果，而且对香蕉枯萎病有很高的防控作用。

【性状】 鲜品：鳞茎簇生，近圆柱状。叶片基生，狭长而尖，呈条形，扁平，实心，长20~45 cm，宽1.8~9 mm，上下表面及边缘平滑。花葶圆柱状，常具2纵棱，高25~50 cm，下部被叶鞘；伞形花序半球状或近球状，花白色；花被片常具绿色或黄绿色的中脉。具特殊香气。

干品：本品长20~40 cm，全体暗黄色至黄褐色。根状茎短小，倾斜横生。鳞茎簇生，近圆柱状，破裂后成纤维状。叶皱缩卷曲，展平后呈扁平条形，宽1.5~8 mm，先端渐尖，上下表面灰黄色至黄褐色。花葶圆柱状，略比叶片长，常具2纵棱。气浓香，味辛淡。

本品以气味浓郁者质佳，详见图3。

图3 韭菜干品药材

【鉴别】 （1）叶粉末黄绿色。表皮细胞长方形，气孔平轴式；纤维成束或分离，多截断，木纤维较多，细长，先端渐尖，壁较薄，平滑，径9~15 μm；韧皮纤维少，壁较厚，孔沟明显，直径20~28 μm，导管以螺纹导管为主，直径14~31 μm。

显微鉴别要点：粉末中有的薄壁

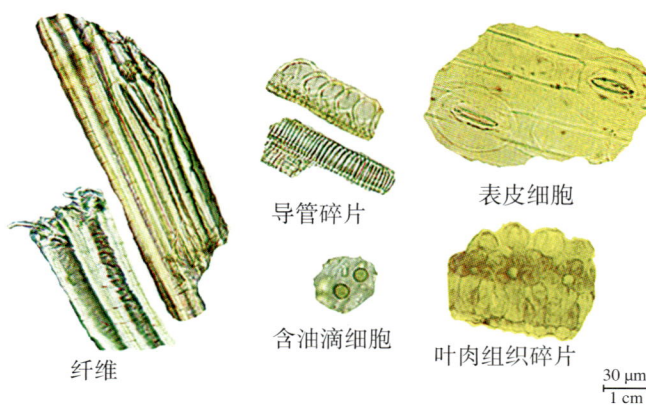

图4 韭菜粉末显微图

细胞内有黄绿色油滴，是其显微鉴别的主要特征，详见图4。

（2）取本品粉末3 g，加甲醇50 ml，超声处理30分钟，滤过，滤液蒸干，加甲醇1 ml使溶解，溶液作为供试品溶液。另取韭菜对照药材3 g，同法制成对照药材溶液。照薄层色谱法（中国药典2010年版一部附录Ⅵ B）试验，吸取供试品溶液及对照药材溶液各5 μl，分别点于同一硅胶G薄层板上，以石油醚（30~60 ℃）-乙酸乙酯（4∶1）为展开剂，展开，取出，晾干，喷以10%硫酸乙醇溶液，在105 ℃加热至斑点显色清晰。供试品色谱中，在与对照药材色谱相应的位置上，显相同颜色的斑点。置紫外光灯（365 nm）下检视，供试品色谱中，在与对照药材色谱相应的位置上，显相同颜色的荧光斑点。7批样品按本法检验，均符合规定，重现性较好，故收入正文。

耐用性实验考察：采用点状点样对自制板、预制板（青岛海洋化工厂提供，批号：20111008）的展开效果进行考察，对不同展开温度（10 ℃、30 ℃）进行考察，结果均表明本法的耐用性良好。

从7批韭菜的薄层鉴别图谱可以看到，薄层色谱分离效果较好，斑点圆整清晰，详见图5、图6。

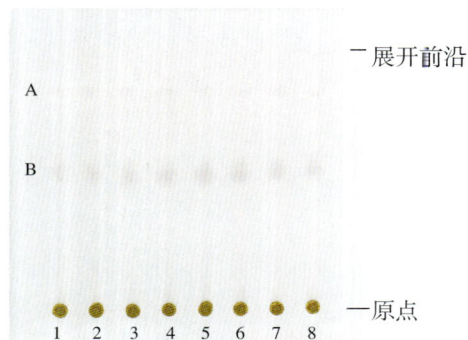

图5　韭菜样品TLC图（日光下）　　　图6　韭菜样品TLC图（紫外光灯365 nm下）

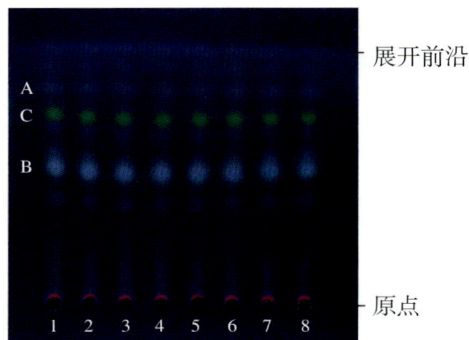

1. JC-1（对照药材）　　2. JC-2　　3. JC-3　　4. JC-4
5. JC-5　　　　　　　　6. JC-6　　7. JC-7　　8. JC-1（对照药材）
A. 淡紫红色斑点（日光下）；粉红色荧光斑点（紫外光灯365 nm下）
B. 红紫色斑点（日光下）；蓝色荧光斑点（紫外光灯365 nm下）
C. 绿色荧光斑点

色谱条件：硅胶G薄层预制板，生产厂家：青岛海洋化工厂，批号：20111008，规格：10 cm×10 cm
圆点状点样，点样量：5 μl；温度：28 ℃；相对湿度：70RH%
展开剂：石油醚（30~60 ℃）-乙酸乙酯（4∶1）
检识：喷以10%硫酸乙醇溶液，在105 ℃加热至斑点显色清晰，分别置日光下和紫外光灯（365 nm）下检视

【检查】　水分　照水分测定法（中国药典2010年版一部附录Ⅸ H第一法）测定。

对本品7批样品进行水分测定，结果见表2，据最高值、最低值及平均值，并考虑到该药材为南方所产，而南方气候较为湿润，暂定本品药材水分限度为不得过15.0%。

表2　韭菜样品水分测定结果一览表

样品	水分均值（%）	样品	水分均值（%）
JC-1	9.5	JC-5	12.1
JC-2	13.4	JC-6	11.2
JC-3	14.2	JC-7	12.4
JC-4	9.3	JC-2-FH	10.4
JC-3-FH	10.4	JC-6-FH	11.3

酸不溶性灰分　照灰分测定法（中国药典2010年版一部附录Ⅸ K）测定。

对本品7批样品进行酸不溶性灰分测定，结果见表3，据最高值、最低值及平均值，将本品酸不溶性灰分限度为不得过4.5%。

表3　韭菜样品酸不溶性灰分测定结果一览表

样品	酸不溶性灰分（%）	样品	酸不溶性灰分（%）
JC-1	3.3	JC-5	3.4
JC-2	2.0	JC-6	2.5
JC-3	3.0	JC-7	2.2
JC-4	3.6	JC-2-FH	3.0
JC-3-FH	3.3	JC-6-FH	1.5

【**浸出物**】　对本品7批样品进行了水溶性浸出物的热浸法和醇溶性浸出物的热浸法试验，结果见表4和表5。试验结果显示，水浸出物含量比醇浸出物含量高，差异较大，水溶性浸出物普遍收率较高，再考虑到采用水为溶剂进行测定时具有经济性和安全性，因此，研究最终确定采用水溶性浸出物测定法（中国药典2010年版一部附录 X A）项下的热浸法测定。

据最高值、最低值及平均值，将本品浸出物限度为不得少于18.0%。

表4　韭菜样品水溶性浸出物测定结果一览表

样品	浸出物均值（%）	样品	浸出物均值（%）
JC-1	22.4	JC-5	19.2
JC-2	23.5	JC-6	19.6
JC-3	18.3	JC-7	22.4
JC-4	21.0	JC-2-FH	52.8
JC-3-FH	47.5	JC-6-FH	56.4

表5　韭菜样品醇溶性浸出物测定结果一览表

样品	浸出物均值（%）	样品	浸出物均值（%）
JC-1	7.3	JC-5	7.4
JC-2	8.0	JC-6	8.2
JC-3	8.7	JC-7	7.9
JC-4	8.0		

参考文献

[1] [2]国家中医药管理局《中华本草》编委会. 中华本草：第8册 [M]. 上海：上海科学技术出版社，1999，44-47.

[3]刘美筠，万仁忠. 韭菜精油的研究 [J]. 山东农业大学学报：自然科学版，1993，24（3）：323-327.

[4] [5]王鸿梅，冯静. 韭菜挥发油中化学成分的研究 [J]. 天津医科大学学报，2002，8（2）：191-192.

[6]孙志勇，邓镇涛，冯丽娟，等. 韭菜汁分离提取物的抑菌作用研究 [J]. 井冈山大学学报：自然科学版，2010，31（4）：44-47.

[7]陈馨远. 大蒜、姜和其他几种食用植物在试管内杀灭阴道滴虫作用的观察 [J]. 中华妇产科杂志，1956，4（4）：395.

[8]王向阳，葛丽，周蓉. 韭菜粗提物对改善小鼠性功能及抗疲劳功能影响 [J]. 时珍国医国药，2010，21（6）：1546-1548.

[9]黄永红，魏岳荣，左存武，等. 韭菜对香蕉枯萎病菌生长及香蕉枯萎病发生的抑制作用 [J]. 西北植物学报，2011，31（9）：1840-1845.

药学编著：赖茂祥　黄云峰　胡琦敏
药学审校：广西壮族自治区食品药品检验所

香茅　　棵查哈

Xiangmao　　　　Gocazhaz

CYMBOPOGONIS CITRATI HERBA

【概述】　香茅，别名柠檬草、大风茅（见《广西本草选篇》），茅香、香巴茅、香茅草（见《中华本草》），柠檬茅、风茅（见《全国中草药汇编》）。本品以茅香之名始载于唐代的《本草拾遗》，云："茅香味甘平，生南安，如茅根。"《本草纲目》云："茅香凡有二，此是一种香茅也。其白茅香别是南番一种香草。"此后，香茅在历代本草中均有记载，近代中草药书刊也多有收载。据调查，香茅在壮族地区民间有悠久的药用历史，每当风寒或暑邪全身不适时，民间习惯用香茅煎水洗澡，驱赶风寒暑邪。香茅主要分布于广东、广西、福建、四川、云南、贵州等地，我国华南、西南、福建、台湾地区有栽培，广西各地均有零星栽培。

【来源】　本品为禾本科植物香茅*Cymbopogon citratus*（DC.）Stapf 的干燥全草。

香茅为多年生草本。秆粗壮，高达2 m。含有柠檬香味。叶片长达1 m，宽15 mm，两面均呈灰白色且粗糙。佛焰苞披针形，狭窄，长1.5~2 cm，红色或淡黄褐色，3~5倍长于总梗；伪圆锥花序线形至长圆形，疏散，具3回分枝，基部间断，其分枝细弱而下倾或稍弯曲以至弓形弯曲。第1回分枝具5~7节，第2回或第3回分枝具2~3节且单纯。总状花序孪生，长1.5~2 cm，具4节；穗轴节间长2~3 mm，具稍长之柔毛，但其毛并不遮蔽小穗，无柄小穗两性，线形或披针状线形，无芒，锐尖；第1颖先端具2微齿，脊上具狭翼，背面微凹而在下部凹陷；脊间无脉，第2外稃先端浅裂，具短尖头，无芒，有柄小穗暗紫色。花、果期夏季，少见有开花者。

香茅以全草入药，全年均可采收，洗净，晒干。[1]实验研究表明，香茅油化学成分复杂，广西香茅油的主要成分为橙花醛、香叶醛。[2]从柠檬草茎叶自然挥发物中分离并鉴定了12种成分，香茅根挥发物有10种萜烯及其含氧衍生物。[3]因此，香茅全草均可入药。

起草样品收集情况：共收集到样品6批，详细信息见表1、图1、图2。

表1　香茅样品信息一览表

编号	原编号	药用部位	产地/采集地点	样品状态
XM-1	11030801	全草	广西大学农学院	药材
XM-2	11041602	全草	南宁东郊公鸡岭	药材
XM-3	11050101	全草	南宁二塘	药材
XM-4	11050604	全草	南宁那马镇	药材
XM-5	11052701	全草	广西玉林市	药材
XM-6	11060401	全草	广西扶馁县	药材

备注：香茅样品XM-4同时制成腊叶标本，经过方鼎和黄燮才两位植物分类专家鉴定为禾本科植物香茅，实验中以该样品作为香茅的对照药材与其他样品进行对比。完成样品收集后，将所有6份样品（约500 g）进行粉碎处理，并统一过40目筛，备用。

图1　香茅原植物

图2　香茅腊叶标本

【化学成分】　据文献检索，香茅叶含香茅素（cymbopogne）、香茅甾醇（cymbopogonol）、木犀草素（luteolin）、木犀草素-6-O-葡萄糖苷（luteolin-6-O-glucoside）、木犀草素-7-O-□-葡萄糖苷（luteolin-7-O-□-glucoside）、木犀草素-7-O-新橙皮糖苷（luteolin-7-O-neohesperoside）、异荭草素（homoorientin）、2″-（O）-鼠李糖异荭草素（2″-O-rhamnosyl-homoorientin）、绿原酸（chlorogenic acid）、咖啡酸（caffeic acid）、对-香豆酸（p-coumaric acid）、二十八醇（octacosanol）、三十醇（triacontanol）、三十二醇（dotriacontanokl）、二十六醇（hexacosanol）、□-谷甾醇（□-sitosterol）、单糖（fructose）、蔗糖（sucrose）。

另含挥发油，内有□-柠檬醛（citral）即橙花醇（neral）、香茅醛（citrcnellal）、牻牛儿醇（geraniol）、甲基庚烯酮（methylhepte-none）[4]、二戊烯（dipentene）、月桂烯（myrcene）等。

【药理与临床】　（1）抗菌作用。香茅叶精油对革兰阳性菌、阴性菌皆有抗菌活性。低浓度香茅精油可使大肠杆菌细胞内物质渗漏，表明它有损伤细胞的作用；高浓度香茅精油还有使大肠杆菌去壁菌细胞胞浆凝固的作用。香茅精油在加速试验情况下，经受快速氧化，被氧化的油样品抗菌活性会降低。加入抗氧化剂，可增加油的抗菌活性。香茅挥发油有抗真菌（如委内瑞拉链丝菌等）作用。[5]香茅精油对念珠菌属真菌的最低抑制浓度（MIC）为0.05%（V/V），对烟曲霉菌、石膏样小孢霉菌、须发菌的MIC分别为0.1%（V/V）、0.08%（V/V）、0.08%（V/V）。其中柠檬醛抑制真菌活性较强，而香茅醛仅对念珠菌抑制活性较强，二戊烯和月桂烯无抑制真菌活性。香茅精油还具有杀真菌作用。

（2）抗炎、降压作用。20%香茅煎剂15 ml/kg给大鼠口服，对角叉菜胶诱发的足跖肿抑制率达18.6%。大鼠静脉注射煎剂，给药后出现一过性降压作用，1~2 ml/kg作用短暂，3 ml/kg作用可持续35分钟以上。10%、20%香茅煎剂25 ml/kg给大鼠口服，有微弱的利尿作用。

（3）其他作用。有报道说香茅叶、根中含胰岛素样物质，效价口服1 g相当于440 u，皮下注射相当于880 u。

【性状】　本品长1~1.5 m，表面灰白色至灰黄色。秆粗壮，节处常被蜡粉。叶片长条形，长40~80 cm或更长，宽1~1.5 cm，基部抱茎；两面和边缘粗糙，具丛纹，叶舌厚，鳞片状。质轻，纤维性。具柠檬香气，味辛淡。

本品主要鉴别特征为秆粗壮，节处常被蜡粉；叶片两面和边缘粗糙，叶舌厚，鳞片状；具柠檬香气，且以气味浓郁者质佳。详见图3。

【鉴别】　（1）本品叶横切面：上下表皮细胞1列，细胞类圆形或长圆形，切向延长，外被一薄的角质层；栅栏组织细胞1~2列，通过主脉，短圆柱形，长18~42 μm；海绵组织细胞圆形、类圆形或不规则形；中脉维管束周围有中柱鞘纤维环绕，韧皮部薄壁细胞有的含棕黄色物质。薄壁细胞中有草酸钙簇晶散在，直径12~30 μm。详见图4。

（2）取本品粉末0.5 g，加甲醇20 ml，超声处理30分钟，滤过，滤液蒸干，加甲醇1 ml使溶解，作为供试品溶液。另取香茅对照药材0.5 g，同法制成对照药材溶液。照薄层色谱法（中国药典2010年版一部附录Ⅵ B）试验，吸取上述两种溶液各20 μl，分别点于同一硅胶G薄层板上，以石油醚（60~90 ℃）-二氯甲烷（1：3）为展开剂，展开，取出，晾干，喷以5%香草醛硫酸溶液，在105 ℃加热至斑点显色清晰。供试品色谱中，在与对照药材色谱相应的位置上，显相同颜色的斑点。6批样品按本法检验，均符合规定，重现性好。

耐用性实验考察：采用点状点样对自制板、预制板（青岛海洋化工厂提供，批号：20111008）的展开效果进行考察，对不同展开温度（10 ℃、30 ℃）进行考察，结果均表明本法的耐用性良好，详见图5。

图3　香茅药材

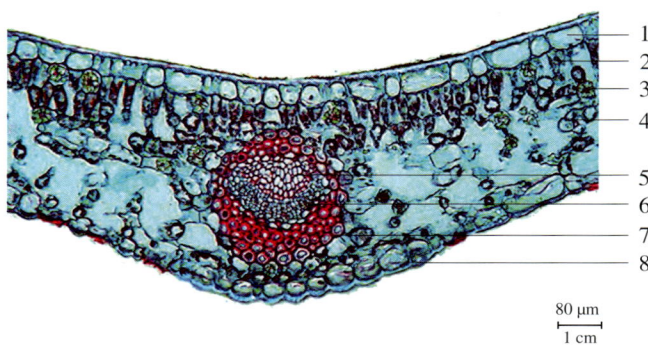

图4　香茅叶横切面显微全貌图

1. 上表皮　2. 栅栏组织　3. 草酸钙簇晶　4. 海绵组织
5. 木质部　6. 韧皮部　7. 中柱鞘纤维　8. 下表皮

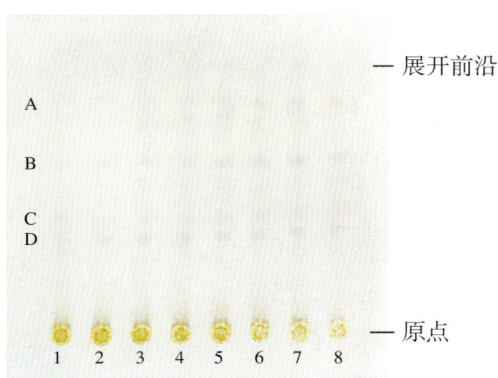

图5　香茅样品TLC图

1. XM-1（对照药材）　　2. XM-2　　　　3. XM-3　　　　4. XM-4
5. XM-5　　　　　　　6. XM-6　　　　7. XM-2　　　　8. XM-1（对照药材）
A. 紫色斑点　　　　　B. 紫色斑点　　　C. 红紫色斑点　　D. 红紫色斑点

色谱条件：硅胶G薄层预制板，生产厂家：青岛海洋化工厂，批号：20111008，规格：10 cm×10 cm
　　　　　圆点状点样，点样量：20 μl；温度：25 ℃；相对湿度：80RH%
　　　　　展开剂：石油醚（60~90 ℃）–二氯甲烷（1：3）
　　　　　检识：喷以5%香草醛硫酸溶液，在105 ℃加热至斑点显色清晰

【检查】　**水分**　照水分测定法（中国药典2010年版一部附录Ⅸ H第一法）测定。

对本品6批样品进行水分测定，结果见表2，据最高值、最低值及平均值，并考虑到该药材为南方所产，而南方气候较为湿润，药材在运输和贮存过程中发生变化等因素，因此，暂定本品药材水分限度为不得过14.0%。

表2　香茅样品水分测定结果一览表

样品	水分均值（%）	样品	水分均值（%）
XM-1	13.5	XM-4	13.4
XM-2	10.4	XM-5	10.3
XM-3	13.5	XM-6	10.1
XM-4-FH	10.2	XM-6-FH	9.6
XM-5-FH	9.3		

总灰分　照灰分测定法（中国药典2010年版一部附录Ⅸ K）测定。

对本品6批样品进行总灰分测定，结果见表3，据最高值、最低值及平均值，将本品总灰分限度为不得过9.0%。

表3　香茅样品总灰分测定结果一览表

样品	总灰分（%）	样品	总灰分（%）
XM-1	7.7	XM-4	6.6
XM-2	6.2	XM-5	6.6
XM-3	6.9	XM-6	4.0
XM-4-FH	6.7	XM-6-FH	4.9
XM-5-FH	7.3		

【浸出物】　本品浸出物试验分别进行了水溶性浸出物的热浸法和醇溶性浸出物的热浸法试验，结果醇溶性浸出物收率偏低，但操作简便，易于滤过，且收率较稳定；而水溶性

浸出物收率虽然较高，但是较难操作，不易滤过。故最终确定以乙醇作为提取溶剂。照醇溶性浸出物测定法（中国药典2010年版一部附录Ⅹ A）项下的热浸法测定。

对本品6批样品进行浸出物测定，结果见表4，据最高值、最低值及平均值，将本品浸出物限度为不得少于5.7%。

表4　香茅样品醇溶性浸出物测定结果一览表

样品	浸出物均值（%）	样品	浸出物均值（%）
XM-1	7.5	XM-4	7.0
XM-2	10.1	XM-5	2.9
XM-3	7.7	XM-6	7.8
XM-4-FH	13.9	XM-6-FH	12.4
XM-5-FH	8.8		

【含量测定】　挥发油是本品质量考察的主要指标，参考有关文献，照挥发油测定法（中国药典2010年版一部附录Ⅹ D）测定。6批样品挥发油含量测定结果详见表5。

表5　香茅样品挥发油测定结果一览表

样品	挥发油含量%（ml/g）	样品	挥发油含量%（ml/g）
XM-1	1.04	XM-4	1.90
XM-2	1.50	XM-5	1.26
XM-3	1.62	XM-6	1.83
XM-4-FH	1.44	XM-6-FH	1.84
XM-5-FH	1.29		

根据最高值、最低值及平均值，并考虑药材来源、采收季节差异情况，暂定本品挥发油含量限度为不得少于0.80%（ml/g）。

参考文献

[1]国家中医药管理局《中华本草》编委会. 中华本草：第8册［M］. 上海：上海科学技术出版社，1999：335.

[2]刘布鸣，林霄，董晓敏，等. 香茅油的气相色谱指纹图谱研究［J］. 广西科学，2010，17（4）：343-346.

[3]黎华寿，黄京华，张修玉. 香茅天然挥发物的化感作用及其化学成分分析［J］. 应用生态学报，2005，16（4）：763-767.

[4]中华人民共和国商业部土产废品局. 中国经济植物志［M］. 北京：科学出版社，1961：1505.

[5]江苏新医学院. 中药大辞典：下册［M］. 上海：上海人民出版社，1977：3444.

药学编著：赖茂祥　胡琦敏　黄云峰
药学审校：广西壮族自治区食品药品检验所

扁担藤　　勾盘

Biandanteng　　Gaeubanz

TETRASTIGMAE PLANICAULIS CAULIS

【概述】　因其形似扁担而得名扁担藤，别名腰带藤、羊带风（广州部队《常用中草药手册》）、扁骨风（《广西中草药》）、铁带藤、大芦藤、过江扁龙（《全国中草药汇编》）、脚白藤（《福建药物志》）、大血藤、岩五加（《贵州中草药名录》）。[1，2] 本品为广西壮族民间验方的组成之一，在民间有较长的使用历史[3，4]，故收入本标准，但历版药典及广西中药材标准尚无收载。

【来源】　本品为葡萄科植物扁担藤 *Tetrastigma planicaule*（Hook.f.）Gagnep. 的干燥藤茎。

扁担藤为木质大藤本，茎压扁，深褐色。小枝圆柱形或微扁，有纵棱纹，无毛。卷须不分枝，相隔2节间段与叶对生。叶为掌状5小叶，小叶长圆披针形、披针形、卵披针形，长（6）9~16 cm，宽（2.5）3~6（7）cm，顶端渐尖或急尖，基部楔形，边缘每侧有5~9个锯齿，锯齿不明显或细小，稀较粗，上面绿色，下面浅绿色，两面无毛；侧脉5~6对，网脉突出；叶柄长3~10 cm，无毛，小叶柄长0.5~3 cm，中央小叶柄比侧生小叶柄长2~4倍，无毛。花序腋生，长15~17 cm，比叶柄长1~1.5倍，下部有节，节上有褐色苞片，稀与叶对生而基部无节和苞，二级和三级分枝4（3），集生成伞形；花序梗长3~4 cm，无毛；花梗长3~10 mm，无毛或疏被短柔毛；花蕾卵圆形，高2.5~3 mm，顶端圆钝；萼浅蝶形，齿不明显，外面被乳突状毛；花蕾卵圆形，高2~2.5 mm，顶端呈风帽状，外面顶部疏被突状毛；雄蕊4枚，花丝丝状，花药黄色，卵圆形，长宽近相等或长甚于宽，在雌花内雄蕊显著短，花药呈龟头形，败育；花盘明显，4浅裂，在雌花内不明显且呈环状，子房阔圆锥形，基部被扁平乳突状毛，花柱不明显，柱头4裂，裂片外折。果实近球形，直径2~3 cm，多肉质，有种子1~2（3）颗；种子长椭圆形，顶端圆形，基部急尖，种脐在背面中部呈带形，达种子顶端，腹部中棱脊扁平，两侧洼穴呈沟状，从基部向上接近中部时斜向外伸展达种子顶端。花期4~6月，果期8~12月。[5]

扁担藤藤茎于秋、冬季采收，洗净，切片，鲜用或晒干。[6]

起草样品收集情况：共收集到样品6批，详细信息见表1、图1、图2。

表1　扁担藤样品信息一览表

编号	原编号	药用部位	产地/采集地点/批号	样品状态
BDT-1	110525	藤茎	广西隆安县	药材
BDT-2	110405	藤茎	广西平南县	药材
BDT-3	101223	藤茎	广西中医学院药圃	药材
BDT-4	101204	藤茎	南宁市人民公园	药材
BDT-5	110513	藤茎	南宁高峰林场	药材
BDT-6	110810	藤茎	南宁龙虎山	药材

备注：扁担藤样品（BDT-1）经鉴定，确定其为葡萄科植物扁担藤的藤茎，实验中以该样品作为扁担藤的对照药材与其他样品进行对比。完成样品收集后，将所有6份样品（约300 g）进行粉碎处理，并统一过40目筛，备用。

壮药质量标准注释

图1　扁担藤原植物　　　　　　　　　图2　扁担藤标本

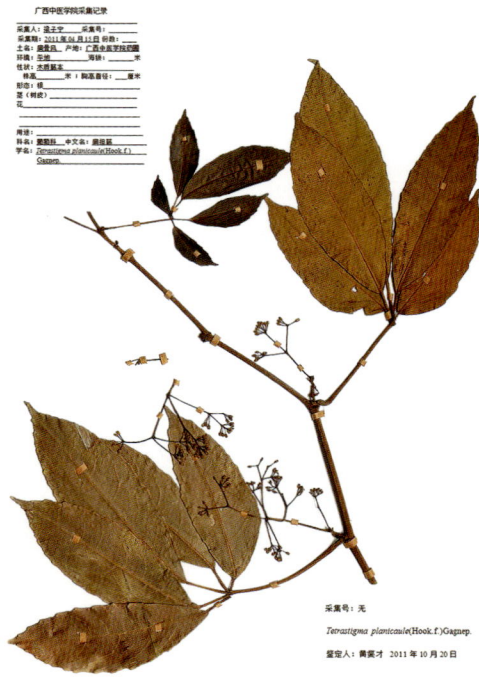

【化学成分】　扁担藤含有三萜类、黄酮类、有机酸类、皂苷类、甾体类等化学成分。[7]邵加春等[8]从扁担藤乙醇提取物中分离得到8个化合物，分别为stigmast-4-en-6-□-ol-3-one、7-□-hydroxysitosterol、古柯二醇、水杨酸、香草酸、丁香酸、原儿茶酸、glycerol-2-（3-methoxy-4-hydroxybenzoic acid）ether。

【性状】　本品为不规则条块，厚0.3~1 cm。栓皮浅褐色至绿褐色，栓皮脱落处棕红色。质硬，切面皮部较薄，棕红色。木质部浅棕色，可见多个同心环，针孔明显，有裂隙，易纵向层状剥离。髓部小。气微，味淡、微涩。

　　本品主要鉴别特征为不规则条块状，栓皮脱落处棕红色，木质部可见多个同心环，针孔明显，有裂隙，易纵向层状剥离。髓部小。详见图3。

【鉴别】　（1）本品横切面：呈扁椭圆形，木栓层由10余列细胞构成。皮层较窄。中柱鞘纤维束断续排列成环状，韧皮部具分泌腔，有时可见黄棕色分泌物。木质部导管较大，直径50~250 μm，木纤维众多，木射线呈放射状排列。薄壁细胞中可见草酸钙针晶束及簇晶散在，髓部薄壁细胞中尚含淀粉粒。详见图4。

图3　扁担藤药材

《广西壮族自治区壮药质量标准第二卷（2011年版）》注释

（2）取本品粉末2 g，加乙醇30 ml，超声处理30分钟，滤过，滤液蒸干，残渣加甲醇2 ml使溶解，作为供试品溶液。另取扁担藤对照药材2 g，同法制成对照药材溶液。照薄层色谱法（中国药典2010年版一部附录Ⅵ B）试验，吸取上述两种溶液各5 µl，分别点于同一硅胶G薄层板上，以二甲苯–乙酸乙酯–甲酸（20∶4∶0.5）为展开剂，展开，取出，晾干，喷以10%硫酸乙醇溶液，在105 ℃加热至斑点显色清晰，置紫外光灯（365 nm）下检视。供试品色谱中，在与对照色谱相应的位置上，显相同颜色的荧光斑点。6批样品按本法检验，均符合规定，且薄层色谱分离效果好，斑点圆整清晰，比移值适中，重现性好。详见图5。

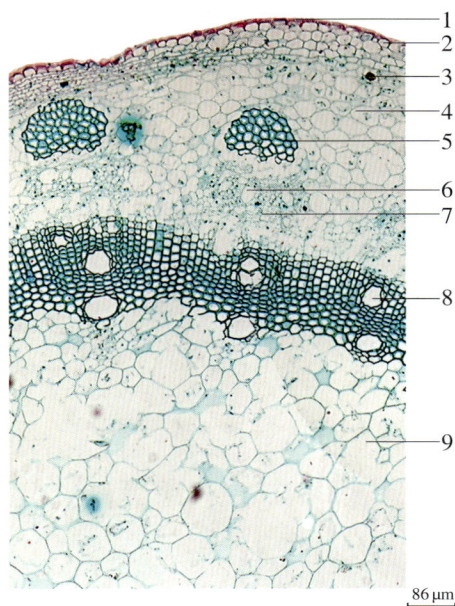

图4 扁担藤藤茎横切面显微全貌图

1. 角质层 2. 表皮 3. 草酸钙簇晶
4. 皮层 5. 纤维束 6. 分泌腔
7. 韧皮部 8. 导管 9. 髓部

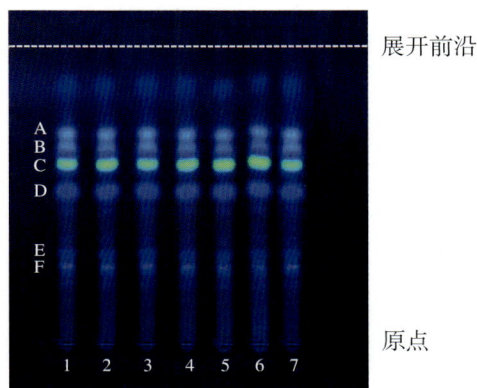

图5 扁担藤样品TLC图

1. BDT-1（对照药材） 2. BDT-2 3. BDT-3 4. BDT-4
5. BDT-5 6. BDT-6 7. BDT-1（对照药材）
A、B. 浅蓝色荧光斑点 C. 亮绿色荧光斑点 D、E. 蓝色荧光斑点 F. 蓝绿色荧光斑点

色谱条件： 硅胶G薄层自制版，规格：10 cm×10 cm
圆点状点样，点样量：10 µl；温度：30 ℃；相对湿度：65RH%
展开剂：二甲苯–乙酸乙酯–甲酸（20∶4∶0.5）

【检查】 水分 照水分测定法（中国药典2010年版一部附录Ⅸ H第一法）测定。

对本品6批样品进行水分测定，结果见表2，据最高值、最低值及平均值，并考虑到该药材为南方所产，而南方气候较为湿润，暂定本品药材水分限度为不得过15.0%。

表2 扁担藤样品水分测定结果一览表

样品	水分均值（%）	样品	水分均值（%）
BDT-1	10.9	BDT-4	10.8
BDT-2	11.2	BDT-5	9.2
BDT-3	12.2	BDT-6	9.2
BDT-3-FH	12.2	BDT-6-FH	13.5
BDT-5-FH	10.1		

总灰分 照灰分测定法（中国药典2010年版一部附录Ⅸ K）测定。

对本品6批样品进行总灰分测定，结果见表3，据最高值、最低值及平均值，将本品总灰分限度为不得过11.0%。

表3 扁担藤样品总灰分测定结果一览表

样品	总灰分（%）	样品	总灰分（%）
BDT-1	8.2	BDT-4	8.6
BDT-2	7.6	BDT-5	6.6
BDT-3	8.8	BDT-6	9.2
BDT-3-FH	7.1	BDT-6-FH	2.1
BDT-5-FH	9.2		

酸不溶性灰分 照灰分测定法（中国药典2010年版一部附录Ⅸ K）测定。

对本品6批样品进行酸不溶性灰分测定，结果见表4，据最高值、最低值及平均值，将本品酸不溶性灰分限度为不得过0.9%。

表4 扁担藤样品酸不溶性灰分测定结果一览表

样品	酸不溶性灰分（%）	样品	酸不溶性灰分（%）
BDT-1	0.2	BDT-4	0.8
BDT-2	0.4	BDT-5	0.2
BDT-3	0.4	BDT-6	0.5
BDT-3-FH	0.2	BDT-6-FH	0.1
BDT-5-FH	0.2		

参考文献

[1][3]江苏新医学院. 中药大辞典 [M]. 上海：上海科学技术出版社，1986：1744.

[2][4]中国科学院中国植物志编辑委员会. 中国植物志：第四十八卷第二册 [M]. 北京：科学出版社，1998：109.

[5]中国科学院植物研究所. 中国高等植物图鉴 [M]. 北京：科学出版社，1972：784.

[6]国家中医药管理局《中华本草》编委会. 中华本草：第7册 [M]. 上海：上海科学技术出版社，1999：389-390.

[7]卢澄生，李兵. 瑶药扁担藤的化学成分预试验研究 [J]. 广西中医学院学报，2011，14（2）：43-44.

[8]邵加春，何翠红，雷婷，等. 瑶药扁担藤化学成分的研究 [J]. 中国药学杂志，2010，45（21）：1615-1617.

药学编著： 甄汉深　丘 琴　梁子宁
药学审校： 广西壮族自治区食品药品检验所

扁桃叶　　盟芒开

Biantaoye　　　　Mbawmakgai

MANGIFERAE PERSICIFORMIS FOLIUM

【概述】 扁桃，俗名偏桃、唛咖、酸果、天桃木。[1]始载于萧步丹的《岭南采药录》。《陆川本草》、《南宁市药物志》等辞书中对其药用价值、原植物、地理分布等均有记载。[2]扁桃在云南、贵州和广西等省（区）广为栽培。

【来源】 本品为漆树科植物扁桃Mangifera persiciformis C.Y.Wu et T.L.Ming的叶。

扁桃为常绿乔木，高10~19 m；小枝圆柱形，无毛，灰褐色，具条纹。叶薄革质，狭披针形或线状披针形，长11~20 cm，宽2~2.8 cm，先端急尖或短渐尖，基部楔形，边缘皱波状，无毛，中脉两面隆起，侧脉约20对，斜生，近边缘处弧形网结，侧脉和网脉两面突起；叶柄长1.5~3.5 cm，上面具槽，基部增粗。圆锥花序顶生，单生或2~3条簇生，长10~19 cm，无毛，自基部分枝；苞片小，三角形，长约1.5 mm；花黄绿色，花梗长约2 mm，无毛，中部具节；萼片4~5片，卵形，长约2 mm，宽约1.5 mm，无毛，内凹；花瓣4~5瓣，长圆状披针形，长约4 mm，宽约1.5 mm，无毛，里面具4~5条突起的脉纹，汇合于近基部；花盘垫状，4~5裂；雄蕊仅1枚发育，长2.5~3 mm，不育雄蕊（1~）2~3枚，钻形或小齿状，无花药；子房球形，径约1.2 mm，无毛，花柱近顶生，与雄蕊近等长。果桃形，略压扁，长约5 cm，宽约4 cm，果肉较薄，果核大，斜卵形或菱状卵形，压扁，长约4 cm，宽约2.5 cm，具斜向凹槽，灰白色；种子近肾形，一端较大，子叶不裂。[3]

扁桃以叶入药，全年均可采收，鲜用或晒干。实验研究表明，扁桃叶与同科属植物芒果叶具有相同的功效，均能止咳、化痰、消炎，其主要成分为芒果苷。[4]

起草样品收集情况：共收集到样品10批，详细信息见表1、图1、图2。

表1　扁桃叶样品信息一览表

编号	原编号	药用部位	产地/采集地点/批号	样品状态
BTY-1	20100420	叶	邕宁区五塘镇	药材
BTY-2	20110612	叶	上思县思阳镇	药材
BTY-3	20110511	叶	田东县郊	药材
BTY-4	20110711	叶	田阳县郊	药材
BTY-5	20110705	叶	凭祥市区	药材
BTY-6	20101225	叶	武鸣县双桥镇	药材
BTY-7	20110610	叶	南宁老虎岭	药材
BTY-8	20110323	叶	广西中医学院	药材
BTY-9	20110705	叶	武鸣县大明山	药材
BTY-10	20110223	叶	横县百合镇	药材

备注：扁桃叶样品BTY-8同时制成腊叶标本，经鉴定，结果确定其为漆树科植物扁桃，实验中以BTY-10作为扁桃叶的对照药材与其他样品进行对比。完成样品收集后，将所有10份样品（约500 g）进行粉碎处理，并统一过40目筛，备用。

壮药质量标准注释

图1　扁桃原植物

图2　扁桃叶标本

【化学成分】　思秀玲等[5]对扁桃叶乙醇提取物的石油醚及乙酸乙酯部位进行了化学成分研究，分离得到11个结晶性成分，经测定理化常数和波谱分析，确定其中5个，分别是蒲公英萜醇、木栓酮、□-谷甾醇、芒果苷和槲皮素，均为首次从该植物中得到。戴航[6]对扁桃叶水提取物的石油醚、三氯甲烷、乙酸乙酯及水溶部位进行了化学成分分析，分离出了6个单体成分，其中没食子酸为首次从扁桃叶中分离得到。蒙丽丽等[7]采用水蒸气蒸馏法提取，运用气相色谱－质谱联用技术（GC-MS），首次对扁桃叶挥发油的化学成分进行分析，并用气相色谱面积归一化法测定各成分的相对百分含量。共鉴定出其中38种化合物，占挥发油总量的94.52%，其主要成分为大根香叶烯（18.33%）、喇叭醇（9.46%）、石竹烯（9.04%）、IR-□-蒎烯（5.32%）、□-榄香烯（4.90%）、□-古芸烯（4.26%）等。研究表明，扁桃叶挥发油所含主要化合物具有生物活性且含油量较丰富。

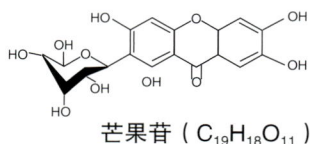

芒果苷（$C_{19}H_{18}O_{11}$）

【药理与临床】　黄海滨等人[8]对扁桃叶煎剂进行动物实验的药理情况研究。实验表明，扁桃叶煎剂有显著的镇咳、祛痰作用，能显著延长乙酰胆碱对豚鼠的致喘潜伏期，并有一定的抗炎症渗出作用。又对复方扁桃叶膏（由扁桃叶煎膏、鱼腥草素和扑尔敏组成，其含量同复方芒果叶膏）与复方芒果叶膏在同等条件下进行了镇咳、祛痰、平喘作用的比较试验，结果表明复方扁桃叶膏与复方芒果叶膏在同等剂量、同等条件下均具有显著的镇咳、

《广西壮族自治区壮药质量标准第二卷（2011年版）》注释

祛痰、平喘作用，其间无显著性差异。扁桃和芒果系同科同属植物，皆含有镇咳作用的芒果苷，无明显的毒性，在治疗剂量下对生理功能无不良影响。[9]试验结果提示在芒果叶药源不足的情况下可以考虑用扁桃叶代替。戴航[10]也对扁桃叶的药理情况进行了研究，与黄海滨的药理学试验结果一致，均显示扁桃叶提取物有镇咳、祛痰、平喘、抗炎作用。

【性状】 本品叶片呈狭披针形或线状披针形，无毛，薄革质，略内卷。展开长10~30 cm，宽2~4 cm，先端骤尖，基部楔形，叶缘浅波状，羽状网脉，中脉两面隆起，侧脉约20对，叶柄长1.5~3.5 cm，上面具槽，基部增粗。上表面黄绿色至浅绿色，下表面浅黄色至深绿色，叶柄稍弯曲。气微，味微涩。

本品主要鉴别特征为叶片狭披针形或线状披针形，薄革质，略内卷；先端骤尖，基部楔形，中脉两面隆起，侧脉约20对，上面具槽。详见图3。

【鉴别】 （1）本品叶横切面：上、下表皮为1列细胞，胞腔狭小，外被角质层。栅栏组织细胞1列，不通过中脉；海绵组织细胞椭圆形或长圆形，排列疏松。中脉维管束7~10个，排列成环状；韧皮部外具大量厚壁组织，在厚壁组织中具1大型树脂道；在中柱外有一圈2~3列纤维组成的中柱鞘。中柱中央具髓。中脉上、下表皮内侧为2~3列厚角组织细胞。

图3 扁桃叶药材

粉末淡绿色。气孔为不定式，保卫细胞半圆形，副卫细胞3~4个。导管为螺纹或具缘纹孔导管，直径20~80 µm。木纤维常成束，直径10~40 µm，胞腔线形，纹孔明显；韧皮纤维壁厚，直径30~80 µm。方晶散在，直径10~30 µm。棕色体常见。腺鳞，腺头为8个细胞，常含棕色物质。

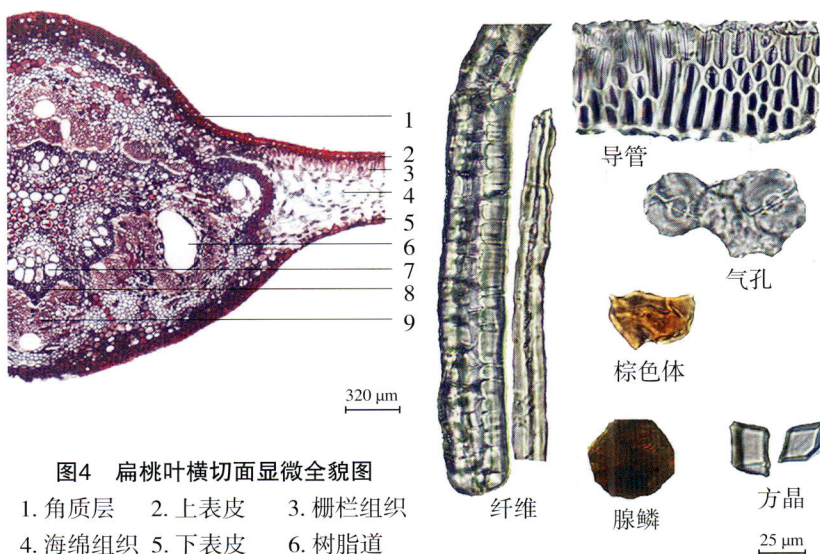

图4 扁桃叶横切面显微全貌图
1.角质层 2.上表皮 3.栅栏组织 4.海绵组织 5.下表皮 6.树脂道 7.木质部 8.厚壁组织 9.韧皮部

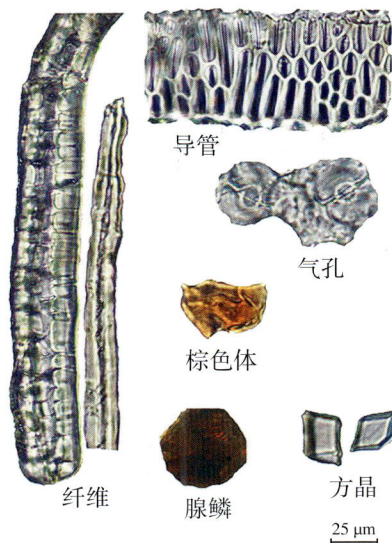

导管　气孔　棕色体　纤维　腺鳞　方晶

图5 扁桃叶粉末显微图

显微鉴别要点：横切面有中脉维管束7~10个，排列成环状；韧皮部外具大量厚壁组织，可见大型树脂道。粉末中可见大型具缘纹孔导管；常见棕色物质。详见图4、图5。

（2）取本品粉末1 g，加40%甲醇50 ml，超声处理30分钟，滤过，滤液作为供试品溶液。另取扁桃叶对照药材1 g，同法制成对照药材溶液。再取芒果苷对照品适量，加甲醇制成每1 ml含1 mg的溶液，作为对照品溶液。吸取供试品溶液、对照品溶液各5 µl，分别点于同一聚酰胺薄膜上，以乙醇-水（1∶1）为展开剂，预饱和30分钟，展开，取出，晾干，在紫外光灯（365 nm）下检视。供试品色谱中，在与对照品色谱相应的位置上，显相同颜色的斑点。10批样品按本法检验，均符合规定，薄层色谱分离效果好，斑点圆整清晰，比移值适中，重现性好。

耐用性试验考察：对自制板、聚酰胺薄膜（青岛海洋化工厂提供，批号：20110108）的展开效果进行考察，对不同展开温度（5 ℃、29 ℃）进行考察，对点状、条带状点样进行考察，结果均表明本法的耐用性良好，详见图6。

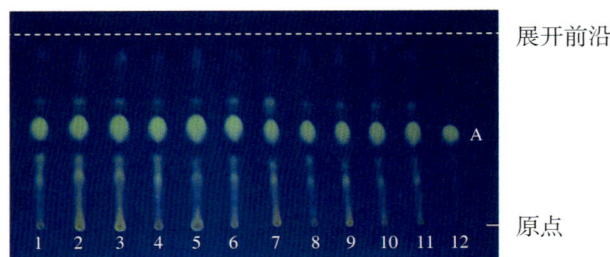

图6 扁桃叶样品TLC图

1. BTY-1　2. BTY-2　3. BTY-3　4. BTY-4　5. BTY-5　6. BTY-6　7. BTY-7
8. BTY-8　9. BTY-9　10. BTY-10　11. 对照药材　12. 芒果苷对照品　A. 黄色荧光斑点

色谱条件：聚酰胺薄膜，生产厂家：青岛海洋化工厂，批号：20110108，规格：10 cm×20 cm
圆点状点样，点样量：5 µl；温度：28 ℃；相对湿度：65RH%
展开剂：乙醇-水（1∶1）

【检查】 **水分** 照水分测定法（中国药典2010年版一部附录Ⅸ H第一法）测定。

对本品10批样品进行水分测定，结果见表2，据最高值、最低值及平均值，并考虑到该药材为南方所产，而南方气候较为湿润，暂定本品药材水分限度为不得过12.0%。

表2 扁桃叶样品水分测定结果一览表

样品	水分均值（%）	样品	水分均值（%）
BTY-1	9.2	BTY-6	7.2
BTY-2	10.2	BTY-7	6.1
BTY-3	10.0	BTY-8	6.7
BTY-4	8.7	BTY-9	5.7
BTY-5	8.5	BTY-10	10.3
BTY-1-FH	8.3	BTY-4-FH	7.5
BTY-3-FH	7.9		

总灰分 照灰分测定法（中国药典2010年版一部附录Ⅸ K）测定。

对本品10批样品进行总灰分测定，结果见表3，据最高值、最低值及平均值，将本品总灰分限度为不得过16.0%。

表3　扁桃叶样品总灰分测定结果一览表

样品	总灰分（%）	样品	总灰分（%）
BTY-1	12.4	BTY-6	10.3
BTY-2	10.4	BTY-7	8.6
BTY-3	11.3	BTY-8	13.5
BTY-4	10.8	BTY-9	10.6
BTY-5	10.7	BTY-10	14.6
BTY-1-FH	12.3	BTY-4-FH	12.8
BTY-3-FH	10.9		

酸不溶性灰分　照灰分测定法（中国药典2010年版一部附录Ⅸ K）测定。

对本品10批样品进行酸不溶性灰分测定，结果见表4，据最高值、最低值及平均值，将本品酸不溶性灰分限度为不得过5.0%。

表4　扁桃叶样品酸不溶性灰分测定结果一览表

样品	酸不溶性灰分（%）	样品	酸不性溶灰分（%）
BTY-1	2.7	BTY-6	2.5
BTY-2	2.4	BTY-7	3.8
BTY-3	2.7	BTY-8	3.6
BTY-4	2.6	BTY-9	1.7
BTY-5	2.0	BTY-10	4.3
BTY-1-FH	2.4	BTY-4-FH	2.6
BTY-3-FH	2.2		

【浸出物】　查阅文献表明[11, 12]，扁桃叶的主要活性成分为芒果苷，该成分为碳苷类化合物，难溶于水也难溶于有机溶剂，因此，考虑选用极性较大的水、稀乙醇、乙醇作为提取溶剂，分别进行冷浸法和热浸法来考察扁桃叶中所含活性成分的多少。对比实验结果表明，稀乙醇热浸法浸出物含量最高。因此确定以稀乙醇为溶剂，照醇溶性浸出物测定法（中国药典2010年版一部附录Ⅹ A）项下的热浸法测定。

对本品10批样品进行浸出物测定，结果见表5，据最高值、最低值及平均值，将本品浸出物限度为不得少于23.0%。

表5　扁桃叶样品浸出物测定结果一览表

样品	浸出物均值（%）	样品	浸出物均值（%）
BTY-1	27.7	BTY-6	28.6
BTY-2	27.8	BTY-7	31.2
BTY-3	28.4	BTY-8	28.2
BTY-4	27.4	BTY-9	27.1
BTY-5	29.6	BTY-10	25.3
BTY-1-FH	27.9	BTY-4-FH	27.8
BTY-3-FH	28.9		

【含量测定】　芒果苷是本品活性成分之一[13-15]，为提高本品质量控制水平，参照有关文献，采用高效液相色谱法，对本品中芒果苷进行含量测定，结果显示该方法灵敏，精密

度高，重现性好，结果准确，可作为本品内在质量的控制方法。测定方法考察及验证结果如下。

1. 方法考察与结果

1.1 色谱条件

以十八烷基硅烷键合硅胶为填充剂；以乙腈-0.1％磷酸（30：70）为流动相；进样量10 µl，柱温30 ℃，流速1.0 ml/min。用紫外-可见分光光度计在200~400 nm进行扫描，芒果苷对照品在258 nm波长处有最大吸收，详见图7，故确定检测波长为258 nm。

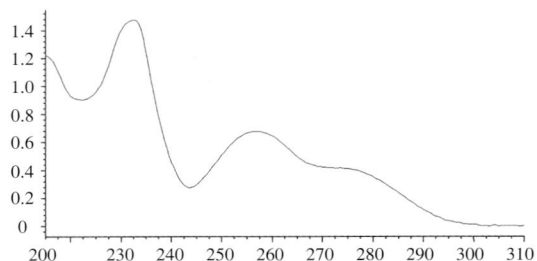

图7　芒果苷对照品紫外扫描图

1.2 提取方法

1.2.1 提取方法考察

取本品（BTY-10）粉末50 mg，精密称定，共4份，精密加入甲醇50 ml，称定重量，每2份分别加热回流30分钟或超声处理（功率400 W，频率40 kHz）30分钟，放至室温，再称定重量，用甲醇补足减失的重量，摇匀，滤过，弃去初滤液，取续滤液，用微孔滤膜过滤，即得。结果详见表6，超声提取效果优于加热回流提取，故确定超声处理为提取方法。

表6　提取方法考察结果

提取方法	芒果苷含量（％）
回流提取	3.02
超声提取	3.16

1.2.2 提取溶剂考察

取本品（BTY-10）粉末50 mg，精密称定，共6份，每2份分别精密加入甲醇、乙醇、水50 ml，称定重量，超声处理30分钟，放至室温，同上操作，即得。结果详见表7，三种提取溶剂中以甲醇的提取效果最佳，故确定甲醇为提取溶剂。

表7　提取溶剂考察结果

提取溶剂	芒果苷含量（％）
甲醇	3.14
乙醇	2.81
水	2.57

1.2.3 提取溶剂使用量考察

取本品（BTY-10）粉末50 mg，精密称定，共6份，每2份分别精密加入甲醇25 ml、50 ml、100 ml，称定重量，超声处理30分钟，放至室温，同上操作，即得。结果详见表8，三种溶剂提取效果相差不大，其中以50 ml提取效果最佳，故确定提取溶剂的量为50 ml。

《广西壮族自治区壮药质量标准第二卷（2011年版）》注释

表8　提取溶剂使用量考察结果

溶剂量（ml）	芒果苷含量（%）
25	2.93
50	3.22
100	2.83

1.2.4 提取时间考察

取本品（BTY-10）粉末50 mg，精密称定，共6份，分别精密加入甲醇50 ml，称定重量，每2份分别超声处理15分钟、30分钟及45分钟，放至室温，同上操作，即得。结果详见表9，超声处理30分钟较其余两者效果更佳，故确定提取时间为30分钟。

表9　提取时间考察结果

提取时间（分钟）	芒果苷含量（%）
15	2.88
30	3.15
45	2.82

综合以上试验结果，最终提取方法确定如下：取本品粉末50 mg，精密称定，精密加入甲醇50 ml，称定重量，超声处理30分钟，放至室温，再称定重量，用甲醇补足减失的重量，摇匀，滤过，弃去初滤液，取续滤液，用微孔滤膜过滤，即得。

2. 方法学验证与结果

2.1 线性及范围

精密称取芒果苷对照品1.07 mg，置100 ml量瓶中，加甲醇使溶解并稀释至刻度，摇匀，备用。分别精密吸取以上对照品溶液1 ml、0.5 ml、1 ml、2 ml、4 ml、6 ml、8 ml、10 ml置100 ml、20 ml、10 ml、10 ml、10 ml、10 ml、10 ml、10 ml量瓶中，各加甲醇稀释至刻度，摇匀，作为不同浓度的对照品溶液。

将上述对照品溶液按正文拟定的色谱条件分别进样10 μl，以对照品的进样量（μg）为横坐标，峰面积为纵坐标，绘制标准曲线，结果表明：当芒果苷对照品进样量在0.4 ~ 1.4 μg范围内时，进样量与峰面积呈良好的线性关系，回归方程为$Y=3481766.7143X+28989.4571$，$r=0.9999$。

2.2 精密度试验

2.2.1 重复性

取同一份供试品溶液（BTY-10），按正文拟定的色谱条件，连续测定6次。结果表明6次测定的芒果苷峰面积平均值为1715740，RSD=1.39%（$n=6$），试验结果表明本法的精密度良好。

2.2.2 重现性

取同一批供试品（BTY-10）粉末50 mg，精密称定，按正文的方法平行测定6份，计算，6份样品测得芒果苷含量的平均值为2.92%，RSD=1.43%（$n=6$），试验结果表明本法的重现性较好。

2.3 准确度试验

精密称取芒果苷对照品1.07 mg，置100 ml量瓶中，加甲醇溶解并稀释至刻度，摇匀，作为芒果苷对照品储备液A。再精密称取芒果苷对照品1.00 mg，置100 ml量瓶中，加甲醇溶解并稀释至刻度，摇匀，作为芒果苷对照品储备液B。精密吸取对照品储备液A 4 ml、8 ml置平底烧瓶中，各3份；再精密吸取对照品储备液B 10 ml置平底烧瓶中，共3份。将上述9份加有对照品的平底烧瓶置水浴中减压回收至干。精密称取已知含量（芒果苷含量为2.92%）的供试品（BTY-10）粉末50 mg，分别置上述9个平底烧瓶中，按正文拟定的方法提取、测定，计算加样回收率，结果芒果苷平均回收率为100.45%，RSD=1.59%（$n=9$）。

2.4 耐用性试验

2.4.1 色谱柱的考察

分别采用不同品牌的色谱柱（Shim-pack ODS C18、ODS HYPERSIL C18、SS WAKOSIL C18AR，三根色谱柱规格均为5 μm，4.6 mm×250 mm）测定样品（BTY-10）中芒果苷的含量，结果三根色谱柱测定结果平均值为2.94，RSD=2.01%（$n=3$）。

2.4.2 色谱仪的考察

分别采用不同品牌的色谱仪（Agilent 1100型、岛津 LC-20AT型）测定样品（BTY-10）中芒果苷的含量，结果两台色谱仪测定结果平均值为2.93，RAD=3.00%（$n=2$）。

按正文拟定的含量测定方法，测定了本品10批样品中的芒果苷的含量（详见表10），据最高值、最低值及平均值，并考虑药材来源差异情况，暂定本品含量限度为不得少于3.0%。

空白溶剂HPLC图、芒果苷对照品HPLC图、扁桃叶样品HPLC图分别见图8、图9、图10。

表10　10批样品芒果苷含量测定结果一览表

编号	采集（收集）地点/批号	芒果苷含量（%）
BTY-1	邕宁区五塘镇	4.45
BTY-2	上思县思阳镇	4.17
BTY-3	田东县郊	3.96
BTY-4	田阳县郊	4.54
BTY-5	凭祥市区	4.80
BTY-6	武鸣县双桥镇	4.88
BTY-7	南宁老虎岭	4.83
BTY-8	广西中医学院	4.27
BTY-9	武鸣县大明山	3.23
BTY-10	横县百合镇	2.86
BTY-1-FH	邕宁区五塘镇	6.5
BTY-3-FH	田东县郊	7.60
BTY-4-FH	田阳县郊	6.3

《广西壮族自治区壮药质量标准第二卷（2011年版）》注释

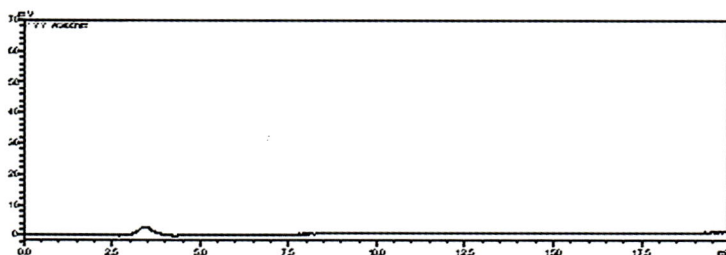

图8　空白溶剂HPLC图

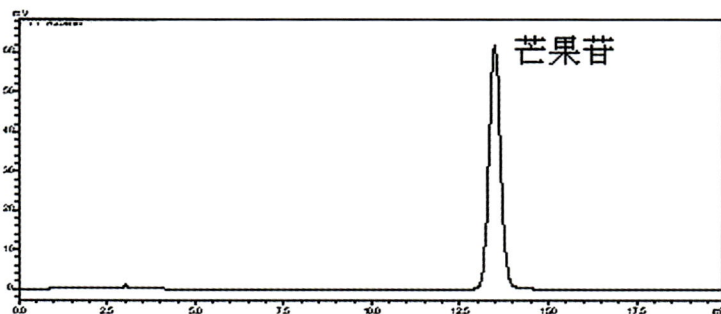

芒果苷
图9　芒果苷对照品HPLC图

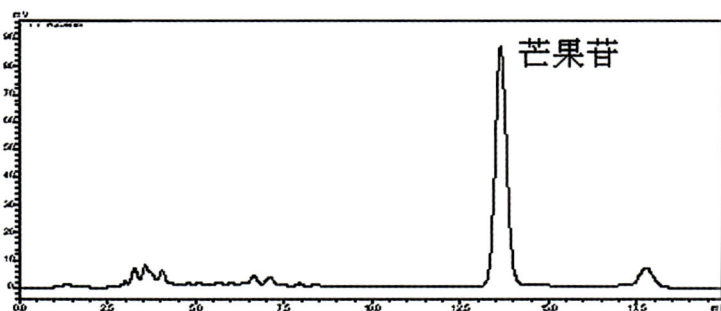

芒果苷
图10　扁桃叶样品HPLC图

参考文献

［1］［2］中国药科大学. 中药辞海：第二卷［M］. 北京：中国医药科技出版社，1993.

［3］中国科学院中国植物志编辑委员会. 中国植物志：第四十五卷第一分册［M］. 北京：科学出版社，1995：75-77.

［4］［6］［10］［13］戴航. 扁桃叶有效化学成分及药理研究［D］. 南宁：广西大学，2003.

［5］［11］［14］思秀玲，韦松，许学健，等. 扁桃叶化学成分研究［J］. 中国中药杂志，1995，20（5）：295-296.

［7］［12］［15］蒙丽丽，刘红星，吴怀恩. 扁桃叶挥发油化学成分的研究［J］. 广西植物，2011，31（2）：278-280.

［8］黄海滨，戴航，李学坚，等. RP-HLPC法测定不同产地扁桃叶中芒果苷的含量［J］. 广西中医药，2004，27（2）：51-52.

［9］黄祥远，戴航，侯小涛，等. 高效液相色谱法测定扁桃叶中没食子酸的含量［J］. 中国实验方剂学杂志，2007，13（11）：7-8.

药学编著：韦松基　刘华钢　王小新
药学审校：广西壮族自治区食品药品检验所

荷莲豆草　　溶莲

Heliandoucao　　Rumliengz

DRYMARIAE CORDATAE HERBA

【概述】　本品为较常用中草药、民族药品种，《广西本草选编》、《广西民族药简编》、《贵州民间草药》、《云南中草药》、《四川中药志》、《福建药物志》、《全国中草药汇编》、《中药大辞典》等均有收载。《广西植物名录》、《广西本草选编》、《药用植物名录》、《广西民族药简编》及《广西药用植物名录》均以荷莲豆为正名，《中药大辞典》以荷莲豆菜为正名，《全国中草药汇编》以荷莲豆草为正名，故正文沿用之。别名有水蓝青、水荷兰、水冰片、穿线草、别仁怀（天峨壮语）、甲驳（那坡壮语）、荚冠（天等壮语）等。荷莲豆草原植物主要分布于浙江、福建、台湾、广东、海南、四川、贵州和云南等省（区）的山谷溪边、潮湿草丛和杂木林缘。[1, 2]广西各地有分布。[3]

【来源】　本品为石竹科植物荷莲豆*Drymaria cordata*（Linn.）Schult. 的干燥全草。

荷莲豆草为一年生草本，长60~90 cm。根纤细。茎匍匐，丛生，纤细，无毛，基部分枝，节常生不定根。叶对生，具短柄；叶片卵圆形至近圆形，宽1~2.5 cm，先端圆而具小凸尖，基部阔楔形或近楔形，3~5脉；托叶刚毛状。花序疏散，腋生或顶生；花小，绿色，花梗纤细；苞片具膜质边缘；萼片5枚，狭长圆形，长3~3.5 mm，有3脉，边缘膜质；花瓣5瓣，2裂至中部以下，裂片狭，短于萼片；雄蕊3~5枚，和萼片对生；花柱短，2裂，基部连合；蒴果卵圆形，种子1至多枚，扁圆形，粗糙。花期4~10月，果期6~12月。[4, 5]

荷莲豆草以全草入药，夏、秋二季采收，鲜用或晒干备用。[6-8]

起草样品收集情况：共收集到样品9批，详细信息见表1、图1、图2。

表1　荷莲豆草样品信息一览表

编号	原编号	药用部位	产地/采集地点/批号	样品状态
HLDC-1	1	全草	广西岑溪市草药店	药材
HLDC-2	2	全草	南宁市沿溪路5号草药店	药材（切长段）
HLDC-3	3	全草	南宁市沿溪路9号草药店	药材
HLDC-4	4	全草	荔蒲县草药市场	药材（切长段）
HLDC-5	5	全草	南宁市草药市场	药材（切长段）
HLDC-6	6	全草	蒙山县郊天书峡	新鲜样晒干
HLDC-7	7	全草	广西藤县垌心乡	新鲜样晒干
HLDC-8	8	全草	广西昭平县	药材
HLDC-9	9	全草	广西金秀罗香卿（水兰青）	药材

备注：荷莲豆草样品HLDC-6同时制成腊叶标本，经鉴定，结果确定其为石竹科植物荷莲豆；其他8批样品经鉴定均为同一品种。实验中以样品HLDC-4作为荷莲豆草的对照药材与其他样品进行对比。完成样品收集后，将所有9份样品（约100 g）进行粉碎处理，并统一过二号筛，备用。

图1　荷莲豆草原植物

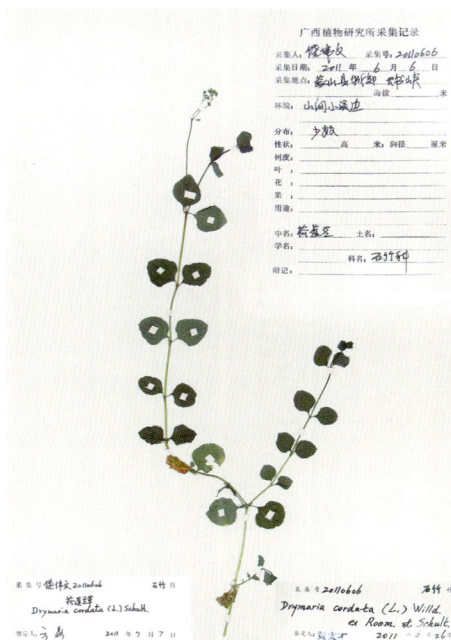

图2　荷莲豆草标本

【化学成分】　全草含荷莲豆素（cordacin）、胡椒酰胺酸酯、荷莲豆碱（cordatanine）[9]、琥珀酸（succinic acid）、□-菠菜甾醇（□-spinasterol）、己酸（caproic acid）、辛酸（caprylic acid）、癸酸（capric acid）、肉豆蔻酸（myristic acid）、棕榈酸（palmitic acid）、硬脂酸（stearic acid）、油酸（oleic acid）、亚油酸（linoleic acid）、亚麻酸（linolenic acid）[10]、对羟基桂皮酸（p-hydroxycinnamic acid）、硝酸钾（potassium nitrate）。[11]

【药理与临床】　荷莲豆草具有清热解毒、利湿、消食化痰之功，常用于治疗痈疮疖肿、黄疸、水肿、小便不利、小儿疳积、咳嗽痰多等症。[12-16]LIN Yong-chi等实验研究表明：荷莲豆素（cordacin）对人类白血病细胞和上皮细胞组织的MIC分别为<0.25 μg/ ml和10 μg/ml，并能延长白血病鼠的半数生存时间，毒性低且无积蓄，其主要作用为抑制DNA的合成。

【性状】　本品多卷成扎或成团，展开后长可达90 cm。茎纤细，淡黄棕色或黄绿色，光滑，略呈扁方形，直径约1 mm；节明显，略膨大，茎节处有刚毛，下部茎节常具须根；质脆，断面实心。叶对生，有短柄；叶片皱缩，绿色或黄绿色，展平后呈卵圆形至近圆形，宽1~2.5 cm。气微，味微苦、涩。

本品主要鉴别特征为茎纤细，光滑，节明显，茎节处有刚毛，下部茎节常具须根；叶对生，有短柄，展平后呈卵圆形至近圆形。详见图3。

【鉴别】　（1）本品茎横切面：略呈五角形，表皮为1列类长方形的细胞，细胞外壁增厚，被角质层；下皮层为1~2列小型细胞。皮层宽广，外侧有1~3列纤维紧密连接成环，内侧为大型薄壁细胞。韧皮部为数列细胞。形成层不明显。木质部

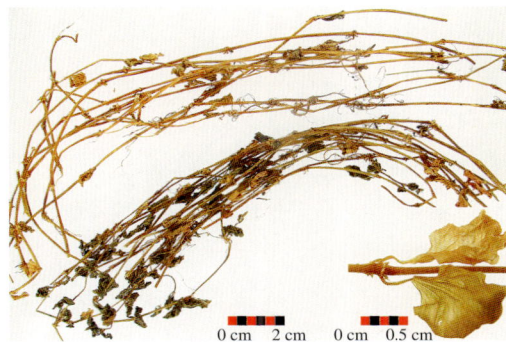

图3　荷莲豆草药材

连接成环状，导管1~5个径向排列。髓部细胞类圆形。有的薄壁细胞含细小草酸钙簇晶。详见图4、图5。

（2）取本品粉末0.5 g，加乙醇20 ml，加热回流20分钟，放冷，滤过，滤液加盐酸1 ml，加热回流30分钟，放冷，加水10 ml，用三氯甲烷30 ml振摇提取，分取三氯甲烷液，蒸干，残渣加无水乙醇5 ml使溶解，作为供试品溶液。另取荷莲豆草对照药材0.5 g，同法制成对照药材溶液。照薄层色谱法（中国药典2010年版一部附录Ⅵ B）试验，吸取上述两种溶液各5 µl，分别点于同一硅胶G薄层板上，以环己烷-三氯甲烷-乙酸乙酯-甲酸（20：3：8：0.3）为展开剂，展开，取出，晾干，置紫外光灯（365 nm）下检视。供试品色谱中，在与对照药材色谱相应的位置上，显两个以上相同颜色的荧光斑点。9批样品按本法检验，均符合规定，且薄层色谱分离效果好，斑点清晰，比移值适中，重现性好。

耐用性实验考察：对自制板（含0.5%羧甲基纤维素钠为黏合剂的硅胶G板，涂布厚度0.3 mm）、预制板（青岛海洋化工厂分厂、上海国药集团化学试剂有限公司提供）的展开效果进行考察，对不同展开温度和相对湿度（8 ℃、95RH%；17 ℃、58RH%；22 ℃、55RH%；30 ℃、65RH%）进行考察，对点状、条带状点样进行考察，结果均表明本法的耐用性良好，详见图6。

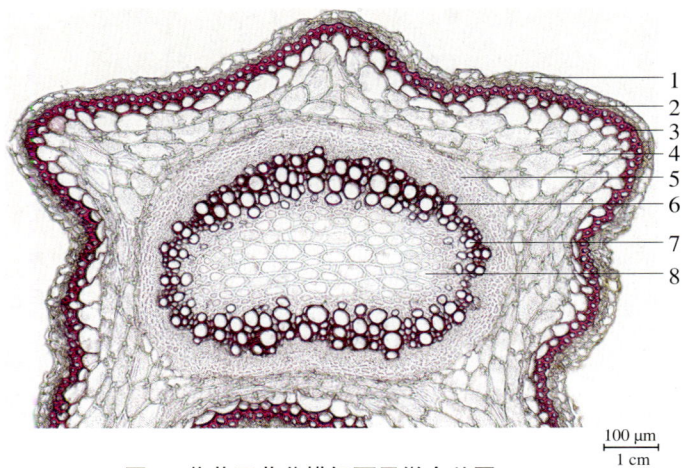

图4　荷莲豆草茎横切面显微全貌图

1. 表皮　　2. 下皮层　　3. 纤维环　　4. 皮层
5. 韧皮部　6. 木质部　　7. 导管　　　8. 髓部

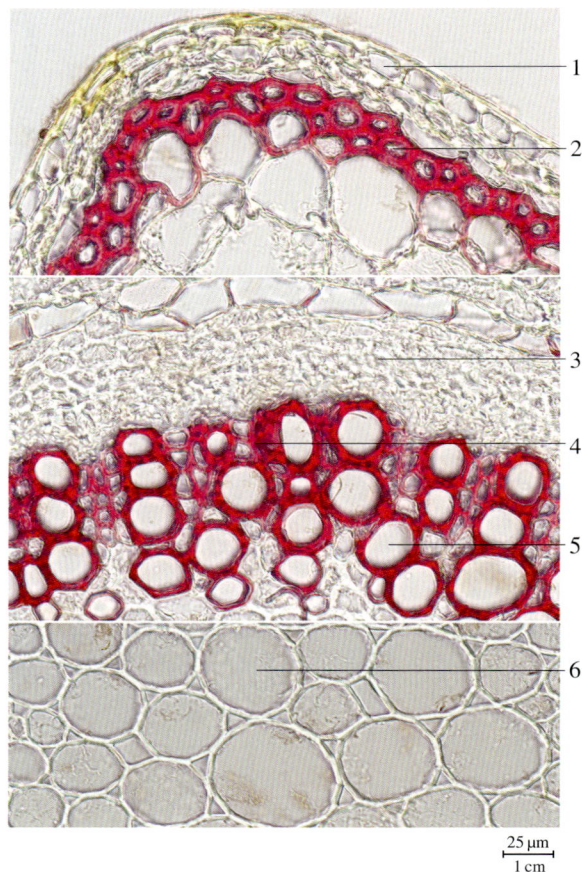

图5　荷莲豆草茎横切面显微放大图

1. 表皮　　　2. 纤维环　　3. 韧皮部
4. 木质部　　5. 导管　　　6. 髓部

《广西壮族自治区壮药质量标准第二卷（2011年版）》注释

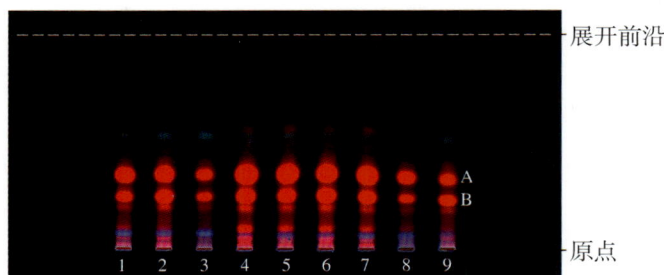

图6　荷莲豆草样品TLC图

1. HLDC-1　2. HLDC-2　3. HLDC-3　4. HLDC-4（对照药材）　5. HLDC-5
6. HLDC-6　7. HLDC-7　8. HLDC-8　9. HLDC-9　　　　A、B. 红色荧光斑点

色谱条件：硅胶G薄层预制板，生产厂家：青岛海洋化工厂分厂，批号：20100902，规格：10 cm×20 cm
　　　　条带状点样，点样量：5 μl；温度：26 ℃；相对湿度：74RH%
　　　　展开剂：环己烷-三氯甲烷-乙酸乙酯-甲酸（20：3：8：0.3）

【检查】　水分　照水分测定法（中国药典2010年版一部附录Ⅸ H第一法）测定。

对本品9批样品进行水分测定，结果见表2，据最高值、最低值及平均值，并考虑到该药材为南方所产，而南方气候较为湿润，暂定本品药材水分限度为不得过14.0%。

表2　荷莲豆草样品水分测定结果一览表

样品	水分均值（%）	样品	水分均值（%）
HLDC-1	11.4	HLDC-6	9.9
HLDC-2	10.4	HLDC-7	8.9
HLDC-3	12.0	HLDC-8	11.3
HLDC-4	11.1	HLDC-9	10.0
HLDC-5	9.2	HLDC-2-FH	10.1
HLDC-4-FH	10.2	HLDC-5-FH	9.9

总灰分　照灰分测定法（中国药典2010年版一部附录Ⅸ K）测定。

对本品9批样品进行总灰分测定，结果见表3，据最高值、最低值及平均值，将本品总灰分限度为不得过15.0%。

表3　荷莲豆草样品总灰分测定结果一览表

样品	总灰分（%）	样品	总灰分（%）
HLDC-1	12.0	HLDC-6	14.3
HLDC-2	9.4	HLDC-7	10.6
HLDC-3	4.6	HLDC-8	7.2
HLDC-4	7.4	HLDC-9	9.2
HLDC-5	5.8	HLDC-2-FH	10.5
HLDC-4-FH	6.9	HLDC-5-FH	7.0

【浸出物】　取1号样品，分别以水、稀乙醇、70%乙醇、乙醇为溶剂，采用冷浸法及热浸法进行测定对比。以水为溶剂，不易滤过；以乙醇为溶剂，测得浸出物值低且多为树

脂、叶绿素等，冷浸法结果低；以稀乙醇为溶剂，用热浸法测定效果较好。最终确定以稀乙醇为提取溶剂，照醇溶性浸出物测定法（中国药典2010年版一部附录Ⅹ A）项下的热浸法测定。

对本品9批样品进行浸出物测定，结果见表4，据最高值、最低值及平均值，将本品浸出物限度为不得少于15.0%。

表4　荷莲豆草样品浸出物测定结果一览表

样品	浸出物均值（%）	样品	浸出物均值（%）
HLDC-1	25.0	HLDC-6	26.5
HLDC-2	16.5	HLDC-7	20.7
HLDC-3	23.9	HLDC-8	32.6
HLDC-4	28.2	HLDC-9	25.6
HLDC-5	27.1	HLDC-2-FH	16.6
HLDC-4-FH	29.6	HLDC-5-FH	28.4

参考文献

[1][4]中国科学院中国植物志编辑委员会. 中国植物志：第二十六卷［M］. 北京：科学出版社，1996：61.

[2][5]中国科学院植物研究所. 中国高等植物图鉴：第一册［M］. 北京：科学出版社，1974：619.

[3][12]广西壮族自治区中医药研究所. 广西药用植物名录［M］. 南宁：广西人民出版社，1986：111.

[6][13]国家中医药管理局《中华本草》编委会. 中华本草：第2册［M］. 上海：上海科学技术出版社，2000：773.

[7][14]《全国中草药汇编》编写组. 全国中草药汇编：下册［M］. 北京：人民卫生出版社，1978. 492-494.

[8][15]广西壮族自治区革命委员会卫生局. 广西本草选编：下册［M］. 南宁：广西人民出版社，1974：1476.

[9]陈文森. 荷莲豆碱的分离和结构［J］. 植物学报，1986，28（4）：450.

[10]胡燕，陈文森，藩文斗，等. 荷莲豆化学成分的研究［J］. 广州中医药大学学报，1987，4（4）：38.

[11]袁阿兴，覃凌，康书华. 荷莲豆化学成分的研究［J］. 中药通报，1987，12（1）：36.

[16]广西壮族自治区卫生局药品检验所. 广西民族药简编［M］. 南宁：广西壮族自治区卫生局药品检验所，1980：56.

药学编著：钟名诚　饶伟文
药学审校：广西壮族自治区食品药品检验所

笔管草　　棵塔桐

Biguancao　　　　Godaebdoengz

EQUISETI RAMOSISSIMI HERBA

【概述】 笔管草，俗名木贼、节节草、笔塔草、笔头草、塔草、木贼草。其药用始见于《嘉祐本草》，《本草纲目》收入草部湿草类。《广西药用植物名录》、《广西本草选编》、《中药大辞典》、《中华本草》、《中国壮药学》等辞书中对其药用价值、原植物、地理分布等亦有简要记述。笔管草广布于全国各地的河边或山涧旁的卵石缝隙中或湿地上。[1]

【来源】 本品为木贼科植物笔管草*Equisetum ramosissimum*（Desf.）Boerner subsp. *debile*（Roxb.ex Vauch.）Hauke的地上部分。

笔管草为大中型植物。根茎直立或横走，黑棕色，节和根密生黄棕色长毛或光滑无毛。地上枝多年生。枝一型，高可达60 cm或以上，中部直径3~7 mm，节间长3~10 cm，绿色，成熟主枝有分枝，但分枝常不多。主枝有脊10~20条，脊的背部弧形，有一行小瘤或有浅色小横纹；鞘筒短，下部绿色，顶部略为黑棕色；鞘齿10~22枚，狭三角形，上部淡棕色，膜质，早落或有时宿存，下部黑棕色，革质，扁平，两侧有明显的棱角，齿上气孔带明显或不明显。侧枝较硬，圆柱状，有脊8~12条，脊上有小瘤或横纹；鞘齿6~10个，披针形，较短，膜质，淡棕色，早落或宿存。孢子囊穗短棒状或椭圆形，长1~2.5 cm，中部直径0.4~0.7 cm，顶端有小尖突，无柄。[2]

笔管草以全草入药，全年均可采收。实验研究表明笔管草中含山奈素葡萄糖类，故以山奈素作为对照品。

起草样品收集情况：共收集到样品10批，详细信息见表1、图1、图2。

表1　笔管草样品信息一览表

编号	原编号	药用部位	产地/采集地点/批号	样品状态
BGC-1	20110301	地上部分	天等县天等镇	药材
BGC-2	20110304	地上部分	融安县长安镇	药材
BGC-3	20110625	地上部分	南宁市老虎岭	药材
BGC-4	20101028	地上部分	南宁高峰林场	药材
BGC-5	20110313	地上部分	灵川县谭下镇	药材
BGC-6	20101225	地上部分	全州县咸水乡	药材
BGC-7	20110311	地上部分	容县容州镇	药材
BGC-8	20101028	地上部分	百色市永乐乡	药材
BGC-9	20101211	地上部分	藤县平福乡	药材
BGC-10	20110411	地上部分	桂平市金田镇	药材

　　备注：笔管草样品BGC-1同时制成腊叶标本，经鉴定，结果确定其为木贼科植物笔管草，实验中以该样品作为笔管草的对照药材与其他样品进行对比。完成样品收集后，将所有10份样品（约300 g）进行粉碎处理，并统一过24目筛，备用。

壮药质量标准注释

图1 笔管草原植物

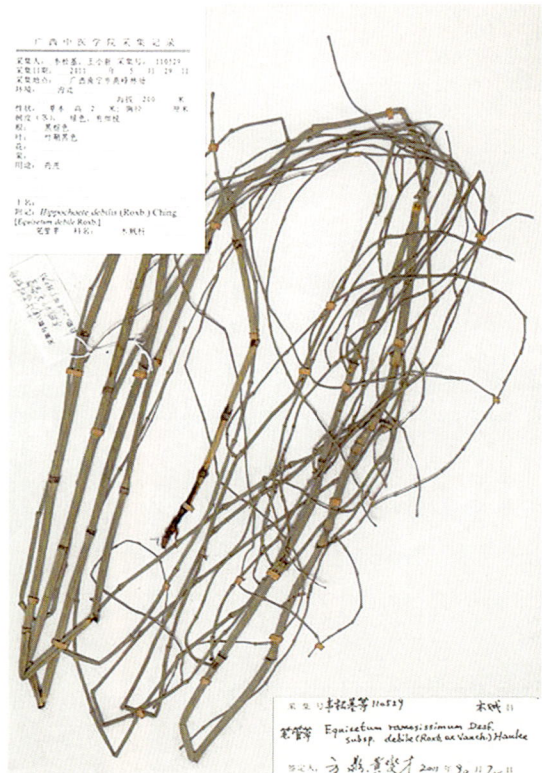

图2 笔管草标本

【化学成分】 笔管草茎含烟碱（nicotine）、山奈酚-3-槐糖-7-葡萄糖苷（kaempferol-3-sophoroside-7-glucoside）、山奈酚-3-槐糖苷（kaempferol-3-sophoroside），还含硅化合物。[3]

【药理与临床】 据《本草汇言》、《本草经疏》等记载，此药主治目生云翳、目赤多泪、迎风流泪、肠风下血、血痢、咽喉肿痛等，南方有些地方作木贼入药。有研究表明笔管草的水提物和醇提物均具有明显的降血脂作用，吴国土等[4, 5]实验研究表明：笔管草水提物能降低大鼠血清中的TC和TG，对实验性高脂血症兔也有降低血清中TC浓度的作用，提示笔管草水提物及醇提物具有调血脂作用。本实验所用的笔管草的主要化学成分是含皂苷、黄酮和鞣质等，其调脂作用可能是通过皂苷、黄酮等主要成分起作用。

【性状】 本品为长条状，茎呈圆柱形，直径0.2~0.5 cm。表面粗糙，淡绿色至黄绿色，有纵沟，节间长5~8 cm，中空，节部有分枝。叶鞘呈短筒状，紧贴于茎，鞘肋背面平坦，鞘齿膜质，先端钝头，基部平截，有一黑色细圈。气微，味淡。

本品主要鉴别特征为茎呈圆柱形，表面粗糙，有纵沟，中空；叶鞘呈短筒状，鞘齿膜质，有一黑色细圈。详见图3。

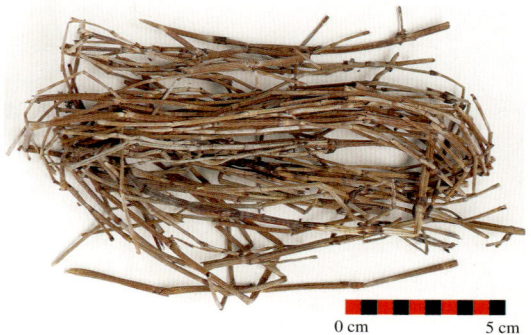

图3 笔管草药材

【鉴别】 （1）本品茎横切面：表皮细胞1列，外表面角质化，有疣状突起，沟内有2列凹陷的气孔；沟槽及棱内侧的厚壁组织呈楔形伸入皮层薄壁组织中。每棱间有一空腔，直径200~500 μm。维管束与棱角相对，外具1列内皮层细胞，可见凯氏点；维管束内侧有一内腔。髓腔宽广。

粉末灰绿色。气孔常见，成行排列，细胞径大，可达170 μm；保卫细胞长半圆形，细胞壁具放射状纹理，常含棕黄色物质。表皮细胞表面观呈长方形，细胞壁为波浪状加厚的硅质花纹；棱脊上的表皮细胞可见疣状硅质突起。管胞为梯形管胞，直径15~52 μm，纹孔大，呈哑铃形。纤维常成束，胞腔明显。棕色体多见。

显微鉴别要点：横切面表皮内沟槽处的厚壁组织呈楔形伸入皮层薄壁组织中。每棱间有一空腔。中央髓腔宽广。粉末中气孔成行排列，保卫细胞长半圆形，细胞壁具放射状纹理。详见图4、图5、图6。

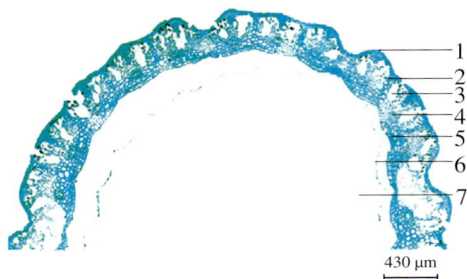

430 μm

图4　笔管草茎横切面显微全貌图

1. 表皮　　2. 皮层　　3. 皮层空腔
4. 内皮层　5. 维管束　6. 髓部
7. 髓腔

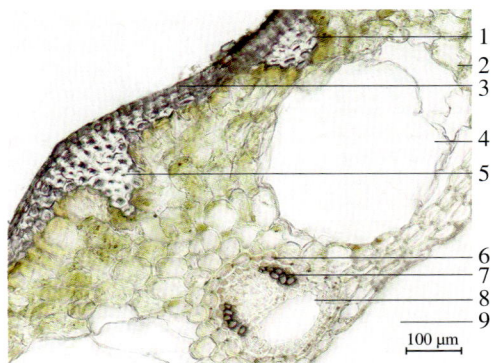

100 μm

图5　笔管草茎横切面显微放大图

1. 沟槽厚角组织　2. 薄壁组织　3. 表皮
4. 空腔　　　　　5. 棱厚壁细胞　6. 内皮层细胞
7. 导管　　　　　8. 维管束内腔　9. 髓腔

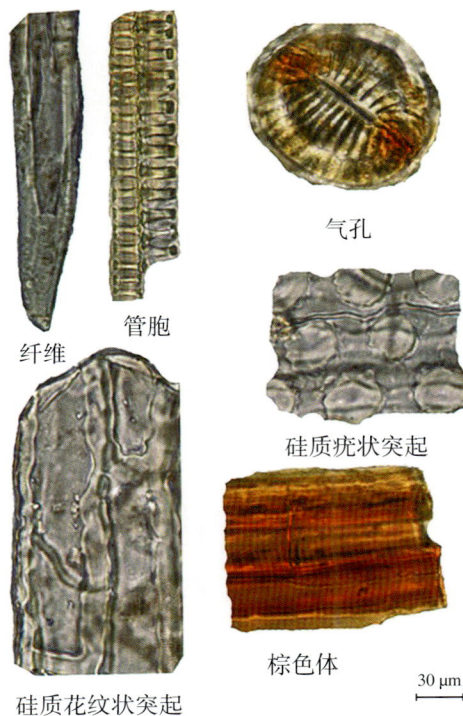

纤维　　管胞

气孔

硅质疣状突起

棕色体

硅质花纹状突起

30 μm

图6　笔管草茎粉末显微图

（2）取本品粉末1 g，加65%乙醇25 ml、盐酸1 ml，加热回流水解1小时，滤过，滤液蒸干，残渣加水10 ml使溶解，用乙酸乙酯振摇提取2次，每次10 ml，合并乙酸乙酯液，蒸干，残渣加甲醇1 ml使溶解，作为供试品溶液。另取山奈素对照品，加甲醇制成每1 ml含1 mg的溶液，作为对照品溶液。照薄层色谱法（中国药典2010年版一部附录Ⅵ B）试验，吸取供试品溶液、对照品溶液各5 µl，分别点于同一硅胶G薄层自制板上，以环己烷–乙酸乙酯–甲酸（8∶4∶0.4）为展开剂，展开，取出，晾干，喷以5%三氯化铝乙醇溶液，立即置紫外光灯（365 nm）下检视。供试品色谱中，在与对照品色谱相应的位置上，显相同颜色的荧光斑点。10批样品按本法检验，均符合规定，且薄层色谱分离效果好，斑点圆整清晰，比移值适中，重现性好，详见图7。

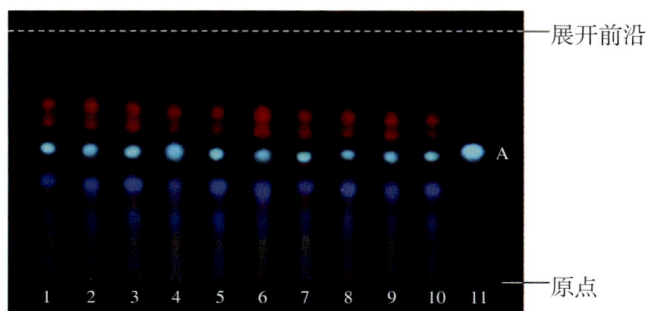

图7　笔管草样品TLC图

1. BGC–1（对照药材）　　2. BGC –2　　3. BGC –3　　4. BGC –4　　5. BGC –5　　6. BGC –6
7. BGC –7　　8. BGC –8　　9. BGC –9　　10. BGC –10　　11. 山奈素对照品　　A. 蓝色荧光斑点

色谱条件： 硅胶G薄层自制板，规格：10 cm×20 cm
圆点状点样，点样量：5 µl；温度：31 ℃；相对湿度：81RH%
展开剂：环己烷–乙酸乙酯–甲酸（8∶4∶0.4）

【检查】　水分　照水分测定法（中国药典2010年版一部附录Ⅸ H第一法）测定。

对本品10批样品进行水分测定，结果见表2，据最高值、最低值及平均值，并考虑到该药材为南方所产，而南方气候较为湿润，暂定本品药材水分限度为不得过16.0%。

表2　笔管草样品水分测定结果一览表

样品	水分均值（%）	样品	水分均值（%）
BGC–1	12.0	BGC–6	13.9
BGC–2	11.5	BGC–7	11.6
BGC–3	12.1	BGC–8	11.6
BGC–4	12.8	BGC–9	13.5
BGC–5	11.2	BGC–10	11.7
BGC–4–FH	9.4	BGC–9–FH	10.9
BGC–5–FH	11.0		

总灰分　照灰分测定法（中国药典2010年版一部附录Ⅸ K）测定。

对本品10批样品进行总灰分测定，结果见表3，据最高值、最低值及平均值，将本品总灰分限度为不得过23.0%。

表3　笔管草样品总灰分测定结果一览表

样品	总灰分（%）	样品	总灰分（%）
BGC–1	20.4	BGC–6	17.9
BGC–2	18.7	BGC–7	18.5
BGC–3	17.4	BGC–8	19.9
BGC–4	17.3	BGC–9	17.9
BGC–5	17.2	BGC–10	20.9
BGC–4–FH	19.2	BGC–9–FH	17.7
BGC–5–FH	17.9		

酸不溶性灰分　照灰分测定法（中国药典2010年版一部附录Ⅸ K）测定。

对本品10批样品进行酸不溶性灰分测定，结果见表4，据最高值、最低值及平均值，将本品酸不溶性灰分限度为不得过15.0%。

表4　笔管草样品酸不溶性灰分测定结果一览表

样品	酸不溶性灰分（%）	样品	酸不溶性灰分（%）
BGC–1	11.6	BGC–6	10.6
BGC–2	11.0	BGC–7	10.0
BGC–3	10.4	BGC–8	12.5
BGC–4	10.4	BGC–9	10.8
BGC–5	8.8	BGC–10	14.0
BGC–4–FH	13.5	BGC–9–FH	10.0
BGC–5–FH	10.1		

【浸出物】　查阅文献表明[6-9]，笔管草中的活性成分为黄酮类，该类成分可用水或乙醇提取，因此，以水、乙醇、稀乙醇为溶剂，采用冷浸法及热浸法测定本品浸出物的含量。测定结果显示，水热浸出物含量最高。最终确定以水为提取溶剂，照水溶性浸出物测定法（中国药典2010年版一部附录Ⅹ A）项下的热浸法测定。

对本品10批样品进行浸出物测定，结果见表5，据最高值、最低值及平均值，将本品浸出物限度为不得少于11.0%。

表5　笔管草样品浸出物测定结果一览表

样品	浸出物均值（%）	样品	浸出物均值（%）
BGC–1	15.0	BGC–6	13.8
BGC–2	16.2	BGC–7	16.4
BGC–3	17.0	BGC–8	15.3
BGC–4	16.9	BGC–9	13.5
BGC–5	21.8	BGC–10	15.5
BGC–4–FH	24.4	BGC–9–FH	15.4
BGC–5–FH	15.4		

【含量测定】　山柰素是本品活性成分之一[10]，为提高本品质量控制水平，参照有关文献，采用高效液相色谱法，对本品中山柰素进行含量测定，结果显示该方法灵敏，精密度高，

重现性好，结果准确，可作为本品内在质量的控制方法。测定方法考察及验证结果如下。

1. 方法考察与结果

1.1 色谱条件

以十八烷基硅烷键合硅胶为填充剂；以乙腈–0.4%磷酸为流动相；进样量10 µl，柱温30 ℃，流速0.8 ml/min。用紫外–可见分光光度计在200~760 nm进行扫描，山奈素对照品在365 nm波长处有最大吸收，详见图8，故确定检测波长为365 nm。

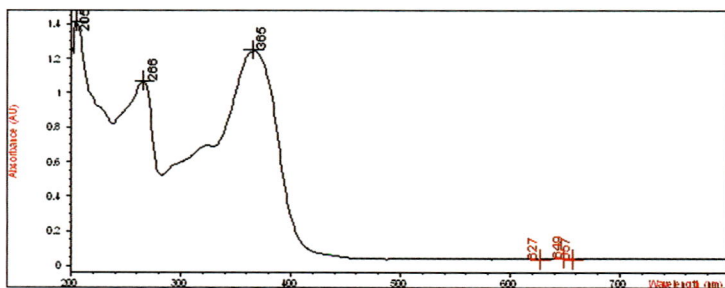

图8　山奈素对照品紫外扫描图

1.2 提取方法

1.2.1 提取方法考察

选用回流提取方法、超声提取方法及冷浸法进行比较，将本品药材粉碎，通过二号筛，称取过二号筛的粉末1 g，精密称定，共9份，置烧瓶中，精密加入65%乙醇50 ml，密塞，称定重量，其中3份加热回流提取1小时，另外3份超声处理1小时，最后3份冷浸24小时，放冷，再称定重量，用65%乙醇补足减失的重量，摇匀，滤过，精密量取续滤液20 ml，分别加5 ml盐酸加热回流水解1小时，放冷，转移至25 ml容量瓶中加65%乙醇至刻度，摇匀，过滤，取续滤液，即得。结果详见表6，实验结果表明冷浸提取和回流提取含量差别不大，但为了节省时间及水解需要，故选择回流提取。

表6　提取方法考察结果

提取方法	山奈素含量（%）
回流提取	0.133
超声提取	0.119
冷浸提取	0.136

1.2.2 提取溶剂考察

据文献报道，笔管草中的主要化学成分为山奈酚葡萄糖类，含量测定的指标成分为山奈素，故选用不同的溶剂及不同浓度的溶剂进行考察，将本品药材粉碎，通过二号筛，称取过二号筛的药材1 g，精密称定，共22份，置烧瓶中，精密加入50 ml溶剂，密塞，称定重量，分别加热回流提取1小时，放冷，再称定重量，补足减失的重量，摇匀，滤过，精密量取续滤液20 ml，加5 ml盐酸加热回流水解1小时，放冷，转移至25 ml容量瓶中加溶剂至刻度，摇匀，过滤，取续滤液，即得。将提取液进行HPLC分析，发现65%乙醇提取液较纯，杂

《广西壮族自治区壮药质量标准第二卷（2011年版）》注释

质干扰少，分离较好，且溶剂便宜经济，毒性小，故选择其作为提取溶剂。结果详见表7。

表7　提取溶剂考察结果

提取溶剂	山柰素含量（%）
乙醇	0.08
85%乙醇	0.12
75%乙醇	0.09
65%乙醇	0.13
55%乙醇	0.11
水	0.01
甲醇	0.08
85%甲醇	0.10
75%甲醇	0.11
65%甲醇	0.11
55%甲醇	0.09

1.2.3　提取时间考察

将本品药材粉碎，通过二号筛，称取过二号筛的药材1 g，精密称定，共8份，置烧瓶中，精密加入65%乙醇50 ml，密塞，称定重量，每2份分别加热回流提取15分钟、30分钟、60分钟及90分钟，放冷，再称定重量，用65%乙醇补足减失的重量，摇匀，滤过，精密量取续滤液20 ml，加5 ml盐酸加热回流水解1小时，放冷，转移至25 ml容量瓶中加65%乙醇至刻度，摇匀，过滤，取续滤液，即得。结果详见表8，从结果来看，各提取时间差别不大，为了保证提取完全，将提取时间定为60分钟。

表8　提取时间考察结果

提取时间（分钟）	山柰素含量（%）
15	0.127
30	0.130
60	0.129
90	0.122

1.2.4　水解时间考察

将本品药材粉碎，通过二号筛，称取过二号筛的药材1 g，精密称定，共8份，置烧瓶中，精密加入65%乙醇50 ml，密塞，称定重量，分别加热回流提取1小时，放冷，再称定重量，用65%乙醇补足减失的重量，摇匀，滤过，分别精密量取续滤液20 ml，加5 ml盐酸，每2份分别加热回流水解15分钟、30分钟、60分钟及90分钟，放冷，转移至25 ml容量瓶中加65%乙醇至刻度，摇匀，过滤，取续滤液，即得。结果详见表9，从结果来看，各水解时间差别不大，为了保证提取完全，将提取时间定为60分钟。

表9　水解时间考察结果

水解时间（分钟）	山柰素含量（%）
15	0.132
30	0.138
60	0.139
90	0.122

1.2.5 盐酸用量考察

将本品药材粉碎，通过二号筛，称取过二号筛的药材1 g，精密称定，共8份，置烧瓶中，精密加入65%乙醇50 ml，密塞，称定重量，加热回流提取1小时，放冷，再称定重量，用65%乙醇补足减失的重量，摇匀，滤过，精密量取续滤液20 ml，每2份分别加盐酸2 ml、3 ml、4 ml、5 ml加热回流水解1小时，放冷，转移至25 ml容量瓶中加65%乙醇至刻度，摇匀，过滤，取续滤液，即得。结果详见表10，从结果来看，盐酸用量为4 ml时效果最佳，故将盐酸用量定为4 ml。

表10　盐酸用量考察结果

盐酸用量（ml）	山柰素含量（%）
2	0.121
3	0.131
4	0.139
5	0.131

综合以上考察确定供试品溶液的制备方法为：将本品药材粉碎，通过二号筛，称取过二号筛的药材1 g，精密称定，置烧瓶中，精密加入65%乙醇50 ml，密塞，称定重量，加热回流提取1小时，放冷，再称定重量，用65%乙醇补足减失的重量，摇匀，滤过，精密量取续滤液20 ml，加4 ml盐酸加热回流水解1小时，放冷，转移至25 ml容量瓶中加65%乙醇至刻度，摇匀，过滤，取续滤液，即得。

2. 方法学验证与结果

2.1 线性及范围

分别精密吸取对照品溶液（0.049 mg/ml）1.0 μl、3.0 μl、5.0 μl、7.0 μl、9.0 μl、11.0 μl，注入液相色谱仪进行测定，以对照品进样量（μg）为横坐标，对应峰面积为纵坐标，绘制标准曲线，得回归方程为$Y=5E+06X-23429$（$r=0.9998$），结果表明山柰素进样量在0.049~0.539 μg范围内时与峰面积呈良好线性关系。

2.2 精密度试验

2.2.1 重复性

取同一批号供试品（BGC-4）粉末1 g，精密称定，按供试品制备方法制备供试品溶液，按正文拟定的色谱条件，连续测定6次。结果表明6次测定的山柰素峰面积平均值为1169747.8333，RSD=0.093%（$n=6$），试验结果表明本法的精密度良好。

2.2.2 重现性

取同一批号供试品（BGC-4）粉末1 g，精密称定，按供试品制备方法制备供试品溶液，按正文的方法平行测定6份，计算，6份样品测得山奈素含量的平均值为0.148%，RSD=2.45%（*n*=6），试验结果表明本法的重现性较好。

2.3 稳定性试验

取同一批号样品（BGC-4）粉末1 g，精密称定，按供试品制备方法制备供试品溶液，按正文拟定的色谱条件，室温下保存，在0小时、2小时、4小时、8小时、10小时、12小时、24小时分别精密吸取供试品溶液10 μl，注入液相色谱仪，测定，供试品溶液在24小时内测定6次，RSD为2.37%，表明供试品在24小时内测定，结果稳定。

2.4 准确度试验

取同一批号样品（BGC-4）0.52 g，精密称定，再分别精密加入浓度为0.775 mg/ml的山奈素对照品溶液1 ml，按供试品溶液制备方法制备，平行制备6份，分别测定含量，计算回收率（样品含量以0.754 mg/g计），结果山奈素平均回收率为98.41%，RSD=1.78%（*n*=6）。

按正文拟定的含量测定方法，测定了本品10批样品中的山奈素的含量（详见表11），据最高值、最低值及平均值，并考虑药材来源差异情况，暂定本品山奈素含量限度为不得少于0.075%。

空白溶剂HPLC图、山奈素对照品HPLC图、笔管草样品HPLC图分别见图9、图10、图11。

表11　10批样品山奈素含量测定结果一览表

编号	采集（收集）地点	山奈素含量（%）
BGC-1	天等县天等镇	0.143
BGC-2	融安县长安镇	0.045
BGC-3	南宁市老虎岭	0.154
BGC-4	南宁高峰林场	0.147
BGC-5	灵川县谭下镇	0.097
BGC-6	全州县咸水乡	0.153
BGC-7	容县容州镇	0.142
BGC-8	百色市永乐镇	0.093
BGC-9	藤县平福乡	0.146
BGC-10	桂平市金田镇	0.101
BGC-4-FH	南宁高峰林场	0.133
BGC-5-FH	灵川县谭下镇	0.140
BGC-9-FH	藤县平福乡	0.140

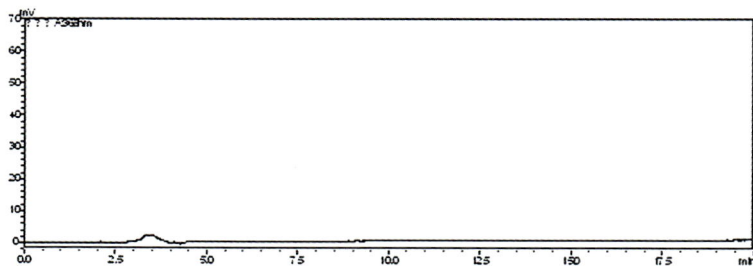

图9　空白溶剂HPLC图

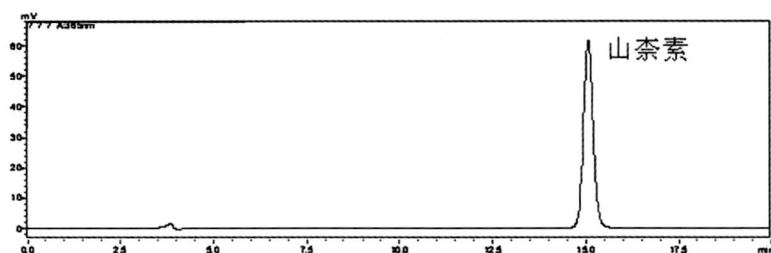

图10　山柰素对照品HPLC图

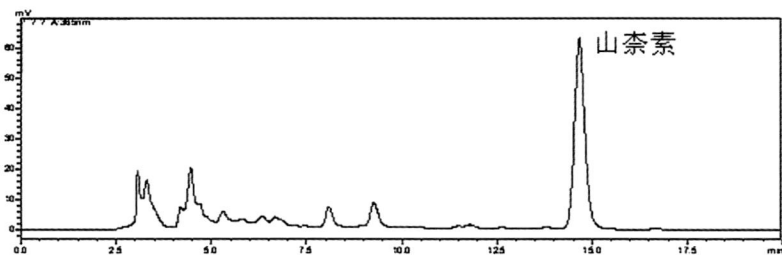

图11　笔管草样品HPLC图

参考文献

［1］国家中医药管理局《中华本草》编委会. 中华本草［M］. 上海：上海科学技术出版社，1999，60（总0396）.

［2］［6］中国科学院中国植物志编辑委员会. 中国植物志：第六卷第三册［M］. 北京：科学出版社，1995：236-238.

［3］［7］周荣汉，于荣敏. 木贼科植物化学成分研究概况［J］. 中药通报，1985，10（3）：3-7.

［4］［8］［10］吴国土，薛玲，黄自强. 笔管草醇提物的调节血脂作用［J］. 齐齐哈尔医学院学报，2004，25（2）：121-123.

［5］［9］吴国土，薛玲，黄自强. 笔管草水提物对大鼠及高脂家兔的降脂作用［J］. 福建医科大学学报，2004，38（1）：59，63.

药学编著： 韦松基　刘华钢　梁美艳
药学审校： 广西壮族自治区食品药品检验所

凉粉草　　棵凉粉

Liangfencao　　Goliengzfaenj

MESONAE CHINENSIS HERBA

【概述】 凉粉草，别名仙草、仙人草、仙人冻、仙人伴等。其药用始载于清代赵学敏所著的《本草纲目拾遗》。以后历代本草《职方典》、《吴普本草》、《本草图经》、《本草纲目》等均有记载。《中药大辞典》、《本草求原》、《中国药植图鉴》、《中国植物志》、《广东中药Ⅱ》、广州部队《常用中草药手册》等大型辞书中对其药用价值、原植物、地理分布、产销情况等亦有简要记述。同时，凉粉草是一种重要的药食两用植物，在我国以及东南亚地区已经有悠久的应用历史。分布于我国广东、广西、福建、江西、海南、浙江、台湾和云南等地，其他国家如越南、印度、印度尼西亚、马来西亚也有分布。目前凉粉草主要是栽培，在广东陆丰、广西灵山、福建省等地和越南已有较大面积的人工种植。

【来源】 本品为唇形科植物凉粉草 Mesona chinensis Benth. 的干燥全草。

凉粉草为一年生草本，茎下部伏地，上部直立，高15~100 cm，有分枝，茎、枝四棱形，有时具槽，被脱落的长疏毛或细刚毛。叶卵形或卵状长圆形，长2~5 cm，宽0.8~2.8 cm，先端稍钝，基部渐收缩成柄，边缘有小锯齿，纸质或近膜质，两面均有疏长毛，或仅下面脉上被毛，或无毛，侧脉6~7对；叶柄长0.2~1.5 cm。轮伞花序多数，组成间断或近连续的顶生总状花序，此花序长2~13 cm，上部有苞片，卵形至倒三角形，较花短，基部常带淡紫色，结果时脱落；花萼开花时钟形，长约3 mm，2唇形，结果时筒状；花冠淡红色，长2.5 mm，上唇阔，全缘或齿裂，下唇长椭圆形，凹陷；雄蕊4枚，花丝突出；雌蕊1枚，花柱2裂；花盘一边膨大。小坚果椭圆形或卵形。花、果期7~10月。[1]

凉粉草以全草入药，夏、秋二季采收，晒干；或晒至半干，堆、叠、焖之使发酵变黑，再晒至足干。在花未开放时采收质佳。

起草样品收集情况：共收集到样品10批，详细信息见表1、图1、图2。

表1 凉粉草样品信息一览表

编号	原编号	药用部位	产地/采集地点/批号	样品状态
LFC-1	1	全草	广东梅州市	药材
LFC-2	2	全草	越南	药材
LFC-3	3	全草	广西灵山县	药材
LFC-4	4	全草	广西灵山县	药材（新草）
LFC-5	5	全草	广西凭祥市	药材
LFC-6	6	全草	广西平南县	药材
LFC-7	7	全草	广西大新县	药材
LFC-8	8	全草	广西龙州县	药材
LFC-9	9	全草	广西龙州县	药材
LFC-10	10	全草	福建漳州市	药材

备注：凉粉草样品LFC-4同时制成腊叶标本，经鉴定，结果确定其为唇形科凉粉草属植物凉粉草。

377

图1 凉粉草原植物

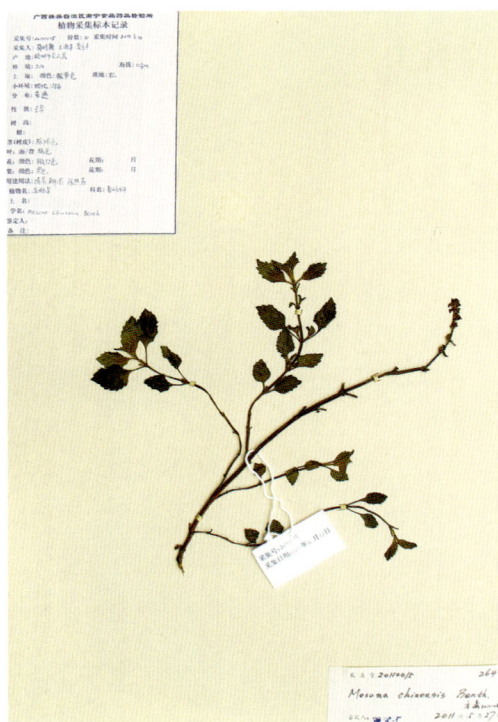

图2 凉粉草标本

【化学成分】 据报道[2]，凉粉草中含有多糖，色素（主要为花青素等），熊果酸，齐墩果酸，α、β-香树精，黄酮，果胶和酚类等，矿物质中铁、钙、锰、锌微量元素和钾的含量较高。凉粉草中还含有18种氨基酸和多种维生素，其中以B族维生素含量较高，另外还有少量蛋白质、粗脂肪等。目前研究较多的重要成分有凉粉草多糖、熊果酸、齐墩果酸等。秦立红等[3]从凉粉草中提取分离得到8个化合物：咖啡酸（1）、烯丙酸（2）、咖啡酸乙酯（3）、山奈酚（4）、高山黄芩素（5）、2-十六烷基-十八烷酸（6）、熊果酸（7）和豆甾醇（8）。

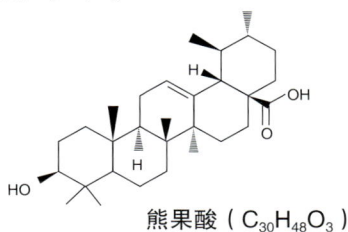

熊果酸（$C_{30}H_{48}O_3$）

【药理与临床】 据《本草求原》记载，凉粉草有"清暑热，解藏府结热毒，治酒风"的功效，又据《岭南采药录》记载，凉粉草可治花柳毒入骨。《中药大词典》也有类似记载，仙草味甘涩，性凉，具清暑、解渴、除热毒的功能，主治中暑、热毒、消渴、高血压、肾脏病、糖尿病、关节肌肉疼痛、酒风、淋病等。中医常用之主治小儿疮、丹毒入腹、酒风、高血压、急性风湿性关节炎、中暑、感冒、黄疸、急性肾炎、糖尿病等。现代医学分析测定认为，凉粉草中的熊果酸和齐墩果酸有降温、镇静、降血糖的作用；黄酮类物质有抑制癌细胞生长，降低血压的作用；α、β-香树精有镇静、清凉、解渴、利水的功效；多糖物质有增强和提高机体免疫机能的作用；微量元素有抑制自由基形成，抗衰老、抗癌的作用；维生素有调节和增强生理机能的作用。[4]

据柳占彪等报道，齐墩果酸具有降低血糖的作用，同时对肝糖元各血清胰岛素均有明显升高作用。[5]凉粉草提取物中活性物质为齐墩果酸、熊果酸，对CCl₄所致的肝纤维症有预防作用[6]，对糖尿病大鼠的肾脏有保护作用。[7]另据台湾最新报道[8]，凉粉草茶还具有清除超氧阴离子的功效，其清除效果能达到90％左右，为目前流行的保健方法。

据杨敏等[9-11]报道，凉粉草多糖对H_2O_2所致大鼠肝匀浆MDA的生成具有明显的抑制作用（$P<0.01$）；凉粉草提取物对小鼠脾淋巴细胞DNA氧化损伤有保护作用；凉粉草提取物是一种有效的外源性抗氧化剂，它可通过直接或间接的途径，清除氧自由基，阻断体内脂质过氧化的进程，从而保护细胞免受过氧化损伤，维持细胞正常的生理功能。

秦立红等[12]从凉粉草中提取分离得到8个化合物：咖啡酸（1）、烯丙酸（2）、咖啡酸乙酯（3）、山奈酚（4）、高山黄芩素（5）、2-十六烷基-十八烷酸（6）、熊果酸（7）和豆甾醇（8）；应用PC12细胞缺氧模型在DMSO溶液中测得化合物1、4、5、6、7、8在不同质量浓度下具有不同的抗缺氧活性，化合物4、5、7、8有较好的抗缺氧活性。

【性状】 本品茎呈方柱形，有沟槽。被灰棕色长毛，外表棕褐色。质脆易断，中心有髓。叶对生，多皱缩，完整叶长圆形或卵圆形，长2~5 cm，宽0.8~2.8 cm；纸质，稍柔韧，两面皆被疏长毛。气微，味微甘，嚼有胶性。

本品主要鉴别特征为茎呈方柱形，有沟槽。叶对生，多皱缩，纸质，稍柔韧，两面皆被疏长毛。气微，味微甘，嚼有胶性。详见图3。

【鉴别】 （1）本品粉末淡绿色。非腺毛由多个细胞组成，先端较尖，基部细胞常膨大，外壁疣状突起；石细胞多角形、类长方形或类三角形；多为螺纹及网纹导管；纤维成束或单个散在。详见图4。

（2）取本品粗粉5 g，加水50 ml，煎煮2次，每次30分钟，滤过，合并滤液，水浴浓缩至约20 ml，加乙酸乙酯振摇提取2次，每次25 ml，合并乙酸乙酯液，蒸干，残渣加乙醇1 ml使溶解，作为供试品溶液。另取凉粉草对照药材5 g，同法制成对照药材溶液。再取熊

图3　凉粉草药材

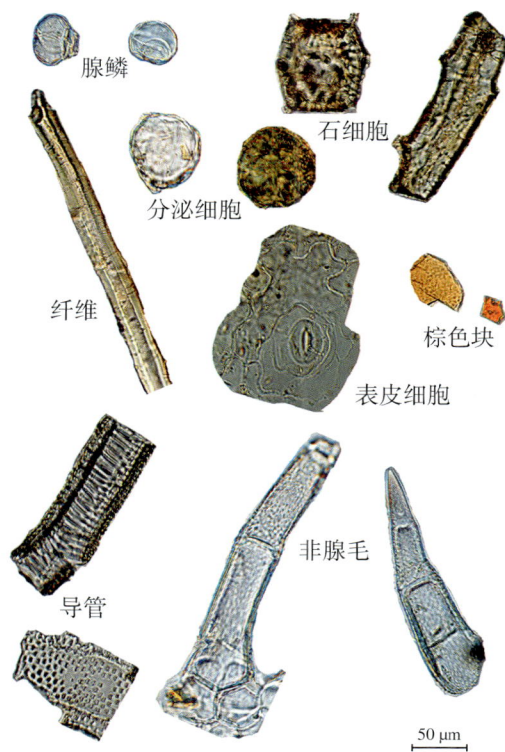

图4　凉粉草粉末显微图

果酸对照品，加乙醇制成每1 ml含0.5 mg的溶液，作为对照品溶液。照薄层色谱法（中国药典2010年版一部附录Ⅵ B）试验，吸取供试品溶液、对照药材溶液各6 µl，对照品溶液2 µl，分别点于同一硅胶G薄层板上，以甲苯-乙酸乙酯-甲酸（20：4：0.5）为展开剂，展开，取出，晾干，喷以硫酸乙醇溶液（1→10），在105 ℃加热至斑点显色清晰，分别置日光及紫外光灯（365 nm）下检视。供试品色谱中，在与对照药材色谱及对照品色谱相应的位置上，显相同颜色的斑点及荧光斑点。3批样品按本法检验，均符合规定，且薄层色谱分离效果好，斑点圆整清晰，比移值适中，重现性好。

据文献报道[13]，凉粉草具有清暑热（抗缺氧）、去脏腑热毒（抗氧化）、治酒风（保肝）的功效，其中萜类成分中的熊果酸为抗缺氧活性成分。凉粉草的薄层鉴别尚未见报道，本法参照了萜类[14]成分的分析方法，采用熊果酸对照品和经鉴定的凉粉草作为对照药材进行薄层鉴别。

供试液的制备采用水煎煮，滤液浓缩，水提液再用乙酸乙酯提取的方法，制备的供试液层析效果好，故采用之。

展开剂我们采用不同比例的两个展开系统：①石油醚-乙酸丁酯（85：15）和②甲苯-乙酸乙酯-甲酸（20：4：0.5）进行展开。结果：①系统展开的薄层板上斑点较少，不能代表凉粉草起保健作用的是多成分起效的特性；②作为展开剂层析斑点比移值较适中，分离效果较好，斑点显色清晰，故正文选取甲苯-乙酸乙酯-甲酸（20：4：0.5）作为展开系统。

耐用性实验考察：对自制板、预制板（青岛海洋化工厂分厂提供，批号：20100108）、预制板（烟台市化学工业研究所提供）的展开效果进行考察，结果均表明本法的耐用性良好。

从3个不同产地的3批凉粉草的薄层鉴别图谱可以看到，LFC-3在与熊果酸对照品相应的位置上所显相同颜色斑点较LFC-1和LFC-2深，表明该产地的凉粉草中熊果酸的含量较多，详见图5。

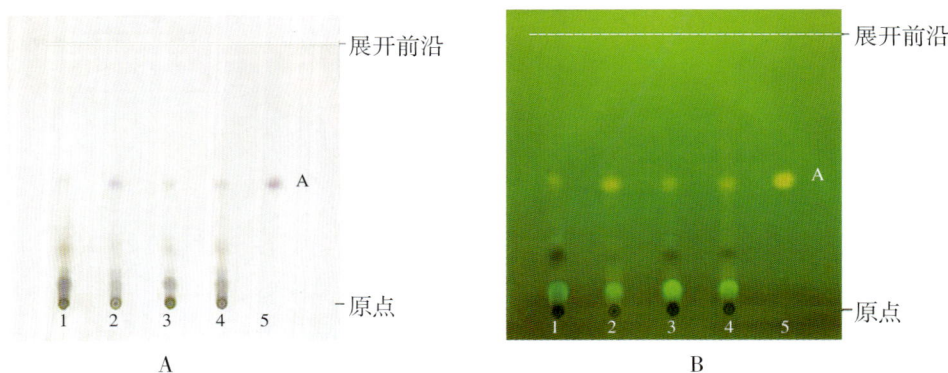

图5　凉粉草样品TLC图（A. 日光下观察　B. 显色后，紫外光灯365 nm下观察）

1. LFC-1　2. LFC-2　3. LFC-3　4. LFC-4（对照药材）　5. 熊果酸对照品
A. 紫红色斑点（日光下观察）；黄色荧光斑点（显色后，紫外光灯365 nm下观察）

色谱条件：硅胶G薄层预制板，生产厂家：青岛海洋化工厂分厂，批号：20100108，规格：10 cm×10 cm，厚度：500 µm

接触式点样（圆点状），点样量：供试液6 µl，对照药材溶液6 µl，对照品溶液2 µl；温度：25 ℃；相对湿度：78RH%

展开剂：甲苯-乙酸乙酯-甲酸（20：4：0.5），加入双槽展开缸中，预饱和30分钟

【检查】 **水分** 照水分测定法（中国药典2010年版一部附录ⅨH第一法）测定。

对本品10批样品进行水分测定，结果见表2，据最高值、最低值及平均值，并考虑到该药材为南方所产，暂定本品药材水分限度为不得过16.0%。

表2 凉粉草样品水分测定结果一览表

样品	水分均值（%）	样品	水分均值（%）
LFC-1	14.0	LFC-6	15.2
LFC-2	10.4	LFC-7	14.8
LFC-3	12.6	LFC-8	11.2
LFC-4	12.4	LFC-9	15.6
LFC-5	11.3	LFC-10	13.9
LFC-1-FH	10.9	LFC-3-FH	11.5
LFC-2-FH	11.3		

总灰分 照灰分测定法（中国药典2010年版一部附录ⅨK）测定。

对本品10批样品进行总灰分测定，结果见表3，据最高值、最低值及平均值，将本品总灰分限度为不得过16.0%。

表3 凉粉草样品总灰分测定结果一览表

样品	总灰分（%）	样品	总灰分（%）
LFC-1	12.8	LFC-6	9.3
LFC-2	12.6	LFC-7	12.8
LFC-3	12.7	LFC-8	12.9
LFC-4	13.5	LFC-9	13.2
LFC-5	9.7	LFC-10	11.9
LFC-1-FH	13.9	LFC-3-FH	7.6
LFC-2-FH	12.6		

酸不溶性灰分 照灰分测定法（中国药典2010年版一部附录ⅨK）测定。

对本品10批样品进行酸不溶性灰分测定，结果见表4，据最高值、最低值及平均值，并鉴于本品为全草类，含有泥沙等杂质，因此将本品酸不溶性灰分限度为不得过3.2%。

表4 凉粉草样品酸不溶性灰分测定结果一览表

样品	酸不溶性灰分（%）	样品	酸不溶性灰分（%）
LFC-1	0.8	LFC-6	1.7
LFC-2	1.6	LFC-7	2.0
LFC-3	1.8	LFC-8	1.1
LFC-4	2.3	LFC-9	1.2
LFC-5	1.0	LFC-10	0.9
LFC-1-FH	2.8	LFC-3-FH	0.9
LFC-2-FH	2.7		

参考文献

[1]中国科学院中国植物志编辑委员会. 中国植物志：第六十六卷 [M]. 北京：科学出版社，1977：548.

[2] [4]刘晓庚，陈梅梅. 中国仙草的开发利用研究 [J]. 食品研究与开发，2004，25（5）：109-112.

[3] [12] [13]秦立红，郭晓宇，王乃利，等. 凉粉草中抗缺氧化学成分 [J]. 沈阳药科大学学报，2006，23（10）：633-636.

[5]柳占彪，王鼎，王淑珍，等. 齐墩果酸的降糖作用 [J]. 中国药学杂志，1994，29（12）：725-726.

[6]Shyu M H，Kao T C，Yen C C. Hsian-tsao（Mesona procumbens Heml.）prevents against rat liver fibrosisinduced by CCl₄ via inhibition of hepatic stellate cells activation [J]. Food and Chemical Toxicology，2008，46（12）：3707-3713.

[7]Yang M，Xu Z P，Xu C J，et al. Renal Protective Activity of Hsian-tsao Extracts in Diabetic Ratsl [J]. Biomedical and Environmental Sciences，2008，21（3）：222-227.

[8]李建华. 台湾仙草及其栽培利用 [J]. 台湾农业探索，2000（2）：37-38.

[9]杨敏，冯磊，柯雪琴. 仙草多糖对大鼠肝匀浆脂质过氧化的实验研究 [J]. 浙江预防医学，2002，14（12）：4-5.

[10]杨敏. 仙草提取物的体外抗氧化实验研究 [J]. 中华预防医学杂志，2006，40（3）：203.

[11]杨敏. 仙草提取物对小鼠脾淋巴细胞DNA氧化损伤保护作用的研究 [J]. 浙江大学学报：医学版，2006，35（1）：34-38.

[14]国家药典委员会. 中华人民共和国药典2010年版一部 [M]. 北京：中国医药科技出版社，2010：26.

药学编著： 周嵩煜　王海华　唐德智

药学审校： 广西壮族自治区食品药品检验所

海金子　　楤海桐

Haijinzi　　　　Gohaijdoengz

PITTOSPORI PAUCIFLORI CAULIS ET RANULUS

【概述】　海金子，俗名上山虎、少花海桐等。历代本草均未见有少花海桐的记载，本品以"少花海桐"为名始载于《中国植物志》[1]，《广西药用植物名录》、《广西植物志》等对其药用价值、原植物、地理分布、产销情况亦有简要记述。海金子又是一种壮、瑶民族常用的民间草药，壮、瑶民族的民间药书中都有记载。海金子原植物主要分布于广西、广东、江西等省（区）的山区常绿林中。

【来源】本品为海桐花科植物少花海桐 *Pittosporum pauciflorum* Hook.et Arn. 的干燥茎、枝。

海金子为常绿灌木，嫩枝无毛，老枝有皮孔。叶散布于嫩枝上，有时呈假轮生状，革质，狭窄矩圆形或狭窄倒披针形，长5~8 cm，宽1.5~2.5 cm，先端急锐尖，基部楔形，上面深绿色，发亮，下面在幼嫩时有微毛，以后变秃净，侧脉6~8对，与网脉在上面稍下陷，在下面突起，边缘干后稍反卷；叶柄长8~15 mm，初时有微毛，以后变秃净。花3~5朵生于枝顶叶腋内，呈假伞形状；花梗长约1 cm，秃净或有微毛；苞片线状披针形，长6~7 mm；萼片窄披针形，长4~5 mm，有微毛，边缘有睫毛；花瓣长8~10 mm；雄蕊长6~7 mm；子房长卵形，被灰绒毛，子房柄短，花柱长2~3 mm，有侧膜胎座3个，胚珠约18个。蒴果椭圆形或卵形，长约1.2 cm，被疏毛，3片裂开，果片阔椭圆形，厚约1 mm，木质，胎座位于果片中部，各有种子5~6颗；种子红色，长4 mm，种柄长2 mm，稍压扁。

海金子以茎、枝入药，全年均可采收，切段，晒干。

起草样品收集情况：共收集到样品6批，详细信息见表1、图1、图2。

表1　海金子样品信息一览表

编号	原编号	药用部位	产地/采集地点/批号	样品状态
HJZ-1	20110107	茎、枝	广西平南县	药材
HJZ-2	20110416	茎、枝	广西昭平县	药材
HJZ-3	20110509	茎、枝	广西金秀瑶族自治县	药材
HJZ-4	20110721-1	茎、枝	广西金秀瑶族自治县药材市场	药材
HJZ-5	20110721-2	茎、枝	广西金秀瑶族自治县桐木镇药材市场	药材
HJZ-6	20110818	茎、枝	广西金秀瑶族自治县	药材

　　备注：海金子样品HJZ-3同时制成腊叶标本，经鉴定，结果确定其为海桐花科植物少花海桐，实验中以该样品作为海金子的对照药材与其他样品进行对比。完成样品收集后，将所有6份样品（约300 g）进行粉碎处理，并统一过40目筛，备用。

图1 海金子原植物

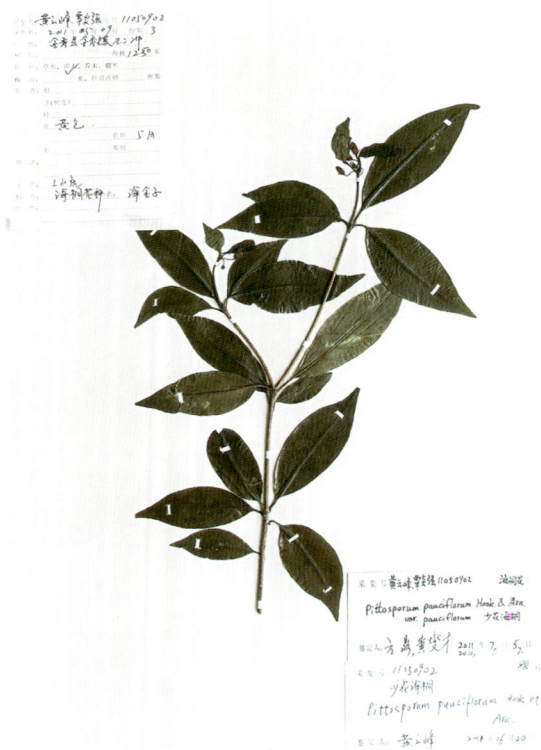

图2 海金子标本

图3 海金子药材

【化学成分】 暂无报道。

【药理与临床】 海金子具祛风活络、散寒止痛、镇静的功效。广西中医或少数民族民间医生常用于治疗风湿性神经痛、坐骨神经痛、牙痛、胃痛、神经衰弱、遗精早泄、毒蛇咬伤等。[2]少花海桐水提物LD_{50}值为21.12 ± 1.12 g/kg，死亡动物解剖，肉眼观察未见明显病理改变。[3]

【性状】 本品茎呈圆柱形，直径0.2~1 cm。表面灰棕色，光滑。体轻，不易折断，断面皮部常粘连，纤维性，木部白色，髓部小或不明显。气微，味淡。

本品主要鉴别特征为茎光滑，体轻，不易折断，断面皮部常粘连，详见图3。

【鉴别】 （1）本品茎横切面：木栓细胞数列。皮层细胞数列，皮层最外侧细胞较大，壁厚；部分细胞含颗粒状物质，分泌腔环状分布，大小不一。形成层明显。木质部导管散在分布，直径16~38 μm，射线细胞1列。详见图4、图5。

粉末灰绿色。纤维较多，成束或散在，先端钝尖或平截，直径16~31 μm。导管为螺纹或具缘纹孔，直径19~43 μm。可见草酸钙方晶、簇晶，直径6~28 μm。

显微鉴别要点：茎横切面皮层细胞含颗粒状物质，分泌腔环状分布。粉末中可见草酸钙方晶或草酸钙簇晶。

（2）取本品粉末1 g，加正己烷20 ml，超声处理30分钟，滤过，滤液蒸干，残渣加正己烷1 ml使之溶解，作为供试品溶液。另取海金子对照药材1 g，同法制成对照药材溶液。照薄层色谱法（中国药典2010年版一部附录Ⅵ B）试验，吸取上述两种溶液各10 μl，分别点于同一硅胶G薄

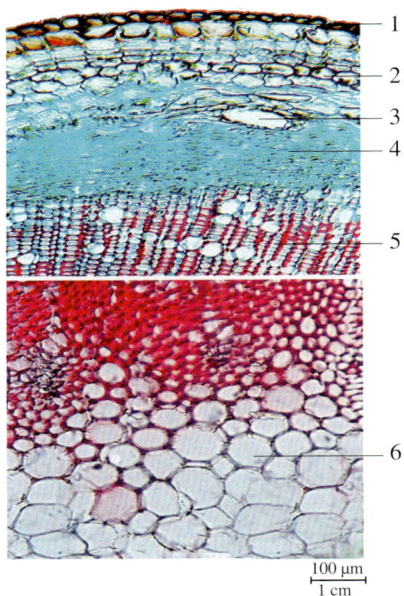

图4 海金子茎横切面显微全貌图

1.表皮细胞 2.皮层 3.分泌腔
4.韧皮部 5.木质部 6.髓部

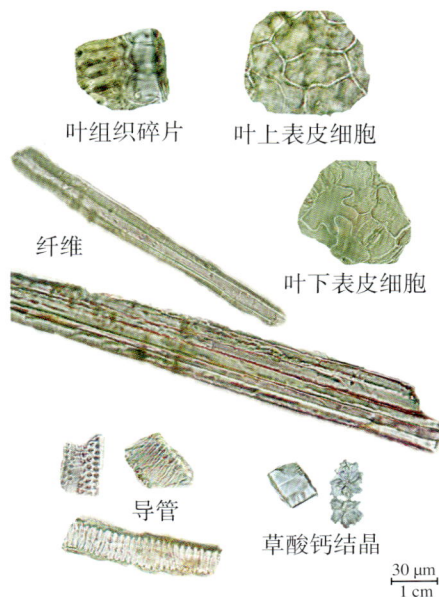

图5 海金子茎粉末显微图

层板上，以三氯甲烷-甲醇（9.8∶0.2）为展开剂，展开，取出，晾干，喷以磷钼酸试液，热风吹至斑点显色清晰。供试品色谱中，在与对照药材色谱相应的位置上，显相同颜色的斑点。6批样品按本法检验，结果均符合规定，且薄层色谱分离效果好，斑点圆整清晰，比移值适中，重现性好。详见图6。

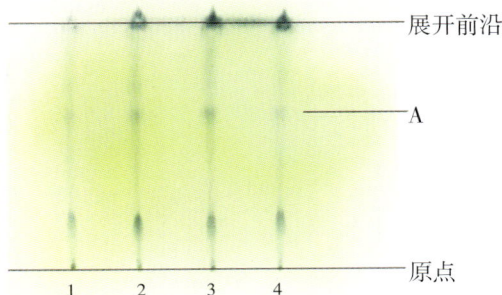

图6 海金子样品TLC图

1. HJZ-3（对照药材） 2. HJZ-4 3. HJZ-5 4. HJZ-6 A.墨绿色斑点

色谱条件：硅胶G薄层预制板，生产厂家：青岛海洋化工厂，批号：20100408，规格：10 cm×10 cm
圆点状点样，点样量：10 μl；温度：25 ℃；相对湿度：70RH%
展开剂：三氯甲烷-甲醇（9.8∶0.2）

耐用性实验考察：对自制板、预制板（青岛海洋化工厂提供，批号：20100408）的展开效果进行考察，对不同展开温度（4 ℃、35 ℃）进行考察，对不同相对湿度（30RH%、90RH%）进行考察，结果均表明本法的耐用性良好。

【检查】 水分 照水分测定法（中国药典2010年版一部附录Ⅸ H第二法）测定。

对本品6批样品进行水分测定，结果见表2，据最高值、最低值及平均值，暂定本品药材水分限度为不得过15.0%。

表2　海金子样品水分测定结果一览表

样品	水分均值（%）	样品	水分均值（%）
HJZ-1	11.8	HJZ-4	11.2
HJZ-2	12.1	HJZ-5	11.1
HJZ-3	11.7	HJZ-6	12.2
HJZ-4-FH	11.5	HJZ-6-FH	10.4
HJZ-5-FH	10.6		

总灰分　照灰分测定法（中国药典2010年版一部附录Ⅸ K）测定。

对本品6批样品进行总灰分测定，结果见表3，据最高值、最低值及平均值，将本品总灰分限度为不得过5.0%。

表3　海金子样品总灰分测定结果一览表

样品	总灰分（%）	样品	总灰分（%）
HJZ-1	3.8	HJZ-4	3.9
HJZ-2	4.0	HJZ-5	3.6
HJZ-3	3.9	HJZ-6	3.8
HJZ-4-FH	1.1	HJZ-6-FH	2.4
HJZ-5-FH	1.1		

【浸出物】　实验之初对比了水冷浸法、水热浸法、75%醇热浸法三种提取溶剂的提取效果，对比实验结果表明，热浸法测定海金子中水溶性浸出物的含量最高，冷浸法测定海金子中水溶性浸出物的含量最低，因此，最终确定以水溶性浸出物测定法（中国药典2010年版一部附录Ⅹ A）项下的热浸法测定。

对本品6批样品进行浸出物测定，结果见表4，据最高值、最低值及平均值，将本品浸出物限度为不得少于9.0%。

表4　海金子样品浸出物测定结果一览表

样品	浸出物均值（%）	样品	浸出物均值（%）
HJZ-1	40.6	HJZ-4	41.8
HJZ-2	43.8	HJZ-5	42.8
HJZ-3	42.0	HJZ-6	43.5
HJZ-4-FH	11.8	HJZ-6-FH	13.3
HJZ-5-FH	11.0		

参考文献

[1]中国科学院中国植物志编辑委员会. 中国植物志：第三十五卷第二分册［M］. 北京：科学出版社，1979：9.

[2]戴斌. 中国现代瑶药［M］. 南宁：广西科学技术出版社，2009：6-10.

[3]黄琳芸，钟鸣，余胜民，等. "虎钻"类传统瑶药的急性毒性研究［J］. 广西中医药，2005，28（5）：42-43.

药学编著： 刘 元　宋志钊　李星宇
药学审校： 广西壮族自治区食品药品检验所

黄牛木叶　　茶思现

Huangniumuye　　　　　Cazcwzhenj

CRATOXYLI COCHINCHINENSIS FOLIUM

【概述】　黄牛木，俗称黄牛茶、雀笼木、黄芽木、梅低优。本品为民间常用草药，最早载于《全国中草药汇编》、《广西本草选编》、《中国植物志》、《中华本草》、广州部队《常用中草药手册》等文献中。其中《全国中草药汇编》、《广西本草选编》、《中华本草》等大型文献对其药用价值、原植物、地理分布、产销情况等亦有简要记述。主要分布于广东、广西、海南、云南等省（区）。

【来源】　本品为藤黄科植物黄牛木 *Cratoxylum cochinchinense*（Lour.）Bl. 的干燥叶。

黄牛木为落叶灌木或乔木，高1.5~10 m。树皮灰黄色或灰褐色，平滑或有细条纹。叶对生，纸质，椭圆形至矩圆形，长5~8 cm，宽2~3 cm，两端均狭而尖，秃净，背色较浅，先端骤尖或渐尖，基部钝或楔形，下面有透明腺点及黑点；叶柄长2~3 mm。枝条对生，幼枝略扁，淡红色，无毛。聚伞花序腋生或腋外生及顶生，有花1~3朵，花粉红色，花瓣5瓣，直径约1 cm；萼片椭圆形，先端钝，长约4 mm，结果时倍之，花瓣有脉，长约为萼的2倍；下位腺体有时不明显；总花梗长3~10 cm或以上；花径1~1.5 cm，花梗长2~3 cm；萼片5片，椭圆形，有黑色纵脉条，果时增大；花瓣倒卵形，脉间有黑色脉纹，无鳞片；雄蕊束3束，粗短，柄宽扁至细长；下位肉质腺体3枚，长圆形至倒卵形，盔状，顶端增厚反曲；子房上位，圆锥形，花柱3裂，线形，自基部叉开。蒴果椭圆形，长8~12 mm，宽4~5 mm，棕色，果实的近2/3为宿萼所包被。种子倒卵形，基部具爪，一侧具翅，长6~12 mm。花期4~5月，果期6月。本品以叶入药。春、夏季采集，鲜用或晾干。在广西百色市、田东县、南宁市均可采集到其标本，在广西玉林市药材市场有销售。

起草样品收集情况：共收集到样品7批，详细信息见表1、图1、图2。

表1　黄牛木叶样品信息一览表

编号	原编号	药用部位	产地/采集地点/批号	样品状态
HNMY-1	HN-01	叶	百色市拉达路（自采）	药材
HNMY-2	HN-02	叶	广西百色市田东县城郊（自采）	药材
HNMY-3	HN-03	叶	广西南宁市四塘镇（自采）	药材
HNMY-4	HN-04	叶	玉林药材市场15-128	饮片
HNMY-5	HN-05	叶	玉林药材市场27-108	饮片
HNMY-6	HN-06	叶	玉林药材市场A16-36	饮片
HNMY-7	HN-07	根	广西梧州市	饮片
HNMY-8	无	叶	广西/玉林药材市场23A-132	饮片
HNMY-9	无	叶	广西/玉林药材市场25-171	饮片
HNMY-10	无	叶	广西/玉林药材市场14-134	饮片
HNMY-11	无	叶	安徽太和阳光药材公司20101682	饮片
HNMY-12	无	叶	桂林药材公司20101681	饮片
HNMY-13	无	叶	玉林金康药材公司20101680	饮片

　　备注：黄牛木叶样品HNMY-1~HNMY-7系先期收集的样品，用于做鉴别等，因样品量不足，后来又从市场上采购6个样品，编号为HNMY-8~HNMY-13，用于做水分、灰分测定。

图1 黄牛木原植物

图2 黄牛木标本

【化学成分】 叶含黄酮苷、酚类、糖类。根含黄酮苷、酚类、氨基酸。树皮含呫吨酮类、三萜类、生育酚类化合物。已分离得到：水龙骨萜四烯醇［polypoda-8（26），13，17，21-tet-raen-3□-ol］，□-生育三烯酚（□-tocotrienol）及其双聚体（di mmer），5-（□-生育三烯基）-□-生育三烯酸［5-（□-tocotrie-nyl）-□-tocotrienol］，倒捻子素（mansostin），□-倒捻子素（□-man-gostin），山竹子酮（garcinone）D，托沃费林（tovophyllin）A，2-牻牛儿基-l，3，6-三羟基-4（3，3-二甲基烯两基）呫吨酮［2-gera-nyl-l，3，6-trihydroxy-4-（3，3-dimethylallyl）-xanthone］，黄牛木酮（cratoxylone）即是1，3，6-三羟基-2-（3-羟基-3-甲基烯丙基）-7-甲氧基-8-（3，3-二甲基烯丙基），呫吨酮［1，3，6-trihy-droxy-2-（3-hydroxy-3-rnethylallyl）-7-methoxy-8-（3，3-dimethyl-allyl）- xanthone］，11-羟基-1-异倒捻子素（11-hydroxy-l-iso-mangostin），1，3，5，6-四羟基呫吨酮（1，3，5，6-tetra-hydroxyxanthone），5′-去甲氧基卡登星 G（5′-demethoxy caden-sin G），黄牛木呫吨酮（cratoxyxanthone）。[1]王建荣等采用气相色谱-质谱联用技术GC-MS对黄牛木［Cratoxylum cochinchinense（Lour.）Bl.］叶的脂溶性成分进行分析，从中鉴定出25个化合物，在已鉴定的25个化学成分中，含量较高的成分依次为□-D-乙基葡萄糖苷（18.93%）、2-羟基-2-环戊烯-1-酮（16.77%）、棕榈酸（9.27%）、棕榈酸乙酯（5.18%）、儿茶酚（4.27%）、软木三萜酮（3.11%）等。[2]李晓霞等[3]对黄牛木根脂溶性成分进行研究，采用气相色谱-质谱联用技术对所得的脂溶性成分进行分析。结果共鉴定出30个成分，占脂溶性成分总量的53.139%，其中含量大于1%的是：汉地醇（30.687%），油酸（2.596%），棕榈酸（2.476%），□-豆甾醇（2.335%），棕榈酸乙酯（2.204%），角鲨烯（1.728%），维生素E（1.708%），油酸乙酯（1.490%），亚油酸（1.474%），亚油酸乙酯（1.417%），豆甾醇（1.208%），□-丁香烯（1.025%），结论是黄牛木根的脂溶性成分中，以醇类、倍半萜

和酯类成分为主。[4]于海洋等运用大孔吸附树脂、硅胶柱色谱、LH-20葡聚糖凝胶柱色谱、ODS柱色谱及制备液相等方法进行分离研究黄牛木的化学成分，结果从黄牛木体积分数为65%乙醇提取物的正丁醇部分分离得到8个化合物，分别鉴定为（-）-南烛木树脂酚-3□-O-□-D-葡萄糖苷［（-）-lyoniresinol-3□-O-□-D-glucopyranoside］（1）、（-）-5′-甲氧基异落叶松脂醇-9-O-□-D-葡萄糖苷［（-）-5′-methoxyisolariciresinol-9-O-□-D-glucopyranoside］（2）、（+）-异落叶松脂醇-9-O-□-D-葡萄糖苷［（+）-isolariciresinol-9-O-□-D-glucopyranoside）］（3）、2，6-二甲氧基-4-羟基苯酚-1-O-□-D-吡喃葡萄糖（2，6-dimethoxy-4-hydroxyphenol-1-O-□-D-glucopyranoside）（4）、儿茶素（catechin）（5）、表儿茶素（epicatechin）（6）、原矢车菊素B-2（procyanidinB-2）（7）、2a，3a-环氧-5，7，3′，4′-四羟基黄烷-（4b→8）-表儿茶素［2a，3a-epoxy-5，7，3′，4′-tetrahydroxyflavan-（4b→8）-epicatechin］（8），化合物1-4、8为首次从该属植物中分离得到。[5]王祝年等采用气相色谱-质谱联用技术GC-MS对黄牛木［Cratoxylum cochinchinense（Lour.）Blume］果实挥发油的化学成分进行分析，共鉴定出46种化合物，占其总量的95.361%。在已鉴定的46种化学成分中，含量较高的成分依次为□-石竹烯（24.060%）、油酸（14.629%）、反式-□-罗勒烯（11.572%）、石竹烯氧化物（11.447%）、α-蒎烯（7.540%）。[6]

【药理与临床】 黄木牛叶具有清热解毒、化湿消滞、祛瘀消肿等功效，用于治疗感冒、发热、泄泻、黄疸、跌打损伤、痈肿疮毒。嫩叶作清凉饮料，能解暑热、烦渴；果实含挥发油，可做食用香料。[7]黄牛木是重要的抗癌药用植物资源之一[8]，在抗癌药物的筛选与研发方面具有潜在价值。现代化学成分研究表明，黄牛木活性成分为酮类、三萜类、二苯甲酮苷类化合物。酮类化合物是黄牛木的主要成分，广泛分布在黄牛木的根、茎、叶、果中，该类化合物具有抗细胞毒、抗炎、抗氧化、强心等药理活性，因而亦为该种植物化学成分研究的热点之一。黄牛木根脂溶性成分中亚油酸、棕榈酸等不饱和脂肪酸的含量较高，而此类不饱和脂肪酸在人体内容易被分解、吸收和利用，以促进胆固醇的代谢，并有助于消除动脉血管壁上的沉积物，以利于保护血管。同样，杜松烯、邻苯二甲酸酯也是黄牛木根石油醚萃取部分的重要组成，据资料表明杜松烯是常用的香料，还具有杀菌作用[9]，而邻苯二甲酸酯类具有抗氧化、抗癌、抗菌等活性。[10]临床：根、树皮15~30 g；叶9~15 g；煎服。具有清热解毒，化湿消滞，祛瘀消肿的功效。主治感冒，中暑发热，泄泻，黄疸，跌打损伤，痈肿疮疖。嫩叶作清凉饮料，能解暑热烦渴。五三二〇三部队医院用黄牛木、鬼针草治疗急性黄疸型肝炎，将急性黄疸型肝炎患者随机分两组对照观察。中草药组43例，病程在12天内，4~7天出现黄疸，计儿童7例，成人36例。西药对照组40例，计儿童8例，成人32例。经对照观察，中草药确有较好的疗效。[11]

【性状】 本品纸质，卷曲，展开后为椭圆形至矩圆形，长5~8 cm，宽2~3 cm，叶全缘，无毛；表面黄绿色，先端骤尖或楔形，下表面可见透明腺点及黑点；叶下缘黑点排成行；叶柄长2~3 mm。质脆。味甘、淡，微苦。

本品主要鉴别特征为嫩枝呈棕红色，叶下表面有透明腺点及黑点，详见图3。

【鉴别】　（1）本品横切面：上、下表皮细胞各1列，细胞呈圆形或类圆形，内侧有1~3列厚角细胞；栅栏组织细胞1列，不通过主脉；主脉维管束呈半月形；木质部导管2~5个排列，形成层不明显；维管束鞘纤维1~4列。中脉散布有分泌腔，薄壁细胞中含有草酸钙簇晶。

显微鉴别要点：黄牛木叶横切面上表皮细胞1列，表面平整，下表皮细胞不平整；叶肉中可见大型分泌腔；薄壁细胞中含较多草酸钙簇晶及石细胞，石细胞壁极厚，具有多种形状。详见图4、图5。

图3　黄牛木叶饮片

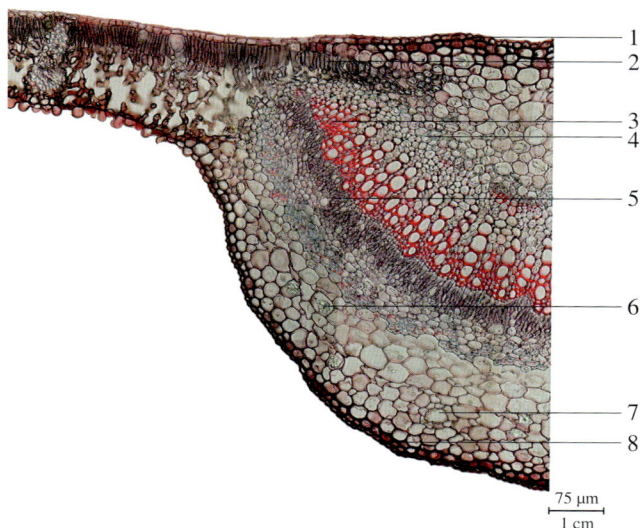

图4　黄牛木叶横切面显微图

1. 表皮　　　2. 栅栏组织　　3. 木质部
4. 石细胞群　5. 韧皮部　　　6. 草酸钙簇晶
7. 分泌腔　　8. 下表皮

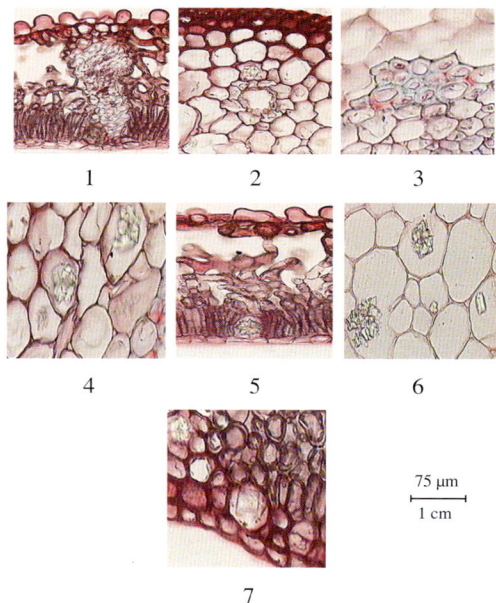

图5　黄牛木叶切面显微放大图

1. 乳突状表皮细胞局部放大图　2. 分泌腔局部放大图
3. 石细胞群局部放大图　　　4. 草酸钙簇晶局部放大图
5. 栅栏组织草酸钙簇晶局部放大图
6. 草酸钙柱晶局部放大图　7. 草酸钙方晶局部放大图

（2）取本品粉末2 g，加甲醇30 ml，在水浴上加热回流提取30分钟，滤过，取滤液，蒸干，残渣加水15 ml使溶解，滤过，水液用乙酸乙酯提取2次，每次15 ml，提取液蒸干，残渣加甲醇1 ml使溶解，作为供试液。另取黄牛木叶对照药材2 g，按供试液制备方法操作，制成对照药材溶液。按薄层色谱法（中国药典2010年版一部附录Ⅵ B）项下的规定，分别吸取供试液和对照药材溶液各5 μl，点于同一块硅胶G薄层板上，以异辛烷-乙酸乙酯-甲酸（2.5：7.5：0.2）为展开剂，展开，取出，晾干，喷以2%三氯化铁溶液显色。供试液色谱中，在与对照药材色谱相应的位置上，显相同颜色的斑点。

《广西壮族自治区壮药质量标准第二卷（2011年版）》注释

本实验收集不同产地的药材样品7批，其中自己采集3批，在市场上购买4批，在玉林药材市场所购买的药材样品产地分别是广西、广东、玉林市本地的各1批，梧州市的1批。7批样品按本方法检验，均符合规定，且薄层色谱分离效果好，斑点圆整清晰，比移值适中，重现性好。详见图6。

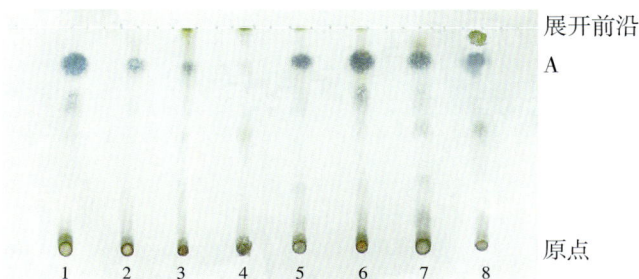

图6　黄牛木叶样品TLC图

1. HNMY-1（对照药材）　　2. HNMY-2　　　　3. HNMY-3
4. HNMY-4　　　　　　　5. HNMY-5　　　　6. HNMY-6
7. HNMY-7　　　　　　　8. HNMY-8　　　　A. 褐色斑点

色谱条件：硅胶G薄层预制板，生产厂家：青岛海洋化工厂，批号：20091208，规格：10 cm×20 cm
圆点状点样，点样量：5 µl；温度：28 ℃；相对湿度：65RH%
展开剂：异辛烷：乙酸乙酯：甲酸（2.5：7.5：0.2）

耐用性实验考察：对预制板（青岛海洋化工厂提供，批号：20091208）的展开效果进行考察，对不同展开温度（20 ℃、32 ℃）进行考察，结果均表明本法的耐用性良好。

【检查】　水分　照水分测定法（中国药典2010年版一部附录Ⅸ H第一法）测定。

对本品10批样品进行水分测定，结果见表2，据最高值、最低值及平均值，参照常规药材水分含量要求，暂定本品药材水分限度为不得过12.0％。

表2　黄牛木叶样品水分测定结果一览表

编号	产　地	水分均值（%）
HNMY-4	玉林药材市场15-128	13.7
HNMY-5	玉林药材市场27-108	14.8
HNMY-6	玉林药材市场A16-36	11.6
HNMY-7	广西梧州市	12.0
HNMY-8	玉林药材市场23A-132 产地广西	13.9
HNMY-9	玉林药材市场25-171 产地广西	13.8
HNMY-10	玉林药材市场14-134 产地广西	13.6
HNMY-11	安徽太和阳光药材公司20101682	15.0
HNMY-12	桂林药材公司20101681	14.1
HNMY-13	玉林金康药材公司20101680	13.3
HNMY-4-FH	玉林药材市场15-128	10.6
HNMY-5-FH	玉林药材市场27-108	10.2
HNMY-6-FH	玉林药材市场A16-36	10.8

【浸出物】 根据资料，黄牛木主要含有黄酮类、酚类等脂溶性有效成分，因此考虑用醇溶性浸出物来考察其有效成分的含量。照醇溶性浸出物测定法（中国药典2010年版一部附录Ⅹ A）项下的热浸法测定，用稀乙醇作溶剂。对本品10批样品进行浸出物含量测定，结果见表3，据最高值、最低值及平均值，并考虑到药材来源差异情况，暂定本品浸出物含量限度为不得少于8.0%。

表3　黄牛木叶样品浸出物测定结果一览表

编号	产　地	浸出物均值（%）
HNMY-4	玉林药材市场15-128	13.4
HNMY-5	玉林药材市场27-108	15.2
HNMY-6	玉林药材市场A16-36	14.9
HNMY-7	广西梧州市	15.9
HNMY-8	玉林药材市场23A-132 产地广西	15.0
HNMY-9	玉林药材市场25-171 产地广西	14.9
HNMY-10	玉林药材市场14-134 产地广西	16.4
HNMY-11	安徽太和阳光药材公司20101682	10.9
HNMY-12	桂林药材公司20101681	10.8
HNMY-13	玉林金康药材公司20101680	15.4
HNMY-4-FH	玉林药材市场15-128	14.2
HNMY-5-FH	玉林药材市场27-108	12.8
HNMY-6-FH	玉林药材市场A16-36	24.7

参考文献

[1]Sia G L，Bennett G J，Harrison L J，et al. Minorxanthones fromthe bark of cratoxylum cochinchinense［J］. Phytochemistry，1995，38（6）：1521-1528.

[2]王建荣，王茂媛，赖富丽，等. 黄牛木叶脂溶性成分研究［J］. 热带农业科学，2009，29（12）：31-33.

[3][4]李晓霞，王祝年，王茂媛，等. 黄牛木根脂溶性成分的气相色谱-质谱联用分析［J］. 时珍国医国药，2010（6）：1455-1456.

[5]于海洋，王乃利，张雪，等. 黄牛木的化学成分［J］. 沈阳药科大学学报，2009，26（7）：530-535.

[6]王祝年，李晓霞，王建荣，等. 黄牛木果实挥发油的化学成分研究［J］. 热带作物学报，2010，31（6）：1047-1049.

[7]国家中医药管理局《中华本草》编委会. 中华本草［M］. 上海：上海科学技术出版社，2005：588.

[8]刘明生. 海南热带药用植物资源保护和利用［J］. 分子植物育种，2003，1（5/6）：791-794.

[9]刘明春，邓伟，吴玉，等. 重庆含笑鲜花挥发油的化学成分分析［J］. 精细化工，2009，26（1）：38-41.

[10]Iatropoulos M J，Jeffrey A M，Enzmann H G，et al. Assessment of chronic toxicity and carcinogenicity in an accelerated cancer bioassay in rats of moxifloxacin，a quinolone antibiotic［J］. Experimental and Toxicologic Pathology，2001，53（5）：345-358.

[11]五三二〇三部队医院. 黄牛木、鬼针草治疗43例急性黄疸型肝炎初步观察［J］. 人民军医，1975（8）：35.

药学编著： 黄必奎　彭乃焕　陶宛平

药学审校： 广西壮族自治区食品药品检验所

黄杜鹃根　　三钱三

Huangdujuangen　　　　Samcienzsam

RHODODENDRI MOLLIS RADIX

【概述】　黄杜鹃，俗名羊踯躅、闹羊花、三钱三、毛老虎。本品以羊踯躅之名始载于《本草纲目》，李时珍曰："此物有大毒，曾以其根入酒饮，遂至于毙也。"[1]自《本草纲目》之后，历代本草多有收载。本品在《广西中药材标准》亦有收载。据调查，本品在广西壮族地区民间有悠久的药用历史，除壮族民间使用外，也有用做中成药的原料药材，故收入本标准。黄杜鹃主产于广西全州、兴安、灌阳、临桂、钟山、金秀、凌云等地。[2]江苏、浙江、江西、福建、湖北、湖南、广东、云南、贵州也有分布。[3-6]生长环境为海拔1500 m以下的丘陵山坡、石缝、灌丛或草丛中。

【来源】　本品为杜鹃花科植物羊踯躅 *Rhododendron molle*（Bl.）G.Don 的干燥根。

黄杜鹃为落叶灌木，高1~2 m。茎有分枝，老枝光滑，棕褐色，嫩枝绿色，被短柔毛，并有刚毛。单叶互生，长椭圆形或长圆状披针形，长6~15 cm，宽3~6 cm，先端钝而具短尖，基部楔形，全缘，边缘有睫毛，嫩时下面密被灰白色短柔毛，叶脉凸起；叶柄短，被毛。花数朵至十数朵组成顶生伞形花序；花萼甚小，5裂，宿存，被稀疏细毛；花金黄色，花冠短漏斗状，直径5~6 cm，先端5裂，裂片椭圆状至卵形，反曲，端钝或微凹，外面被短柔毛，上面一片较大，有绿色斑点；雄蕊5枚，花药顶孔开裂，花丝与花冠等长或稍伸出花冠外；雌蕊1枚，子房上位，5室，外被灰色长毛，花柱无毛，长于雄蕊。蒴果长椭圆形，长达2.5 cm，熟时深褐色，具疏硬毛，胞间裂开。种子多数，细小。花期4~5月，果期6~7月。

起草样品收集情况：收集到全州、灌阳、金秀、临桂、钟山等地共8批药材样品，详细信息见表1、图1、图2。

表1　黄杜鹃根样品信息一览表

编号	原编号	药用部位	产地/采集地点	样品状态
HDJG-1	11040202	根	灌阳县城进城加油站对面山	药材
HDJG-2	11022201	根	全州县	药材
HDJG-3	11021901	根	金秀瑶族自治县圣堂山	饮片
HDJG-4	11031201	根	钟山	饮片
HDJG-5	11040501	根	临桂县五通镇	饮片
HDJG-6	11040601	根	临桂县宛田乡	药材
HDJG-7	11040401	根	临桂县黄沙乡	药材
HDJG-8	11041601	根	全州县	饮片

备注：黄杜鹃根样品HDJG-1同时压制成腊叶标本，腊叶标本经过方鼎和黄燮才两位植物分类专家鉴定为杜鹃花科植物羊踯躅，实验中以该样品作为黄杜鹃根的对照药材与其他样品进行对比。完成样品收集后，将所有8份样品（约500 g）进行粉碎处理，并统一过40目筛，备用。

图1 黄杜鹃原植物

图2 黄杜鹃标本

【化学成分】 黄杜鹃根含有八厘麻毒素（rhomotoxilnum）。[7]

【药理与临床】 羊踯躅根制剂可减少IKB mRNA的降解，从而抑制大鼠NF-KB的激活。[8] 采用羊踯躅根治疗家兔慢性肾小球肾炎，结果证实能减轻和消除蛋白尿、水肿及高血压，提示羊踯躅根可能通过抑制免疫反应而影响循环免疫复合物肾炎的病理过程，对病变的发展有一定的控制作用。[9]用羊踯躅根水煮醇沉浸膏与雷公藤甲素做对照实验，两者在72小时内均能起到抑制二硝基氯苯激活T细胞的作用及达到抑制小鼠皮肤超敏反应水平，均能显著延长肿瘤的生存时间，均能显著致胸腺萎缩而对脾影响不大，均能显著减弱小鼠单核-巨噬细胞系统的吞噬功能，实验结果表明羊踯躅根有一定的免疫作用，提示羊踯躅根可以轻度阻止体温升高，具有轻度的解热作用。[10]羊踯躅根乙酸乙酯提取物对小鼠耳廓发炎肿胀无显著抗炎作用，对浅表性物理刺激（如热板刺激）抑制较强，而对腹腔注射醋酸引起的大面积且较持久的疼痛抑制作用不佳，提示羊踯躅根乙酸乙酯提取物具有镇痛作用，但抗炎效果不强。[11]

【性状】 本品为不规则块片，厚5~10 mm，外皮薄，棕褐色，略粗糙，脱

图3 黄杜鹃根药材

落处呈黄棕色，有细密的纵纹。质坚硬，不易折断。断面黄棕色或浅棕色。气微香，味微辛。

本品主要鉴别特征为外皮薄，棕褐色，微粗糙，脱落处呈黄棕色，有细密的纵纹。质坚硬，不易折断，且以无泥土杂质者质佳。详见图3、图4。

【鉴别】（1）本品横切面：木栓层细胞4~8列，有的已脱落，棕黄色。皮层细胞数列，黄色。木质部宽广，导管散在分布，木射线细胞1~3列，有的射线细胞含有棕黄色物质。

显微鉴别要点：根木质部射线细胞含有棕黄色物质，详见图5。

（2）取本品粉末5 g，加水100 ml，加热回流1小时，收集滤液，滤渣再加水100 ml，加热回流1小时，滤过，合并滤液，浓缩至10 ml，用正丁醇振摇提取3次，每次10 ml，合并正丁醇液，蒸干，滤渣加甲醇1 ml使溶解，作为供试品溶液。另取黄杜鹃根对照药材5 g，同法制成对照药材溶液。照薄层色谱法（中国药典2010年版一部附录Ⅵ B）试验，吸取上述两种溶液各1~5 μl，分别点于同一硅胶G薄层板上，以三氯甲烷–丙酮–甲醇（7∶1∶1.5）为展开剂，展开，取出，晾干，喷以10%硫酸乙醇溶液，在105 ℃加热至斑点显色清晰。供试品色谱中，在与对照药材色谱相应的位置上，显相同颜色的斑点。

耐用性实验考察：采用点状点样对自制板、预制板（青岛海洋化工厂提供，批号：20111008）的展开效果进行考察，对不同展开温度（10 ℃、30 ℃）进行考察，结果均表明本法的耐用性良好，详见图6。

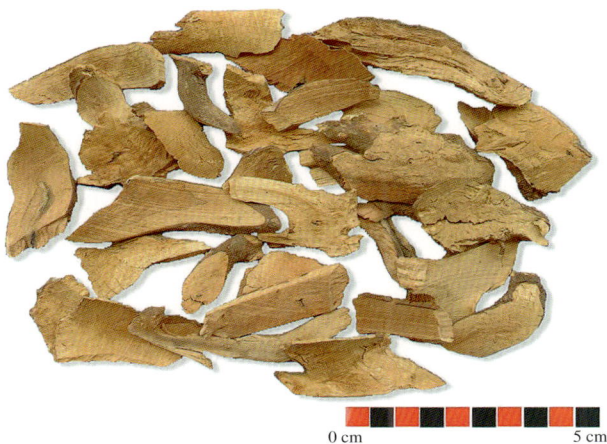

图4 黄杜鹃根饮片

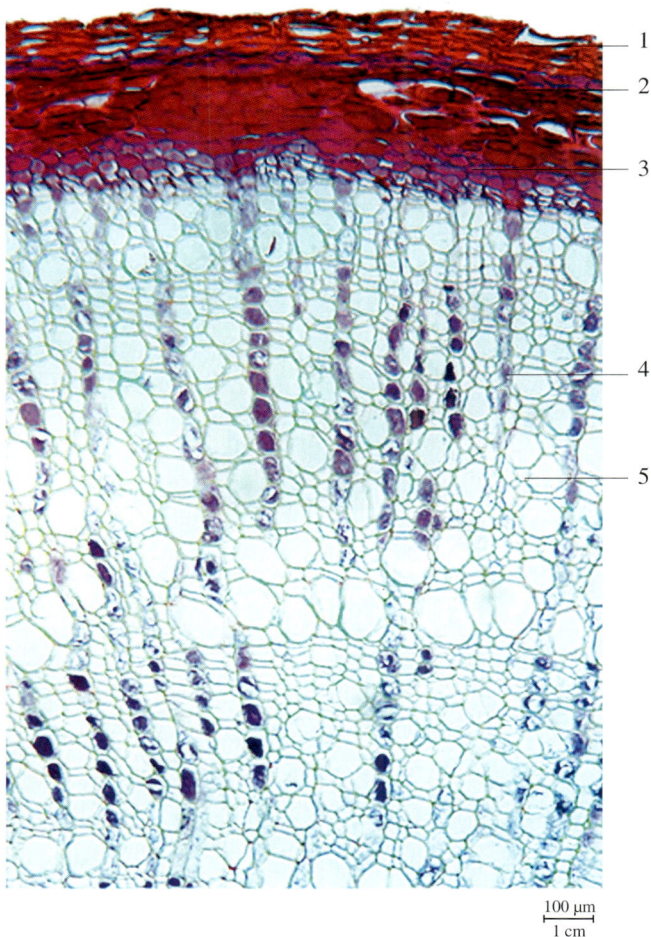

图5 黄杜鹃根横切面显微全貌图

1. 木栓层　　2. 皮层　　3. 韧皮部

4. 木射线　　5. 木质部

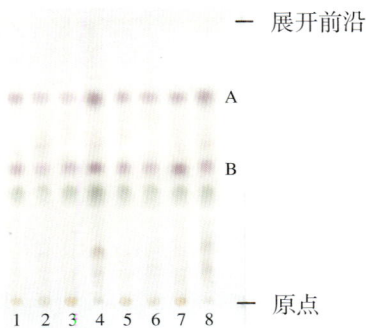

图6　黄杜鹃根样品TLC图

1. HDJG-1（对照药材）　2. HDJG-7　3. HDJG-4　4. HDJG-2
5. HDJG-5　　　　　6. HDJG-6　7. HDJG-8　8. HDJG-3
A. 紫红色斑点　　　　　B. 紫红色斑点

色谱条件：硅胶G薄层预制板，生产厂家：青岛海洋化工厂，批号：20111008，规格：10 cm×20 cm

圆点状点样，点样量：5 μl；温度：30 ℃；相对湿度：60RH%

展开剂：三氯甲烷-丙酮-甲醇（7：1：1.5）

显色剂：10%硫酸乙醇溶液，在105 ℃加热至斑点显色清晰

a：Rf=0.47（红色斑点）　b：Rf=0.71（红色斑点）

【检查】　水分　照水分测定法（中国药典2010年版一部附录Ⅸ H第一法）测定。

对本品8批样品进行水分测定，结果见表2，据最高值、最低值及平均值，并考虑该药材为南方所产，而南方气候较为湿润，因此，将本品水分拟定为不得过15.0%。

表2　黄杜鹃根样品水分测定结果一览表

样品	水分均值（%）	样品	水分均值（%）
HDJG-1	11.0	HDJG-5	11.5
HDJG-2	11.7	HDJG-6	9.3
HDJG-3	9.6	HDJG-7	10.9
HDJG-4	12.2	HDJG-8	12.5
HDJG-1-FH	8.9	HDJG-3-FH	8.7
HDJG-2-FH	9.2		

总灰分　照灰分测定法（中国药典2010年版一部附录Ⅸ K）测定。

对本品8批样品进行总灰分测定，结果见表3，据最高值、最低值及平均值，将本品总灰分拟定为不得过6.5%。

表3　黄杜鹃根样品总灰分测定结果一览表

样品	总灰分（%）	样品	总灰分（%）
HDJG-1	6.5	HDJG-5	2.5
HDJG-2	2.0	HDJG-6	3.1
HDJG-3	1.4	HDJG-7	3.6
HDJG-4	2.3	HDJG-8	5.7
HDJG-1-FH	1.2	HDJG-3-FH	1.4
HDJG-2-FH	1.2		

《广西壮族自治区壮药质量标准第二卷（2011年版）》注释

【浸出物】 本品临床应用为水煎，故选择热浸法。照水溶性浸出物测定法（中国药典2010年版一部附录Ⅹ A）项下的热浸法测定。

对本品8批样品进行浸出物含量测定，结果见表4，据最高值、最低值及平均值，将本品浸出物含量拟定为不得少于5.0%。

表4 黄杜鹃根样品水溶性浸出物（热浸法）测定结果一览表

样品	浸出物均值（%）	样品	浸出物均值（%）
HDJG–1	9.8	HDJG–5	9.2
HDJG–2	6.2	HDJG–6	8.6
HDJG–3	11.8	HDJG–7	6.9
HDJG–4	7.3	HDJG–8	11.1
HDJG–1–FH	10.6	HDJG–3–FH	10.7
HDJG–2–FH	9.3		

参考文献

[1]明·李时珍. 本草纲目：校点本上册［M］. 北京：人民卫生出版社，1982：1212.

[2]［4］广西植物研究所. 广西植物名录：第二册 双子叶植物［M］. 北京：中华书局，1971：505.

[3]江苏新医学院. 中药大辞典：上册［M］. 上海：上海人民出版社，1977：1959.

[5]广西壮族自治区卫生局. 广西本草选编：下册［M］. 南宁：广西人民出版社，1975：1728.

[6]《全国中草药汇编》编写组. 全国中草药汇编：上册［M］. 北京：人民卫生出版社，1975：472.

[7]郭信芳，李弢. 薄层扫描法测定不同季节采集羊踯躅根中八厘麻毒素的含量［J］. 时珍国药研究，1994，5（1）：16–17.

[8]刘建社，熊京，朱忠华，等. 羊踯躅根对慢性肾小球肾炎大鼠核因子κB表达的影响［J］. 中华肾脏病杂志，2005，21（11）：696–697.

[9]熊密，罗永焱. 羊踯躅根治疗慢性肾小球肾炎的实验及临床研究［J］. 同济医科大学学报，1990，19（3）：198–201.

[10]曾凡波，孙仁荣，曲燕华，等. 羊踯躅根药理作用研究［J］. 中国中西医结合杂志，1995（SI）：312.

[11]张长弓，向彦妮，邓冬青，等. 羊踯躅根乙酸乙酯提取物的药理作用［J］. 医药导报，2004，23（12）：893–895.

药学编著： 赖茂祥 屈信成 黄云峰

药学审校： 广西壮族自治区食品药品检验所

假蒟　　碰办

Jiaju　　Byaekbat

PIPERIS SARMENTOSI HERBA

【概述】 假蒟，俗名假蒌、蛤蒌、巴岩香、青蒌等。[1]其药用始见于清·何谏《生草药性备要》。其后萧步丹的《岭南采药录》、《南宁药物志》、《陆川本草》等均有记载。收入《广西中药材标准》（1990年版）及中国药典2010年版一部附录Ⅳ中。此外，《全国中草药汇编》、《中药志》、《中华本草》等大型辞书中对其药用价值、原植物、地理分布、产销情况等亦有简要记述。同时，假蒟又是一种多民族使用的民间草药，壮、瑶、傣、侗、黎等多个民族的民间药书中都有记载。[2]该植物主要分布于福建、广东、广西、云南、贵州及西藏等地的树林或村旁湿润处，也有栽培。[3]广西主产于防城、凌云、岑溪、贵港、博白、金秀等县市[4]，不仅为广西常用的民间草药、成药生产的原料药，也是大众喜爱的鲜食调料。

【来源】 本品为胡椒科植物假蒟*Piper sarmentosum* Roxb. 的干燥地上部分。

假蒟为多年生匍匐草本植物，揉之有香气。茎节膨大，常生不定根。小枝近直立，无毛或幼时被极细的粉状短柔毛。叶互生，阔卵形或近圆形，长7~14 cm，宽6~13 cm，顶端短尖，基部心形或稀有截平，背面沿脉上被极细的粉状短柔毛；叶脉7条，最上1对离基部1~2 cm从中脉发出，弯拱上升至叶片顶部与中脉汇合，最外1对有时近基部分枝，网状脉明显；叶柄长2~5 cm，被极细的粉状短柔毛；叶鞘长约为叶柄的一半。花单性，雌雄异株，聚集成与叶对生的穗状花序。雄花序长1.5~2 cm，直径2~3 mm；雄蕊2枚，花药近球形，2裂，花丝长为花药的2倍。雌花序长6~8 mm，于果期稍延长；柱头4裂，稀有3裂或5裂，被微柔毛。浆果近球形，具4角棱，无毛，直径2.5~3 mm，基部嵌生于花序轴中并与其合生。花期4~11月。[5]

假蒟为草本植物，历来均以地上部分入药，故将其药用部位定为地上部分。该药全年可采，鲜用或切段晒干。[6]

起草样品收集情况：共收集到样品14批，详细信息见表1、图1、图2。

表1　假蒟样品信息一览表

编号	原编号	药用部位	产地/采集地点/批号	样品状态
JJ-1	南宁野生201008	全草	南宁市（野生）	药材
JJ-2	南宁野生201011	全草	南宁市（野生）	药材
JJ-3	吴圩201010	全草	南宁吴圩镇（野生）	药材
JJ-4	吴圩201103	全草	南宁吴圩镇（野生）	药材
JJ-5	南宁栽培201007	全草	南宁市（栽培）	药材
JJ-6	武鸣201010	全草	武鸣县（野生）	药材
JJ-7	腾翔201105	全草	武鸣县腾翔镇（野生）	药材
JJ-8	玉林北流201011	全草	玉林北流市（野生）	药材

续表

编号	原编号	药用部位	产地/采集地点/批号	样品状态
JJ-9	梧州201102	全草	梧州市（野生）	药材
JJ-10	百色田阳201102	全草	百色市田阳县（野生）	药材
JJ-11	贵港201104	全草	贵港市（野生）	药材
JJ-12	崇左天等201102	全草	崇左市天等县（野生）	药材
JJ-13	来宾201104	全草	来宾市（野生）	药材
JJ-14	钦州201102	全草	钦州市（野生）	药材

　　备注：假蒟样品JJ-1经鉴定，结果确定为胡椒科植物假蒟，实验中以该样品作为假蒟的对照药材与其他样品进行对比。完成样品收集后，将所有14份样品（约300 g）进行粉碎处理，并统一过40目筛，备用。

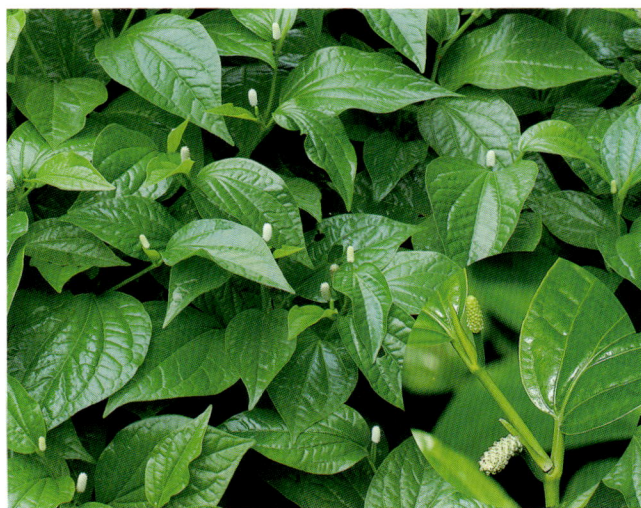

图1　假蒟原植物

图2　假蒟标本

【化学成分】　假蒟中含有糖、多糖、苷类、有机酸、酚类和鞣质、生物碱、黄酮、香豆素和内酯、植物甾醇和三萜、挥发油及油脂类成分。[7]假蒟挥发油含量较高，挥发油主要成分有□-细辛脑、□-可巴烯、8-甲基-2-亚甲基-（1-甲基乙烯基）-双环［5，3，0］癸烷、2-亚甲基-4，8，8-三甲基-4-乙烯基-环［5，2，0］壬烷、葎草烯、反式-甲基异丁香酚、□-蛇床烯、桉双烯、□-荜橙茄烯、反式-橙花叔醇、反式-异榄香脂素、2-□-蒎烯、顺-石竹烯、反-石竹烯、□-愈疮木烯、A-蛇床烯、□-杜松烯、4-（2-丙烯基），1，2-二甲氧基苯、橙花叔醇、1，2-二甲氧基-4-（1-丙烯基）苯、4-甲氧基-6-（2-丙烯基），1，3-苯并二恶茂、细辛脑、1，2，4-三甲氧基-5-Z-丙烯基苯、芹菜脑、2，4，5-三甲氧基-1-丙烯基苯、植醇、棕榈酸等。其中□-细辛脑（□-asarone）的含量高达40.33%。[8，9]

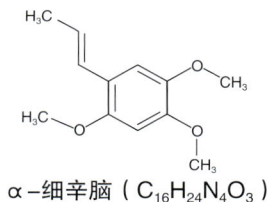

α-细辛脑（$C_{16}H_{24}N_4O_3$）

【药理与临床】 假蒟具有温中散寒、祛风利湿、消肿止痛之功，岭南地区的中医或少数民族民间医生常用于治疗胃腹寒痛、风寒咳嗽、水肿、痢疾、牙痛、风湿骨痛、跌打损伤等症。据文献记载[10]，假蒟全株水提物灌胃可降低正常大鼠和链脲菌素诱导的糖尿病大鼠的血糖。假蒟叶甲醇提取物在大鼠膈神经-半隔膜实验中有阻滞神经肌肉接点的神经肌肉效应，这可能与抑制神经递质乙酰胆碱在终板前释放有关。假蒟体内外均有一定的抗疟作用。其脂溶性部分对血小板活化因子诱导的兔血小板的聚集有抑制作用。研究表明，假蒟具有抑菌、杀虫的作用。[11-15]钟耀怀等[16]采用假蒟配伍旱莲草、岗稔根、刺苋菜根治疗溃疡病出血210例，一周内止血者占92%，收到良好疗效。

【性状】 本品茎呈圆柱形，稍弯曲，表面有细纵棱，节上有不定根。叶多皱缩，展开后呈阔卵形或近圆形，长6~14 cm，宽5~13 cm；基部浅心形，上面棕绿色，下面灰绿色，有细腺点；7条叶脉于叶背突出，脉上有极细小的粉状短柔毛；叶柄长2~5 cm，叶鞘长为叶柄的一半；有时可见与叶对生的穗状花序。气香，味辛辣。

本品主要鉴别特征为叶多皱缩，展开后背面有7条叶脉，揉搓具有明显的气香和辛辣味，详见图3。

【鉴别】 假蒟全草的显微结构研究已有报道[17]，通过对多地采集的标本进行对比研究，结果一致。

（1）本品茎横切面：表皮细胞1列，略呈类圆形，排列紧密，外被角质层；非腺毛由1~2个细胞组成。皮层较宽，靠表皮内侧有数列厚角组织断续呈环，可见纤维单个或多个成群散在。中柱维管束20~25个，环列；韧皮部较窄，外侧有半月形纤维束；形成层不明显；木质部较宽，导管2~4列，径向排列；环髓纤维4~6层连成环状。髓部宽广，约占茎的3/4，髓中维管束5~7个，排成1环，内外两侧可见纤维群；石细胞偶见，壁较薄。髓中央有1分泌道，直径245~460 μm，可见棕黄色油滴。皮层、髓部均有油细胞散在。薄层细胞中含有细小淀粉粒。

粉末呈灰绿色。油细胞类圆形，内含油滴，直径23~38 μm。非腺毛由1~2个细胞组成，长42~87 μm。纤维束多见，直径10~21 μm。

显微鉴别要点：茎的髓部可见环髓纤维、异常维管束及分泌道，油细胞随处可见，详见图4、图5、图6。

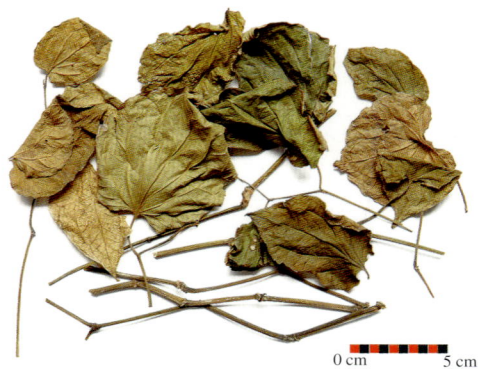

图3　假蒟药材

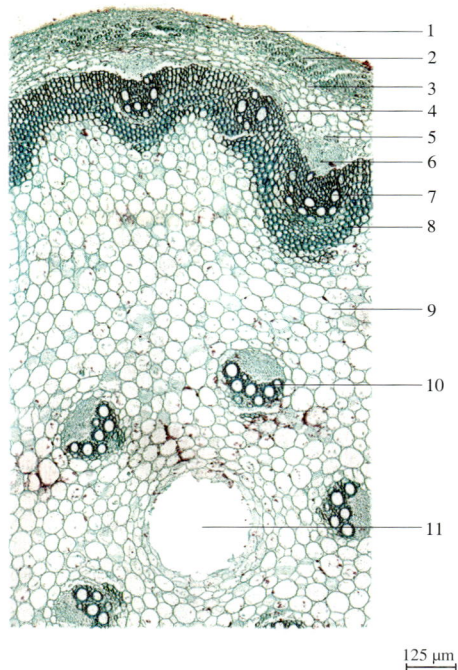

图4　假蒟茎横切面显微全貌图

1. 表皮	2. 厚角组织	3. 皮层
4. 内皮层	5. 中柱鞘纤维	6. 韧皮部
7. 木质部	8. 环髓纤维	9. 髓部
10. 髓中维管束		11. 分泌道

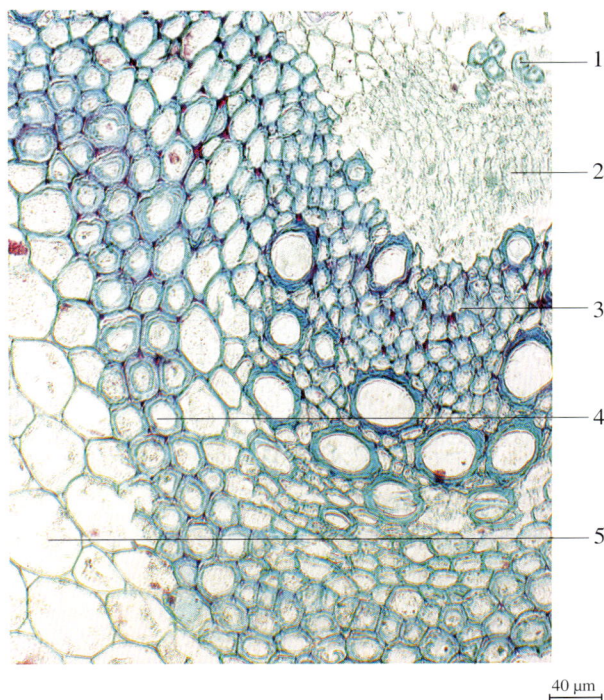

图5　假蒟茎横切面显微放大图
1. 中柱鞘纤维　2. 韧皮部　3. 木质部
4. 环髓纤维　　5. 髓部

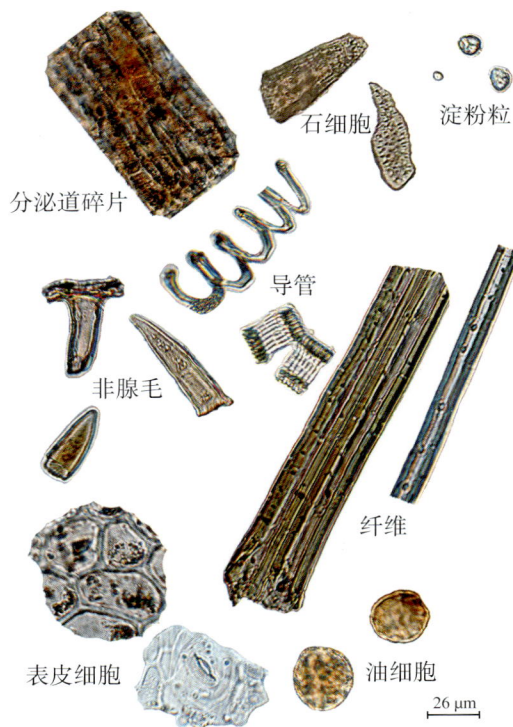

图6　假蒟粉末特征图

【检查】　水分　照水分测定法（中国药典2010年版一部附录Ⅸ H第二法）测定。

对本品14批样品进行水分测定，结果见表2，据最高值、最低值及平均值，并考虑到该药材为南方所产，而南方气候较为湿润，因此，将本品水分拟定为不得过13.0%。

表2　假蒟样品水分测定结果一览表

样品	水分均值（%）	样品	水分均值（%）
JJ-1	10.2	JJ-8	11.7
JJ-2	9.8	JJ-9	11.5
JJ-3	9.9	JJ-10	12.0
JJ-4	11.8	JJ-11	11.7
JJ-5	10.3	JJ-12	11.7
JJ-6	10.5	JJ-13	8.1
JJ-7	10.3	JJ-14	10.4
JJ-2-FH	11.4	JJ-12-FH	12.8
JJ-10-FH	10.4		

总灰分　照灰分测定法（中国药典2010年版一部附录Ⅸ K）测定。

对本品14批样品进行总灰分测定，结果见表3，据最高值、最低值及平均值，将本品总灰分拟定为不得过17.0%。

表3　假蒟样品总灰分测定结果一览表

样品	总灰分（%）	样品	总灰分（%）
JJ-1	12.3	JJ-8	12.1
JJ-2	11.9	JJ-9	12.2
JJ-3	15.1	JJ-10	14.6
JJ-4	11.5	JJ-11	11.0
JJ-5	14.6	JJ-12	15.9
JJ-6	16.0	JJ-13	12.2
JJ-7	13.3	JJ-14	13.8
JJ-2-FH	14.9	JJ-12-FH	14.6
JJ-10-FH	16.3		

酸不溶性灰分　照灰分测定法（中国药典2010年版一部附录Ⅸ K）测定。

对本品14批样品进行酸不溶性灰分测定，结果见表4，据最高值、最低值及平均值，将本品酸不溶性灰分拟定为不得过3.7%。

表4　假蒟样品酸不溶性灰分测定结果一览表

样品	酸不溶性灰分（%）	样品	酸不溶性灰分（%）
JJ-1	1.4	JJ-8	1.7
JJ-2	1.7	JJ-9	0.8
JJ-3	1.5	JJ-10	1.7
JJ-4	0.5	JJ-11	0.4
JJ-5	1.2	JJ-12	2.6
JJ-6	1.9	JJ-13	0.8
JJ-7	0.6	JJ-14	0.9
JJ-2-FH	1.0	JJ-12-FH	1.4
JJ-10-FH	2.1		

【浸出物】　传统中药提取常采用水煎煮的方法，而假蒟中的活性成分主要为α-细辛脑[18, 19]，该成分为脂溶性成分，因此，对比了水及三种不同浓度的乙醇（稀乙醇、75%乙醇、乙醇）作为提取溶剂的提取效果，热浸法和冷浸法对比实验结果均表明，以水为提取溶剂浸出物含量较高，提取效果较佳。水溶性浸出物热浸法含量高于冷浸法，但以水为溶剂采用热浸法操作加热过程不好控制，故采用冷浸法。照水溶性浸出物测定法（中国药典2010年版一部附录Ⅹ A）项下的冷浸法，对本品14批样品进行浸出物含量测定，结果见表5，据最高值、最低值及平均值，将本品浸出物含量拟定为不得少于15.0%。

表5　假蒟样品浸出物测定结果一览表

样品	浸出物均值（%）	样品	浸出物均值（%）
JJ-1	22.0	JJ-8	26.5
JJ-2	25.3	JJ-9	23.2
JJ-3	20.2	JJ-10	23.0
JJ-4	22.3	JJ-11	23.5
JJ-5	22.0	JJ-12	18.6
JJ-6	22.7	JJ-13	24.3

续表

样品	浸出物均值（%）	样品	浸出物均值（%）
JJ-7	22.3	JJ-14	20.2
JJ-2-FH	21.2	JJ-12-FH	24.9
JJ-10-FH	23.1		

参考文献

[1][3][5][6][10]国家中医药管理局《中华本草》编委会. 中华本草：第3册[M]. 上海：上海科学技术出版社，1999：445-446.

[2]贾敏如，李星炜. 中国民族药志要[M]. 北京：中国医药科技出版社，2005：467.

[4]梁启成，钟鸣. 中国壮药学[M]. 南宁：广西民族出版社，2005：312.

[7]马雯芳，余娇，蔡毅，等. 壮药假蒟的质量标准研究[J]. 广西中医药，2012，35（2）：59-61.

[8][18]蔡毅，董栋，么春艳，等. GC-MS分析广西产4种栽培胡椒属植物叶中的挥发油成分[J]. 华西药学杂志，2010，25（6）：641-644.

[9][19]宋艳平，徐明忠，梁勇. 假蒟挥发油化学成分气质联用分析研究[J]. 分析试验室，2006，25（1）：24-28.

[11]张方平，王帮，毕仁军，等. 假蒟提取物对皮氏叶螨的生物活性测定[J]. 热带作物学报，2009，30（6）：851-855.

[12]孙丹，刘业平，张世瑞，等. 假蒟和草胡椒提取物对植物病原菌的抑制作用初探[J]. 广东农业科学，2008（8）：95-96.

[13]毕仁军，韩冬银，李敏，等. 2%假蒟微乳剂对几种病、虫的毒力测定[J]. 热带农业工程，2009，33（2）：7-10.

[14]袁宏球，孙丹，张世瑞. 假蒟甲醇提取物的抑制真菌作用[J]. 安徽农业科学，2009，37（17）：8044-8045.

[15]钟宝珠，吕朝军，韩超文，等. 几种植物乙醇提取物对螺旋粉虱的生物活性[J]. 热带作物学报，2009，30（7）：1009-1012.

[16]钟耀怀，凌利霞. 复方旱莲汤治疗溃疡病出血210例[J]. 广后医学资料，1985（1）：27-28.

[17]蔡毅，姜建萍，苏建群，等. 假蒟的生药学鉴别[J]. 中国中药杂志，2006，31（5）：434-436.

药学编著： 蔡 毅　朱 华　马雯芳
药学审校： 广西壮族自治区食品药品检验所

假鹰爪　　　棵漏挪

Jiayingzhua　　　　Golaeujndo

DESMODIS CHINENSIS FOLIUM

【概述】　假鹰爪，俗名假酒饼叶、鸡爪风、鸡爪香、鸡爪珠、五爪龙等。其药用始见于《岭南采药录》。《广西药用植物名录》、《广西本草选编》、《全国中草药汇编》、《中国壮药学》、《常用壮药临床手册》、《中国壮药志》、《中药大辞典》、《中华本草》、《中国壮医学》等大型辞书中对其药用价值、原植物、地理分布、产销情况等亦有简要记述。假鹰爪原植物分布于广东、海南、贵州、云南等省（区）的丘陵山坡、林缘灌木丛中或低海拔荒野、路边以及山谷、沟边等地。[1]

【来源】　本品为番荔枝科植物假鹰爪 *Desmos chinensis* Lour. 的叶。

假鹰爪为直立或攀援灌木，有时上枝蔓延，除花外，全株无毛；枝皮粗糙，有纵条纹，有灰白色凸起的皮孔。叶薄纸质或膜质，长圆形或椭圆形，少数为阔卵形，长4~13 cm，宽2~5 cm，顶端钝或急尖，基部圆形或稍偏斜，上面有光泽，下面粉绿色。花黄白色，单朵与叶对生或互生；花梗长2~5.5 cm，无毛；萼片卵圆形，长3~5 mm，外面被微柔毛，外轮花瓣比内轮花瓣大，长圆形或长圆状披针形，长达9 cm，宽达2 cm，顶端钝，两面被微柔毛，内轮花瓣长圆状披针形，长达7 cm，宽达1.5 cm，两面被微毛，花托凸起，顶端平坦或略凹陷；雄蕊长圆形，药隔顶端截形；心皮长圆形，长1~1.5 mm，被长柔毛，柱头近头状，向外弯，顶端2裂。果有柄，念珠状，长2~5 cm，内有种子1~7颗；种子球状，直径约5 mm。花期夏至冬季，果期6月至翌年春季。[2]

假鹰爪以叶入药，夏、秋季采收，晒干。

起草样品收集情况：共收集到样品10批，详细信息见表1、图1、图2。

表1　假鹰爪样品信息一览表

编号	原编号	药用部位	产地/采集地点/批号	样品状态
JYZ-1	20110225	叶	南宁高峰林场	药材
JYZ-2	20110625	叶	南宁市老虎岭	药材
JYZ-3	20110305	叶	扶绥县东罗镇	药材
JYZ-4	20110218	叶	钦州市大寺镇	药材
JYZ-5	20110705	叶	武鸣县大明山	药材
JYZ-6	20110310	叶	隆安县南圩镇	药材
JYZ-7	20110402	叶	桂平市金田镇	药材
JYZ-8	20101105	叶	邕宁区四塘镇	药材
JYZ-9	20110512	叶	上思县思阳镇	药材
JYZ-10	20101005	叶	贵港市大圩镇	药材

备注：假鹰爪样品JYZ-5同时制成腊叶标本，经鉴定，结果确定其为番荔枝科植物假鹰爪，实验中以该样品作为假鹰爪的对照药材与其他样品进行对比。完成样品收集后，将所有10批样品（约300 g）进行粉碎处理，并统一过24目筛，备用。

《广西壮族自治区壮药质量标准第二卷（2011年版）》注释

图1 假鹰爪原植物

图2 假鹰爪标本

【化学成分】 假鹰爪叶含黄酮类化合物，有（2R，3R）5，7，3，4′-四羟基二氢黄酮醇-3-O-□-L-吡喃鼠李糖苷即落新妇苷（astilbin），5，7-二羟基色原酮-3-O-□-L-吡喃鼠李糖苷（eucryphin），茅宁黄酮（mosloflavone），黄芩素-7-甲醚（negletein）。[3]

茎皮含假鹰爪素A（cochinine A），去甲氧基马特西（desmethoxymatteucinol），黄芩素-7-甲醚（negletein），5，7-二羟基-6-甲酰基-6-甲基双氢黄酮（lawinal）。[4]

根中含5，7-二羟基-6-甲酰基-8-甲基黄酮（isounonal）和4，7-二羟基-5-甲氧基-6-甲基-8-甲酰基黄烷（4，7-dihydroxy-5-methoxy-6-methyl-8-formylflavane），5，7-二羟基-8-甲酰基-6-甲基黄酮（unonal），5，7-二羟基-6，8-二甲基双氢黄酮（desmethoxymatteucinol），谷甾醇（β-sitosterol），5-羟基-7-甲氧基-6，8-二甲基双氢黄酮（5-hydroxy-7-methoxy-6，8-dimethylflavanone）。[5]

【药理与临床】 未见有药理方面的研究报道。

【性状】 本品叶薄纸质，稍卷曲或破碎，灰绿色至灰黄色。展开的完整叶片呈长圆形至椭圆形，长4~13 cm，宽2~5 cm，顶端钝或急尖，基部圆形或稍偏斜，全缘；叶柄长约5 mm。质脆。气微，味苦。

本品主要鉴别特征为叶薄纸质，基部圆形或稍偏斜，详见图3。

【鉴别】 （1）本品叶横切面：上表皮细胞1列，细胞长方形、类方形或类圆形，可见大型细胞，内含草酸钙簇晶或方晶。中脉上表皮下方有纤维束散在；下表皮细胞1列，细胞较小，多呈类圆形。栅栏组织1~2列，不通过

图3 假鹰爪药材

中脉；海绵组织排列疏松，常含草酸钙簇晶。分泌细胞类圆形，分布于主脉薄壁细胞和叶肉组织中，较周围的薄壁细胞大，有的内含草酸钙簇晶。中脉维管束微心形，由1~3列纤维包围。中间具髓部。

显微鉴别要点：中脉维管束微心形，由1~3列纤维包围，详见图4。

（2）取本品粉末1 g，加乙醇10 ml，加热回流提取1小时，滤过，滤液作为供试品溶液。另取假鹰爪对照药材粉末1 g，照供试品溶液的制备方法制备对照药材溶液。照薄层色谱法（中国药典2010年版一部附录Ⅵ B）试验，吸取上述两种溶液各2 μl，分别点于同一硅胶GF254薄层板上，以环己烷-三氯甲烷-乙酸乙酯-甲酸（20：5：8：1）为展开剂，展开，晾干，喷以10%硫酸乙醇溶液，在105 ℃加热至斑点显色清晰，日光下检视。供试品色谱

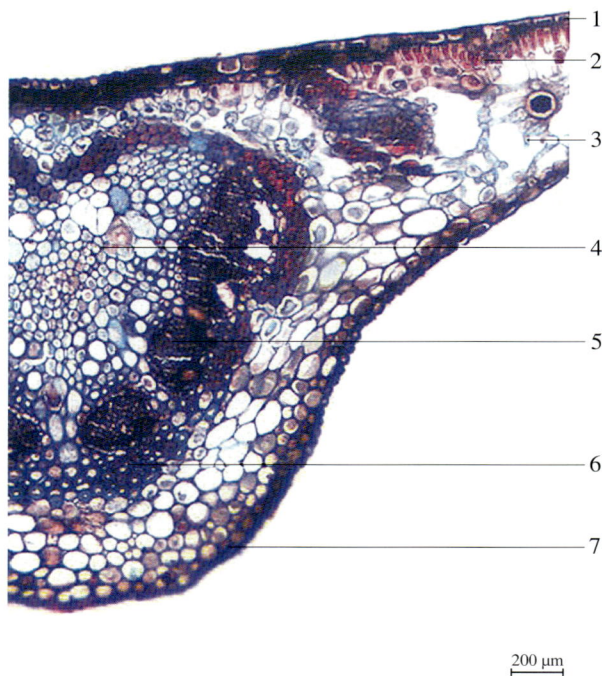

图4　假鹰爪叶横切面显微全貌图

1. 上表皮　2. 栅栏组织　3. 海绵组织　4. 髓部
5. 维管束　6. 纤维束鞘　7. 下表皮

中，在与对照药材色谱相应的位置上，显相同颜色的斑点。10批样品按本法检验，均符合规定，且薄层色谱分离效果好，斑点圆整清晰，比移值适中，重现性好。详见图5。

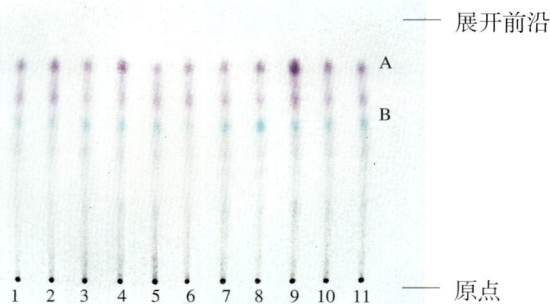

图5　假鹰爪样品TLC图

1. 对照药材　2. JYZ-1　3. JYZ-2　4. JYZ-3　5. JYZ-4
6. JYZ-5　7. JYZ-6　8. JYZ-7　9. JYZ-8　10. JYZ-9
11. JYZ-10　A、B. 紫红色斑点

色谱条件： 硅胶GF254薄层自制板，规格：10 cm×20 cm
圆点状点样，点样量：2 μl；温度：31.5 ℃；相对湿度：82RH%
展开剂：环己烷-三氯甲烷-乙酸乙酯-甲酸（20：5：8：1）

【检查】　水分　照水分测定法（中国药典2010年版一部附录Ⅸ H第一法）测定。

对本品10批样品进行水分测定，结果见表2，据最高值、最低值及平均值，并考虑到该药材为南方所产，而南方气候较为湿润，因此，将本品水分拟定为不得过15.0%。

表2 假鹰爪样品水分测定结果一览表

样品	水分均值（%）	样品	水分均值（%）
JYZ–1	10.3	JYZ–6	10.6
JYZ–2	10.5	JYZ–7	8.8
JYZ–3	10.9	JYZ–8	13.4
JYZ–4	12.2	JYZ–9	12.1
JYZ–5	9.8	JYZ–10	11.1
JYZ–3–FH	9.9	JYZ–7–FH	8.7
JYZ–6–FH	9.1		

总灰分 照灰分测定法（中国药典2010年版一部附录Ⅸ K）测定。

对本品10批样品进行总灰分测定，结果见表3，据最高值、最低值及平均值，将本品总灰分拟定为不得过7.5%。

表3 假鹰爪样品总灰分测定结果一览表

样品	总灰分（%）	样品	总灰分（%）
JYZ–1	5.8	JYZ–6	5.1
JYZ–2	5.3	JYZ–7	5.3
JYZ–3	6.1	JYZ–8	6.2
JYZ–4	5.3	JYZ–9	5.5
JYZ–5	5.5	JYZ–10	5.3
JYZ–3–FH	6.3	JYZ–7–FH	5.2
JYZ–6–FH	5.4		

酸不溶性灰分 照灰分测定法（中国药典2010年版一部附录Ⅸ K）测定。

对本品10批样品进行酸不溶性灰分测定，结果见表4，据最高值、最低值及平均值，将本品酸不溶性灰分拟定为不得过0.55%。

表4 假鹰爪样品酸不溶性灰分测定结果一览表

样品	酸不溶性灰分（%）	样品	酸不溶性灰分（%）
JYZ–1	0.22	JYZ–6	0.19
JYZ–2	0.32	JYZ–7	0.19
JYZ–3	0.23	JYZ–8	0.25
JYZ–4	0.26	JYZ–9	0.20
JYZ–5	0.16	JYZ–10	0.33
JYZ–3–FH	0.36	JYZ–7–FH	0.06
JYZ–6–FH	0.46		

【浸出物】 照醇溶性浸出物测定法（中国药典2010年版一部附录Ⅹ A）项下的热浸法测定。

对本品10批样品进行浸出物含量测定，结果见表5，据最高值、最低值及平均值，将本品浸出物含量拟定为不得少于11.0%。

表5　假鹰爪样品浸出物测定结果一览表

样品	浸出物均值（%）	样品	浸出物均值（%）
JYZ-1	16.6	JYZ-6	16.7
JYZ-2	15.8	JYZ-7	16.3
JYZ-3	13.6	JYZ-8	11.3
JYZ-4	15.0	JYZ-9	13.3
JYZ-5	17.8	JYZ-10	17.1
JYZ-3-FH	32.0	JYZ-7-FH	36.6
JYZ-6-FH	36.7		

参考文献

[1]国家中医药管理局《中华本草》编委会. 中华本草 [M]. 上海：上海科学技术出版社，1999：5（总1589）.

[2]中国科学院中国植物志编辑委员会. 中国植物志：第三十卷第二分册 [M]. 北京：科学出版社，1995：50-51.

[3]施敏锋，潘勤，闵知大. 假鹰爪叶的化学成分研究 [J]. 中国药科大学学报，2003，34（6）：503-505.

[4]郝小燕，商立坚，郝小江. 假鹰爪的黄酮成分研究 [J]. 云南植物研究，1993，15（3）：295-298.

[5]吴久鸿，廖时萱，梁华清，等. 假鹰爪根中黄酮成分的分离鉴定 [J]. 药学学报，1994，29（8）：621-623.

药学编著： 刘华钢　韦松基　宁带连
药学审校： 广西壮族自治区食品药品检验所

猫豆　　督秒

Maodou　　　　Duhmeuz

MUCUNAE PRURIENIS SEMEN

【概述】　猫豆，俗名狗踭豆、白黎豆、猫爪豆、狗爪豆。《植物名实图考》载："龙爪豆产宁都州，叶大如掌，角长四五寸，豆圆扁如大指，土人熟以为饭。"据其形态，对照附图，应与本种相仿。猫豆分布于浙江、江西、湖北、湖南、广东、广西、四川、贵州、云南等省（区），野生或栽培，生于含腐殖质沙质壤土中。[1]猫豆在广西种植已具有一定规模，成为广西特色的药食两用资源和经济作物。广西龙州县有猫豆规范化种植基地。

【来源】　本品为豆科植物龙爪黎豆*Mucuna pruriens*（Linn.）DC.var. *utilis*（Wall.ex Wight）Baker.ex Burck的种子。

　　龙爪黎豆为一年生缠绕藤本。枝略被展开的疏柔毛。羽状复叶具3小叶；小叶长6~15 cm或过之，宽4.5~10 cm，长度少有超过宽度的一半，顶生小叶明显比侧生小叶小，卵圆形或长椭圆状卵形，基部菱形，先端具细尖头，侧生小叶极偏斜，斜卵形至卵状披针形，先端具细尖头，基部浅心形或近截形，两面均薄被白色疏毛；侧脉通常每边5条，近对生，凸起；小托叶线状，长4~5 mm；小叶柄长4~9 mm，密被长硬毛。总状花序下垂，长12~30 cm，有花10~20多朵；苞片小，线状披针形；花萼阔钟状，密被灰白色小柔毛和疏刺毛，上部裂片极阔，下部中间1枚裂片线状披针形，长约8 mm；花冠深紫色或带白色，常较短，旗瓣长1.6~1.8 cm，翼瓣长2~3.5 cm，龙骨瓣长2.8~3.5（~4）cm。荚果长8~12 cm，宽18~20 mm，嫩果膨胀，绿色，密被灰色或浅褐色短毛，成熟时稍扁，黑色，有隆起纵棱1~2条；种子6~8颗，长圆状，长约1.5 cm，宽约1 cm，厚5~6 mm，灰白色、淡黄褐色、浅橙色或黑色，有时带条纹或斑点，种脐长约7 mm，浅黄白色。花期10月，果期11月。[2]

　　猫豆以种子入药，秋季果实成熟时采收，打下种子，晒干。

　　起草样品收集情况：共收集到样品10批，详细信息见表1、图1、图2。

表1　猫豆样品信息一览表

编号	原编号	药用部位	产地/采集地点/批号	样品状态
MD-1	20110203	种子	邕宁区吴圩镇	药材
MD-2	20101211	种子	玉林市仁东镇	药材
MD-3	20110211	种子	东兰县兰东乡	药材
MD-4	20110104	种子	东兰县东兰镇	药材
MD-5	20101028	种子	武鸣县双桥镇	药材
MD-6	20101206	种子	藤县太平镇	药材
MD-7	20101211	种子	藤县平福乡	药材
MD-8	20110312	种子	荔浦县马岭镇	药材
MD-9	20101105	种子	贵港大圩镇	药材
MD-10	20101103	种子	容县黎村	药材

　　备注：猫豆样品MD-9同时制成腊叶标本，经鉴定，结果确定其为豆科植物猫豆，实验中以该样品作为猫豆的对照药材与其他样品进行对比。完成样品收集后，将所有10份样品（约300 g）进行粉碎处理，并统一过24目筛，备用。

壮药质量标准注释

图1　猫豆原植物

图2　猫豆标本

【化学成分】　本品含左旋多巴（L-dopa）、黎豆胺（stizolamine）、右旋-赤-新蝶呤（D-erythro-neopterin）、6-羟甲基蝶呤（6-hydroxymethylpterin）、异黄蝶呤（isoxanthopterin）[3]，还含生物碱以及多种氨基酸成分，包括7种游离氨基酸，18种水解氨基酸，其中以谷氨酸（glumatic acid）和天冬氨酸（aspartate）的含量为最高，其次为亮氨酸（leucine）、赖氨酸（lysine）。[4]

【性状】　本品呈扁椭圆形或肾形，长约1.4 cm，宽约1 cm，厚约6 mm。表面灰白色，微皱缩，略具光泽，边缘有白色种脐，长约6 mm，宽约1.5 mm，种脐上有类白色膜片状种阜残留。质坚硬。种皮薄而脆。气微，味淡，嚼之有豆腥气。

图3　猫豆药材

本品主要鉴别特征为表面灰白色，具光泽，边缘有白色种脐，详见图3。

【鉴别】　（1）本品粉末白色。淀粉粒大量存在，多为单粒，直径28~134 μm，贝壳形或椭圆形，脐点点状，层纹明显；脐点处常可见不规则裂缝。表皮细胞栅栏状，排列紧密，长110~285 μm，直径15~35 μm；顶面观蜂窝状，细胞为5~7边形，壁极厚。支持细胞哑铃形或骨状，常形成缢缩，长60~235 μm，直径25~80 μm；顶面观类圆形不规则状，壁厚，胞腔明显。子叶细胞多见，细胞多边形，含有大量糊粉粒及油滴；常可见散在的糊粉粒与油滴。

显微鉴别要点：粉末中淀粉粒大量存在，贝壳形或椭圆形；可见栅栏状表皮细胞及哑铃形或骨状支持细胞；子叶细胞含有糊粉粒及油滴。详见图4。

（2）取本品粉末2 g，加0.1 mol/L盐酸溶液20 ml，冷浸12小时，时时振摇，滤过，取续滤液作为供试品溶液。另取猫豆对照药材2 g，同法制成对照药材溶液。再取左旋多巴对照品，加0.1 mol/L盐酸制成每1 ml含0.6 mg的溶液，作为对照品溶液。照薄层色谱法（中国药典2010年版一部附录Ⅵ B）试验，吸取上述三种溶液各2μl，分别点于同一硅胶G薄层板上，以正丁醇–冰醋酸–水（2∶1∶1）为展开剂，展开，取出，晾干，喷以0.5%茚三酮乙醇溶液，在105 ℃加热至斑点显色清晰。供试品色谱中，在与对照品色谱相应的位置上，显相同颜色的斑点。10批样品按本法检验，均符合规定，且所得薄层色谱斑点清晰，分离较好，易判断结果，重现性好。

耐用性实验考察：对不同展开系统——环己烷–三氯甲烷–无水乙醇（7∶3∶1）、乙酸乙酯–丁酮–甲酸–水（5∶3∶1∶1）、正丁醇–冰醋酸–水（2∶1∶1）进行考察，对不同展开温度（25℃、32℃）、相对湿度（40RH%、70RH%）进行考察，对不同点样量（1 μl、2 μl、3 μl、5 μl）进行考察，结果均表明本法的耐用性良好，详见图5。

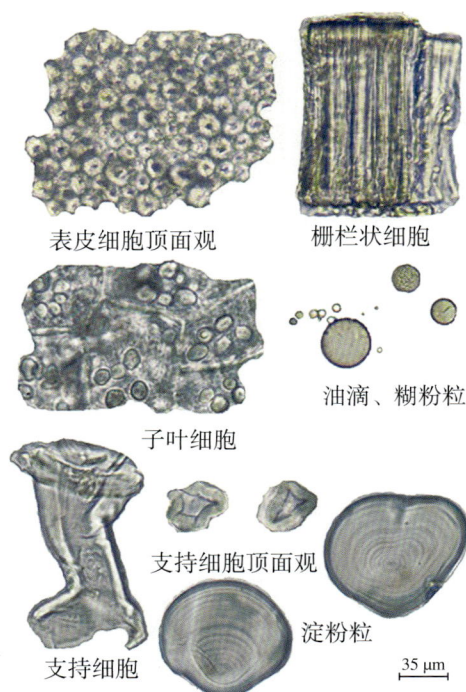

表皮细胞顶面观　栅栏状细胞

油滴、糊粉粒

子叶细胞

支持细胞顶面观

淀粉粒

支持细胞　　35 μm

图4　猫豆种子粉末显微图

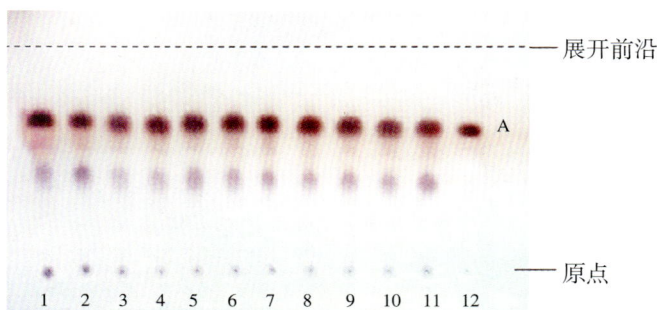

——展开前沿

A

——原点

1　2　3　4　5　6　7　8　9　10　11　12

图5　猫豆样品TLC图

1. MD–1　　2. MD–2　　3. MD–3　　4. MD–4
5. MD–5　　6. MD–6　　7. MD–7　　8. MD–8
9. MD–9　　10. MD–10　　11. 对照药材　　12. 左旋多巴对照品
A. 棕色斑点

色谱条件： 硅胶G薄层自制板，生产单位：青岛海洋化工有限公司，批号：20100616；黏合剂：0.5%羧甲基纤维素钠；厚度：0.5 mm；规格：10 cm×20 cm
圆点状点样，点样量：2 μl；温度：30 ℃；相对湿度：51RH%
展开剂：正丁醇–冰醋酸–水（2∶1∶1）
显色剂：0.5%茚三酮乙醇溶液，在105 ℃加热至斑点显色清晰

【检查】 **水分** 照水分测定法（中国药典2010年版一部附录ⅨH第一法）测定。

对本品10批样品进行水分测定，结果见表2，据最高值、最低值及平均值，并考虑到该药材为南方所产，而南方气候较为湿润，因此，将本品水分拟定为不得过15.0%。

表2 猫豆样品水分测定结果一览表

样品	水分均值（%）	样品	水分均值（%）
MD-1	12.4	MD-6	12.7
MD-2	12.2	MD-7	12.7
MD-3	12.2	MD-8	12.2
MD-4	12.1	MD-9	13.2
MD-5	13.0	MD-10	12.2
MD-1-FH	10.7	MD-6-FH	10.9
MD-5-FH	10.8		

总灰分 照灰分测定法（中国药典2010年版一部附录ⅨK）测定。

对本品10批样品进行总灰分测定，结果见表3，据最高值、最低值及平均值，将本品总灰分拟定为不得过4.0%。

表3 猫豆样品总灰分测定结果一览表

样品	总灰分（%）	样品	总灰分（%）
MD-1	2.7	MD-6	2.8
MD-2	2.8	MD-7	2.8
MD-3	2.7	MD-8	3.2
MD-4	2.7	MD-9	3.0
MD-5	2.7	MD-10	3.4
MD-1-FH	2.8	MD-6-FH	2.9
MD-5-FH	2.8		

酸不溶性灰分 照灰分测定法（中国药典2010年版一部附录ⅨK）测定。

对本品10批样品进行酸不溶性灰分测定，结果见表4，据最高值、最低值及平均值，将本品酸不溶性灰分拟定为不得过0.30%。

表4 猫豆样品酸不溶性灰分测定结果一览表

样品	酸不溶性灰分（%）	样品	酸不溶性灰分（%）
MD-1	0.15	MD-6	0.14
MD-2	0.16	MD-7	0.20
MD-3	0.16	MD-8	0.22
MD-4	0.18	MD-9	0.22
MD-5	0.15	MD-10	0.19
MD-1-FH	0.09	MD-6-FH	0.11
MD-5-FH	0.06		

【浸出物】 根据文献报道[5]，猫豆中的活性成分为左旋多巴。加热提取一方面有利于化学成分的溶出，另一方面又节省了实验时间，经研究最终确定采用热浸法来进行实验。实验之初对比了水、乙醇、稀乙醇作为提取溶剂的提取效果，对比实验结果表明，水提取

效果较稀乙醇的提取效果更优（以MD-1为供试品，后者浸出物含量为13.89%，前者浸出物含量为16.87%），最终确定以水为提取溶剂。照水溶性浸出物测定法（中国药典2010年版一部附录Ⅹ A）项下的热浸法测定，对本品10批样品进行浸出物含量测定，结果见表5，据最高值、最低值及平均值，将本品浸出物含量拟定为不得少于25.0%。

表5　猫豆样品浸出物测定结果一览表

样品	浸出物均值（%）	样品	浸出物均值（%）
MD-1	35.9	MD-6	36.6
MD-2	36.7	MD-7	35.7
MD-3	35.2	MD-8	29.8
MD-4	35.9	MD-9	26.5
MD-5	33.8	MD-10	35.2
MD-1-FH	31.4	MD-6-FH	31.5
MD-5-FH	33.7		

【含量测定】　据文献报道[6]，本药材中含有左旋多巴，采用高效液相色谱法，对本品中左旋多巴进行含量测定。

1. 仪器与试剂

仪器：日本岛津LC-10AT型高效液相色谱仪、岛津SPD-10 Avp紫外检测器、SB2200-T型超声仪、GB11240-89型电热恒温水浴锅、Metler AM100型电子分析天平、Sartorius BT125D电子天平、Millipore simplicity-185超纯水器（美国密理博公司）。

试剂：水（超纯水）、乙腈（天津市四友生物医学技术有限公司；色谱纯）、甲醇（天津康巢科技开发有限公司；色谱纯）、冰醋酸（成都科龙化工试剂厂；分析纯）、磷酸（西陇化工股份有限公司；色谱纯）。

2. 对照品

左旋多巴为中国药品生物制剂品检定所提供，批号：0170-9302，供含量测定用。

3. 方法学考察

3.1 对照品溶液的制备

精密称取左旋多巴对照品5.08 mg，加0.1 mol/L盐酸溶解制成每1 ml含0.508 mg的对照品溶液。

3.2 提取溶剂的考察

考虑到含量测定的指标成分为左旋多巴，根据文献报道，选用0.1 mol/L盐酸溶液作为提取溶剂，将提取液进行HPLC分析，发现提取液较纯，杂质干扰少，较好分离，且溶剂便宜经济，毒性小，故选择0.1 mol/L盐酸作为提取溶剂。实验结果见表6。

表6　提取溶剂比较结果（批号：20101206）

溶剂	左旋多巴含量（%）
0.1 mol/L盐酸	5.26
乙醇	无法提取
甲醇	无法提取

3.3 提取方法的选择

根据文献报道对药材中左旋多巴含量测定方法以及上面提取溶剂的考察结果，采用0.1 mol/L盐酸作为提取溶剂。选用回流3小时和冷浸6小时进行比较，回流提取和冷浸6小时的左旋多巴含量均低于冷浸24小时的含量，故最终选择冷浸24小时作为供试品溶液的提取方法。实验结果见表7。

表7　提取方法比较结果（批号：20101206）

提取方法	左旋多巴含量（%）
冷浸法6小时	3.69
冷浸法24小时	5.52
回流提取法3小时	无法提取

综合以上考察确定供试品溶液的制备方法为：将本品药材粉碎，过二号筛，称取过二号筛的药材2 g，精密称定，置50 ml容量瓶中，用0.1 mol/L盐酸溶液振摇后冷浸24小时，定容至刻度，滤过，取续滤液2.5 ml置10 ml容量瓶中，用0.1 mol/L盐酸定容至刻度，摇匀，0.45 μm微孔滤膜滤过，取续滤液，即得。

3.4 色谱条件的选择及确定

根据文献报道测定左旋多巴常用的流动相条件，以及结合本药材的实际情况，对本药材测定条件进行考察。

3.4.1 流动相的选择

选用甲醇–0.01 mol/L磷酸二氢钾缓冲液（pH=3.0）、0.1 mol/L冰醋酸–甲醇等流动相进行对比实验，结果选定0.1 mol/L冰醋酸–甲醇（95：5）作为流动相，在该流动相洗脱下，基线平稳，达到含量测定的要求。

3.4.2 测定波长的选择

取左旋多巴对照品适量，用0.1 mol/L盐酸溶解，在200~760 nm之间进行扫描，发现左旋多巴在280 nm左右有最大吸收，因此选用280 nm作为含量测定波长进行左旋多巴含量测定。详见图6。

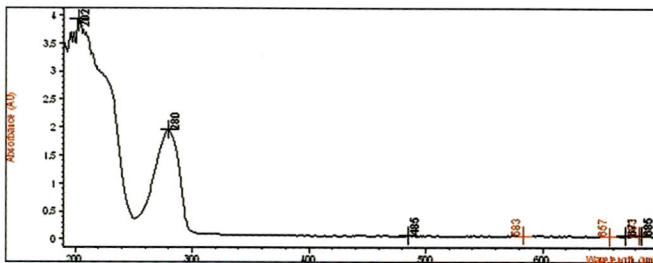

图6　左旋多巴对照品紫外扫描图

根据以上考察结果，确定色谱条件为：色谱柱Kromasil C18（250 mm×4.6 mm×5 μm）；流动相0.1 mol/L冰醋酸–甲醇（95∶5）；流速1.0 ml/min；柱温30 ℃；检测波长280 nm；进样量20 μl。详见图7、图8、图9。

理论板数按左旋多巴峰计算应不低于5 000。

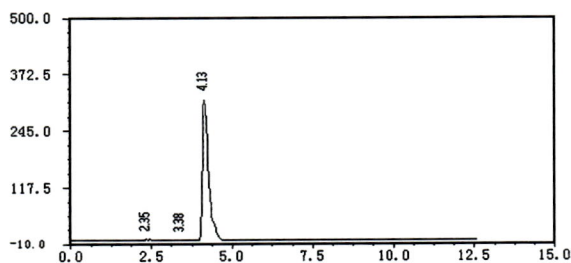

图7　左旋多巴标准品HPLC图

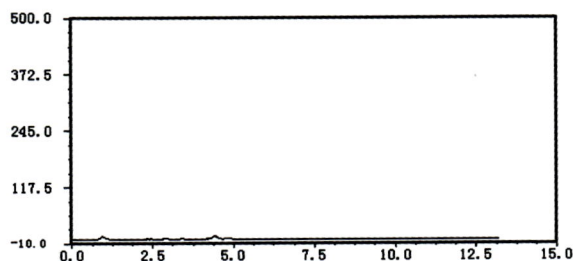

图8　空白溶剂HPLC图

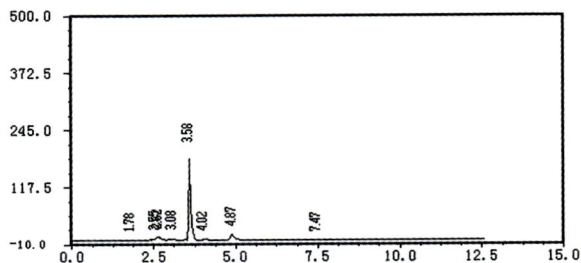

图9　供试品溶液HPLC图

3.5 线性关系的考察

在"3.4"色谱条件下，分别精密吸取对照品溶液0.5 ml、1.0 ml、1.5 ml、2.0 ml、2.5 ml、3.0 ml，用0.1 mol/L盐酸溶液定容至10 ml，摇匀，制成浓度为25.4 μg/ml、50.8 μg/ml、76.2 μg/ml、101.6 μg/ml、127.0 μg/ml、152.4 μg/ml的一系列对照品溶液，然后依法操作，分别进样20 μl，记录峰面积。以对照品进样浓度（X）为横坐标，吸收峰峰面积积分值（Y）为纵坐标绘制标准曲线，得回归方程：$Y=9844.65X-10872.13$，$r=0.9997$（$n=6$）。结果表明左旋多巴进样浓度在25.4~152.4 μg/ml范围内与其峰面积积分值之间呈良好线性关系。

3.6 精密度的考察

精密吸取对照品试液20 μl，连续进样6次，分别测定其峰面积，结果见表8。

表8　对照品溶液精密度试验结果

测定次数	1	2	3	4	5	6
峰面积	4 159 134	4 206 419	4 224 493	4 220 509	4 182 985	4 218 424
平均值			4 201 994			
RSD（%）			0.6148			

以上结果表明，所用液相色谱仪的精密度较好。

3.7 稳定性试验

取对照品溶液，室温下保存，每隔一定时间，分别精密吸取对照品溶液20 µl，注入液相色谱仪，测定，结果见表9。

表9　左旋多巴稳定性试验结果

时间（小时）	0	2	4	8	12	24
峰面积	1 016 177	1 029 052	1 013 946	1 024 137	1 031 599	1 029 177
平均值			1 024 015			
RSD（%）			0.7208			

结果表明，对照品溶液在24小时内测定6次，RSD为0.7208%，表明对照品在24小时内测定结果稳定。

3.8 重复性试验

精密吸取左旋多巴对照品溶液20 µl，连续进样6次，结果见表10。

表10　左旋多巴重复性试验结果

测定次数	1	2	3	4	5	6	平均值	RSD（%）
左旋多巴含量（%）	5.91	5.64	5.88	5.78	5.67	5.76	5.77	1.8773

结果表明，用正文拟定的方法测定左旋多巴的含量，重复性好。

3.9 加样回收率试验

取同一批号样品9份，每份0.2 g，精密称定，再分别精密加入左旋多巴对照品，按试验所得方法测定，计算回收率（样品含量以54.37 mg/g计），结果见表11。

表11　左旋多巴加样回收试验结果

序号	取样量（g）	取样含量（mg）	加入量（mg）	测得总量（mg）	回收率（%）	平均回收率（%）	RSD（%）
1	0.2006	10.9066	8.64	19.13	95.18	95.8889	2.83
2	0.2010	10.9284	8.76	19.22	94.65		
3	0.2019	10.9773	8.70	19.41	96.93		
4	0.2007	10.9121	10.77	21.34	96.82		
5	0.2014	10.9501	10.92	21.95	100.73		
6	0.2005	10.9012	10.82	21.59	98.79		
7	0.2011	10.9338	13.85	23.86	93.33		
8	0.2008	10.9175	13.79	23.61	92.04		
9	0.2016	10.9610	13.92	24.12	94.53		

上述实验结果表明，该分析方法的回收率为92.04%~100.73%，平均回收率为95.89%，RSD值为2.83%。

《广西壮族自治区壮药质量标准第二卷（2011年版）》注释

4. 10批不同产地猫豆药材中左旋多巴的含量测定及含量限度的制定

按正文【含量测定】方法，测定10批不同产地猫豆药材中左旋多巴的含量，结果见表12。

表12　10批不同产地猫豆药材中左旋多巴含量测定结果

序号	产地	批号	左旋多巴含量（%）
MD-1	邕宁区吴圩镇	20110203	5.55
MD-2	玉林市仁东镇	20101211	5.46
MD-3	东兰县兰东乡	20110211	5.30
MD-4	东兰县东兰镇	20110104	5.44
MD-5	武鸣县双桥镇	20101028	5.49
MD-6	藤县太平镇	20101206	5.42
MD-7	藤县平福乡	20101211	5.57
MD-8	荔浦县马岭镇	20110312	6.14
MD-9	贵港大圩镇	20101105	5.06
MD-10	容县黎村	20101103	5.37
MD-1-FH	邕宁区吴圩镇	20110203	5.4
MD-5-FH	武鸣县双桥镇	20101028	5.5
MD-6-FH	藤县太平镇	20101206	5.4

根据最高值、最低值及平均值，并考虑药材来源差异情况，暂定本品含量限度为按干燥品计算，含左旋多巴不得少于4.0%。

参考文献

[1][6]国家中医药管理局《中华本草》编委会. 中华本草[M]. 上海：上海科学技术出版社，1999：659（总3399）.

[2]中国科学院中国植物志编辑委员会. 中国植物志：第四十一卷[M]. 北京：科学出版社，1995：185.

[3]蔡军，朱兆仪，刘永灌. 黑皮类型狗爪豆的化学成分研究[J]. 植物学报：英文版，1990，32（7）：574-576.

[4][5]何翠屏，王慧忠，邓国栋. 狗爪豆生物碱、左旋多巴及其营养成分测定[J]. 山地农业生物学报，2003，22（3）：233-236.

药学编著： 韦松基　刘华钢　韦　威
药学审校： 广西壮族自治区食品药品检验所

DYB45-GXZYC0181-2011

酢浆草　　楉送梅

Cujiangcao　　Gosoemjmeiq

OXALIDIS CORNICULATAE HERBA

【概述】 酢浆草，俗名酸酸草、斑鸠酸、三叶酸、酸咪咪、钩钩草等。始载于《新修本草》，曰："酢浆草生道旁阴湿处，叶如细萍，丛生，茎头有三叶。"《本草图经》载曰："今南中下湿地及人家园圃中多有之，北地亦或有生者。叶如水萍，丛生；茎端有三叶，叶间生细黄花，实黑。"《广西中药志》记载："酢浆草，又名黄花草、六叶莲、野王瓜草、王瓜酸、冲天泡、长血三叶，叶面生细黄花，实黑，夏月采叶用。初生嫩时，小儿多食之。南人用揩钩石器，令白如银。"《本草纲目》称："苗高一二寸，丛生布地，极易繁衍。一枝三叶，一叶两片，至晚自合帖，整整如一。四月开小黄花，结小角，长一二分，内有细子。冬亦不凋。"从以上各家所载，对其形态特征的描述比较一致。再核《植物名实图考》的附图，可以确定，其原植物与本种一致。《全国中草药汇编》、《中华本草》等大型辞书中对其药用价值、原植物、地理分布、用法用量等亦有简要记述，药用部位为全草。分布于全国大部分地区的荒地、田野、道旁。[1]

【来源】 本品为酢浆草科植物酢浆草 *Oxalis corniculata* Linn. 的全草。

酢浆草为草本，高10~35 cm，全株被柔毛。根茎稍肥厚。茎细弱，多分枝，直立或匍匐，匍匐茎节上生根。叶基生或茎上互生；托叶小，长圆形或卵形，边缘被密长柔毛，基部与叶柄合生，或同一植株下部托叶明显而上部托叶不明显；叶柄长1~15 cm，基部具关节；小叶3片，无柄，倒心形，长4~16 mm，宽4~22 mm，先端凹入，基部宽楔形，两面被柔毛或表面无毛，沿脉被毛较密，边缘具贴伏缘毛。花单生或数朵集为伞形花序状，腋生，总花梗淡红色，与叶近等长；花梗长4~15 mm，果后延伸；小苞片2片，披针形，长2.5~4 mm，膜质；萼片5片，披针形或长圆状披针形，长3~5 mm，背面和边缘被柔毛，宿存；花瓣5片，黄色，长圆状倒卵形，长6~8 mm，宽4~5 mm；雄蕊10枚，花丝白色半透明，有时被疏短柔毛，基部合生，长、短互间，长者花药较大且早熟；子房长圆形，5室，被短伏毛，花柱5裂，柱头头状。蒴果长圆柱形，长1~2.5 cm，5棱。种子长卵形，长1~1.5 mm，褐色或红棕色，具横向肋状网纹。花期、果期2~9月。[2]

起草样品收集情况：共收集到样品10批，详细信息见表1、图1、图2。

表1　酢浆草样品信息一览表

编号	原编号	药用部位	产地/采集地点/批号	样品状态
CJC-1	20110310	全草	贵港市郊	药材
CJC-2	20110223	全草	横县那阳镇	药材
CJC-3	20101102	全草	邕宁区四塘镇	药材
CJC-4	20110422	全草	北流市民安镇	药材
CJC-5	20110720	全草	武鸣县双桥镇	药材

续表

编号	原编号	药用部位	产地/采集地点/批号	样品状态
CJC-6	20110303	全草	灌阳县文市镇	药材
CJC-7	20110610	全草	南宁市老虎岭	药材
CJC-8	20110527	全草	崇左市扶绥县	药材
CJC-9	20110812	全草	武鸣大明山	药材
CJC-10	20110529	全草	南宁高峰林场	药材

备注：酢浆草样品CJC-4同时制成腊叶标本，经鉴定，结果确定其为酢浆草科植物酢浆草，实验中以该样品作为酢浆草的对照药材与其他样品进行对比。完成样品收集后，将所有10份样品（约300 g）进行粉碎处理，并统一过40目筛，备用。

图1 酢浆草原植物

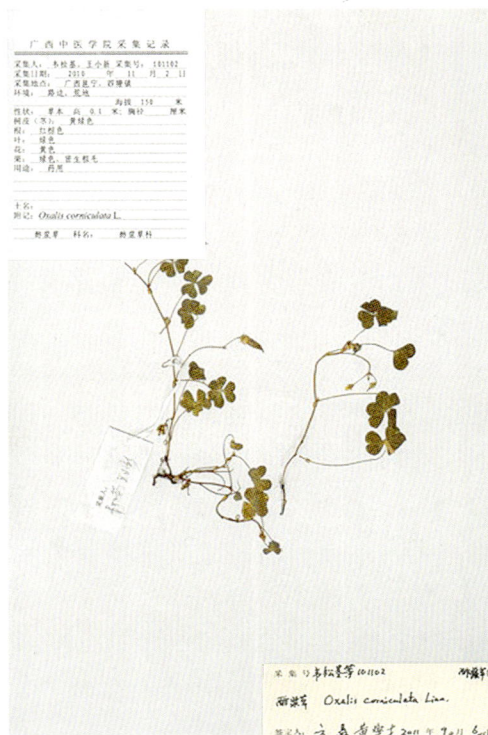

图2 酢浆草标本

【化学成分】 本品全草含抗坏血酸（ascorbic acid）、去氢抗坏血酸（dehydroascorbic acid）、丙酮酸（pyruvic acid）、乙醛酸（glyoxalic acid）、脱氧核糖核酸（deoxyribonucleic acid）、牡荆素（vitexin）、异牡荆素（isovitexin）、牡荆素-2″-O-□-D-吡喃葡萄糖苷（vitexin-2″-O-□-D-glucopyranoside），以及17种化合物，如2-庚烯醛（2-heptenal）、2-戊基呋喃（2-pentyl furan）、反式植醛（trans-phytol），并含中性类脂化合物（neutral lipid）、糖脂（glycolipide）、磷脂（phospholipide）以及脂肪酸（C10-C14）、□-生育酚（□-tocopherol）、□-生育酚（□-tocopherol）。[3]还含有柠檬酸（citric acid）、苹果酸（malic acid）、酒石酸（tartaric acid）、草酸盐（oxalate）[4]、□-谷甾醇、胡萝卜苷、草酸（Ⅲ）。[5]

【药理与临床】 抗菌作用：50%酢浆草煎剂用平板挖沟法进行试验，结果表明酢浆草对金黄色葡萄球菌、福氏痢疾杆菌、伤寒杆菌、绿脓杆菌、大肠杆菌均有抑制作用。[6]

酢浆草具有较好的抗炎、抗病毒和抑菌作用，且疗效确切，在临床上广泛用于治疗肺炎、扁桃体炎、急性肝炎、腮腺炎、神经性皮炎、扭伤、血肿、感染等。[7]

【性状】 本品长10~35 cm，茎被疏毛。叶柄长1~15 cm，叶皱缩或破碎，完整叶具3小叶，无柄，倒心形，长4~16 mm，宽4~22 mm，先端凹入，基部宽楔形，棕绿色，被毛。味咸、酸涩。

本品主要鉴别特征为完整叶具3小叶，无柄，倒心形，详见图3。

【鉴别】 （1）本品粉末灰褐色。非腺毛众多，单细胞，表面有疣点突起，直径18~75 μm，长可达2200 μm。导管为螺纹导管，直径11~60 μm。草酸钙方晶多见，成片散布于薄壁组织中，直径15~35 μm，草酸钙簇晶直径26~170 μm。气孔为不定式，副卫细胞常3个。

显微鉴别要点：粉末中非腺毛众多，单细胞，表面有疣点突起，胞腔常含橙黄色物质，详见图4。

（2） 因酢浆草药材没有找到合适的化学对照品，故以酢浆草对照药材为对照。取本品粉末1 g，置锥形瓶中，加甲醇25 ml，密塞，超声提取30分钟，滤过，滤液浓缩至约1 ml，离心，取上清液，作为供试品溶液。另取酢浆草对照药材粉末1 g，置锥形瓶中，加甲醇25 ml，密塞，超声提取30分钟，滤过，滤液浓缩至约1 ml，作为对照品溶液。照薄层色谱法（中国药典2010年版一部附录Ⅵ B）试验，吸取上述两种溶液各5 μl，分别点于同一硅胶G薄层高效板上，以三氯甲烷-甲醇-甲酸（9：1：0.5）为展开剂，展开，取出，晾干，置紫外光灯（365 nm）下检视。结果表明，供试品色谱中，在与对照药材色谱相应的位置上，显相同颜色的斑点，重现性较好。详见图5。

图3 酢浆草药材

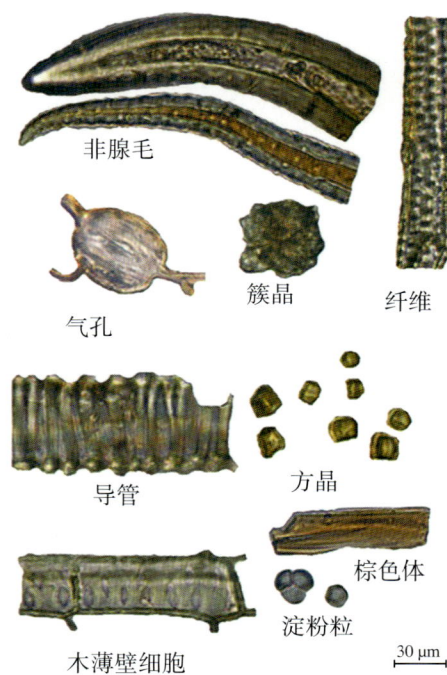

图4 酢浆草全草粉末显微图

耐用性实验考察：对自制板、预制板（青岛海洋化工厂提供，批号：20100525）的展开效果进行考察，对不同展开温度（5 ℃、28 ℃）进行考察，对点状、条带状点样进行考察，结果均表明本法的耐用性良好。

比较了不同极性的展开系统，如乙酸乙酯-石油醚（8：1）、丙酮-乙酸乙酯-甲酸（1：4：0.5）、三氯甲烷-甲醇-甲酸（9：1：0.5）、三氯甲烷-乙酸乙酯-甲酸（6：4：1）等。最终以三氯甲烷-甲醇-甲酸（9：1：0.5）为展开剂，展开效果较好，斑点达到分离且清晰，故选用该系统作为薄层鉴别的展开剂。

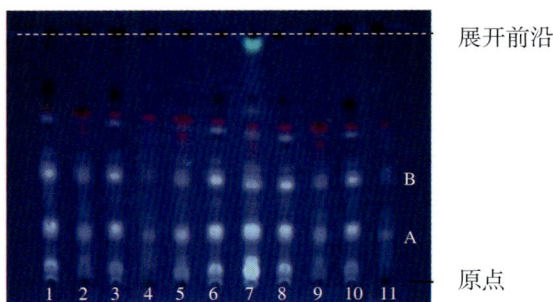

图5 酢浆草TLC图（365 nm荧光）

1. CJC –1 2. CJC –2 3. CJC –3 4. CJC –4 5. CJC –5
6. 对照药材 7. CJC –6 8. CJC –7 9. CJC –8 10. CJC –9
11. CJC –10 A、B. 蓝色荧光斑

色谱条件：硅胶G薄层高效板，生产厂家：青岛海洋化工厂，批号：20100525；规格：20 cm×20 cm
　　　　圆点状点样，点样量：5 μl；温度：28 ℃；相对湿度：65RH%
　　　　展开剂：三氯甲烷–甲醇–甲酸（9∶1∶0.5）

【检查】　**水分**　照水分测定法（中国药典2010年版一部附录Ⅸ H第一法）测定。

对本品10批样品进行水分测定，结果见表2，据最高值、最低值及平均值，并考虑到该药材为南方所产，而南方气候较为湿润，因此，将本品水分拟定为不得过13.5%。

表2　酢浆草样品水分测定结果一览表

样品	水分均值（%）	样品	水分均值（%）
CJC–1	10.6	CJC–6	8.6
CJC–2	8.6	CJC–7	10.4
CJC–3	8.9	CJC–8	8.2
CJC–4	11.1	CJC–9	9.7
CJC–5	9.4	CJC–10	7.4
CJC–4–FH	9.5	CJC–9–FH	8.9
CJC–8–FH	7.9		

总灰分　照灰分测定法（中国药典2010年版一部附录Ⅸ K）测定。

对本品10批样品进行总灰分测定，结果见表3，据最高值、最低值及平均值，将本品总灰分拟定为不得过29.0%。

表3　酢浆草样品总灰分测定结果一览表

样品	总灰分（%）	样品	总灰分（%）
CJC–1	8.3	CJC –6	24.0
CJC –2	24.1	CJC –7	10.1
CJC –3	10.1	CJC –8	22.9
CJC –4	11.5	CJC –9	10.2
CJC –5	14.5	CJC –10	10.2
CJC–4–FH	9.3	CJC–9–FH	11.1
CJC–8–FH	30.1		

酸不溶性灰分 照灰分测定法（中国药典2010年版一部附录Ⅸ K）测定。

对本品10批样品进行酸不溶性灰分测定，结果见表4，据最高值、最低值及平均值，将本品酸不溶性灰分拟定为不得过14.0%。

表4 酢浆草样品酸不溶性灰分测定结果一览表

样品	酸不溶性灰分（%）	样品	酸不溶性灰分（%）
CJC –1	1.0	CJC –6	10.8
CJC –2	10.6	CJC –7	2.8
CJC –3	2.8	CJC–8	11.5
CJC –4	2.1	CJC–9	1.4
CJC –5	4.7	CJC –10	1.5
CJC–4–FH	1.3	CJC–9–FH	2.6
CJC–8–FH	16.3		

【浸出物】 照浸出物测定法（中国药典2010年版一部附录 X A）测定。

考察了水、稀乙醇、乙醇作为提取浸出溶剂，分别采用了冷浸法和热浸法测定本品浸出物的含量。对每种提取方法的结果进行对比分析，结合化学成分预试验，测定结果显示，水、稀乙醇的浸出量明显高于乙醇的浸出量，热浸法浸出量高于冷浸法浸出量。因此，经研究最终确定以稀乙醇为溶剂。照醇溶性浸出物测定法（中国药典2010年版一部附录 X A）项下的热浸法依次测定，对本品10批样品进行浸出物含量测定，结果见表5，据最高值、最低值及平均值，将本品浸出物含量拟定为不得少于16.0%。

表5 酢浆草样品稀乙醇浸出物测定结果一览表

样品	浸出物均值（%）	样品	浸出物均值（%）
CJC –1	21.9	CJC –6	16.6
CJC –2	19.1	CJC –7	19.2
CJC –3	24.7	CJC –8	24.3
CJC –4	18.9	CJC –9	20.0
CJC –5	16.8	CJC –10	20.7
CJC–4–FH	28.4	CJC–9–FH	27.0
CJC–8–FH	16.7		

参考文献

［1］［3］国家中医药管理局《中华本草》编委会. 中华本草：第2册［M］. 上海：上海科学技术出版社，1999：17（总3493）.

［2］中国科学院中国植物志编辑委员会. 中国植物志：第四十三卷第一分册［M］. 北京：科学出版社，1998：11.

［4］谭萍，赵云婵. 黔产酢浆草总黄酮含量的测定及提取方法研究［J］. 山西医药杂志，2006，35（5）：462.

［5］杨红原，赵桂兰，王军宪. 红花酢浆草化学成分的研究［J］. 西北药学杂志，2006，21（4）：156–158.

［6］南京药学院《中草药学》编写组. 中草药学：中册［M］. 南京：江苏人民出版社，1976：6.

［7］丁良，李静，杨慧，等. 酢浆草的研究概况［J］. 医学研究与教育，2010，27（3）：77–79.

药学编著： 刘华钢 韦松基 卢汝梅
药学审校： 广西壮族自治区食品药品检验所

蛞蝓　　碾沐

Kuoyu　　　Nengzmug

VAGINULUS

【概述】　蛞蝓在民间有较长的使用历史，《神农本草经》首载，列为下品。《名医别录》、《唐本草》、《本草纲目》、《广西药用动物》、《中药大辞典》、《中国药用动物志》、《中国动物药》、《中国经济动物志》等均有记载。别名有土蜗、附蜗[1]、蛐蜒、鼻涕虫[2]。

【来源】　本品为足襞蛞蝓科动物覆套足襞蛞蝓 *Vaginulus alte*（Ferussac）的干燥全体。

蛞蝓无外壳，体柔软，呈不规则的圆柱形，体前端宽大，后端狭小，尾部具有短的尾嵴。在活动时，最大者体长可达120 mm，体宽12 mm。头部具有2对淡蓝色的触角，大触角顶端具眼点。在身体背部前端的1/3处，有一椭圆形的外套膜，其前半部呈游离状态；背面具有同心圆的皱褶，皱褶的中心稍移向后方右侧，当蛞蝓活动时，皱褶极明显。体呈黄褐色或深橙色，具有分散淡黄色的斑点，近足部两侧色较浅，足部呈淡黄色。贝壳退化为内壳，包在外套膜内，为一薄而透明、椭圆形的石灰质质板，背部具有明显的生长纹；壳顶偏于后方右侧，略突起；体长100 mm。呼吸孔位于外套膜右侧后方边缘处。生殖孔在右前触角基部稍后处。[3]

蛞蝓生活在阴暗潮湿、腐殖质多的地方，畏光怕热，白天匿藏，夜晚及阴雨天活动。性杂食，喜食蔬菜、瓜果、植物叶及幼苗等，也食人们的食物残渣。为害农业。

分布于上海、江苏、浙江、湖南、广西、广东、云南、四川、河南、新疆、黑龙江、吉林、北京等地。[4]广西各地都有产。[5]

蛞蝓以干燥全体入药。夏、秋两季捕捉。可将陈扁担放在阴暗潮湿的地上，或放在有蛞蝓的菜地里，过夜便有蛞蝓附在扁担上。捕后洗净，常规为沸水烫死，干燥。

起草样品收集情况：共收集到样品4批，详细信息见表1、图1、图2。

表1　蛞蝓样品信息一览表

编号	药用部位	产地/采集地点/批号	样品状态
KY-1	动物全体	2002年10月11日药厂留样1号	药材
KY-2	动物全体	2002年10月药厂留样2号	药材
KY-3	动物全体	2011年5月16日大沙田采样	药材
KY-4	动物全体	2011年5月25日阳光新城采样	药材

【化学成分】　全体含一种特殊的凝集素（specific lectin）、唾液酸（sialic acid）。[6, 7]

【药理与临床】　蛞蝓混悬液以800 mg/kg剂量给荷瘤小鼠灌胃，24小时后对ARS肉瘤（腹水型）即表现出明显的抑制作用，抑制率达47.4%；而给药剂量为120 mg/kg时，48小时

图1 蛞蝓原动物

图2 蛞蝓标本

抑瘤率可达51.6%。[8]对Lewis肺癌的抑制率则蛞蝓混悬液以800 mg/kg剂量给药，24小时为最佳，抑瘤率为30%以上。[9]离体实验表明，其0.6%蛞蝓浸出液明显抑制肺癌细胞（A549）生长。[10]而蛞蝓混悬液600~1200 mg/kg剂量给小鼠灌胃给药7天，对388淋巴细胞性白细胞病具有明显的抑制作用，其中900 mg/kg剂量效果最好。[11]

【性状】 本品呈长梭形、扁纺锤形或弯月形，头、尾部近等宽，长3~6 cm，宽1~1.8 cm。有的个体扁皱或鼓起，背面常隆起，黑褐色略显光泽；两侧体缘线呈微波状，腹面棕黑色，腹肌带占体宽的三分之一，具细的横皱纹，头部口腔处有的可见两对一大一小的微凸，质脆，断面胶质状。气腥，味咸。

本品主要鉴别特征为表面具有红棕色斑纹及细密纵皱纹，可见横向皮孔；质坚硬，不易折断，纤维性强；且以气味浓郁者质佳。详见图3。

【鉴别】 取本品粉末0.5 g，加甲醇10 ml，加热回流30分钟，滤过，滤液作为供试品溶液。另取蛞蝓对照药材0.5 g，同法制成对照药材溶液，再取亮氨酸、缬氨酸、丙氨酸和精氨酸对照品，加70%甲醇制成每1 ml各含1 mg的溶液，作为对照品溶液。照薄层色谱法（中国药典2010年版一部附录Ⅵ B）试验，吸取上述五种溶液各2 μl，分别点于同一以羧甲基纤维素钠为黏合剂的硅酸G薄层板上，以正丁醇-冰醋酸-水（8∶1∶2）为展开剂，展开，取出，晾干，喷以茚三酮试液，在105 ℃加热至斑点显色清晰。供试品色谱中，在与对

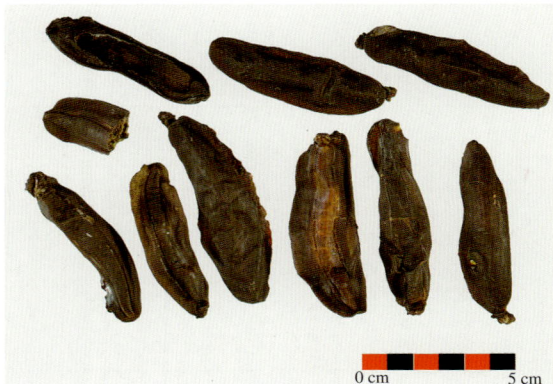

图3 蛞蝓药材

照药材色谱及对照品色谱相应的位置上，显相同颜色的斑点。

考虑本品是以氨基酸类为主要成分，在摸索薄层鉴别时，与多个氨基酸对照品对照，结果供试品色谱中与亮氨酸、缬氨酸、丙氨酸和精氨酸对照品有相应的色谱斑点。亮氨酸、缬氨酸、丙氨酸和精氨酸对照品是由中国样品生物制品检定所提供，蛞蝓对照药材是取广西壮族自治区食品药品检验所药材标本室的蛞蝓标本。

展开剂为正丁醇–冰醋酸–水（8∶1∶2）；吸附剂用预制板，将青岛海洋化工厂生产的硅胶G板和进口高效板进行比较，结果表明进口高效板色谱分离效果优于青岛海洋化工厂生产的硅胶G板；显色剂是喷以茚三酮试液，在105 ℃加热约5分钟，供试品色谱中斑点显色明显。结果对照品成分排次是A. 亮氨酸、B. 缬氨酸、C. 丙氨酸、D. 精氨酸对照品，其中精氨酸的比移值低，展距在15 cm以上才分离得好。

方法学考察：在展开剂、点样量、显色剂条件不变的情况下，对不同吸附剂（青岛海洋化工厂生产的硅胶G板和进口高效板。因手工铺板时对氨基酸类的分离比较差，故本考察不用手工铺板）在常温和低温（在冰箱中8 ℃）条件下展开比较，结果：在常温和低温条件下展开，色谱没有多大变化，相对稳定。详见图4。

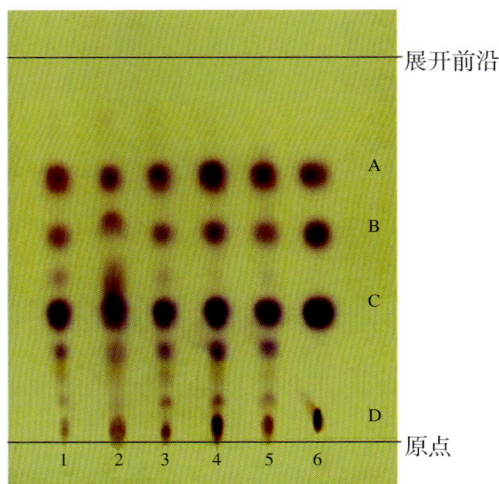

图4　蛞蝓样品TLC图

1. KY–1　　2. KY–2　　3. KY–3　　4. KY–4　　5. 蛞蝓对照药材　　6. 4种氨酸对照品

（A. 亮氨酸、B. 缬氨酸、C. 丙氨酸、D. 精氨酸均为紫红色斑点）

色谱条件：硅胶G薄层预制板，生产厂家：MERCK，批号：HX066475，规格：10 cm×20 cm

圆点状点样，点样量：2 μl，温度：30 ℃，相对湿度：70RH%

展开剂：正丁醇–冰醋酸–水（8∶1∶2）

显色：喷以茚三酮试液，在105 ℃加热至斑点显色清晰

【检查】　水分　照水分测定法（中国药典2010年版一部附录Ⅸ H第一法）测定。

对本品4批样品进行水分测定，结果见表2，据最高值、最低值及平均值，暂定本品水分限度为不得过15.0%。

425

表2　蛞蝓样品水分测定结果一览表

样品	水分均值（%）	样品	水分均值（%）
KY-1	6.6	KY-2-FH	9.7
KY-2	12.4	KY-3-FH	8.3
KY-3	9.8	KY-4-FH	7.7
KY-4	7.1		

总灰分　照灰分测定法（中国药典2010年版一部附录Ⅸ K）测定。

对本品4批样品进行总灰分测定，结果见表3，据最高值、最低值及平均值，暂定本品总灰分限度为不得过13.0%。

表3　蛞蝓样品总灰分测定结果一览表

样品	总灰分（%）	样品	总灰分（%）
KY-1	9.9	KY-2-FH	9.0
KY-2	9.1	KY-3-FH	8.2
KY-3	8.4	KY-4-FH	10.6
KY-4	10.9		

酸不溶性灰分　照灰分测定法（中国药典2010年版一部附录Ⅸ K）测定。

对本品4批样品进行酸不溶性灰分测定，结果见表4，据最高值、最低值及平均值，暂定本品酸不溶性灰分限度为不得过3.0%。

表4　蛞蝓样品酸不溶性灰分测定结果一览表

样品	酸不溶性灰分（%）	样品	酸不溶性灰分（%）
KY-1	1.7	KY-2-FH	1.2
KY-2	1.3	KY-3-FH	1.7
KY-3	1.9	KY-4-FH	1.8
KY-4	2.4		

【浸出物】　照醇溶性浸出物测定法（中国药典2010年版一部附录Ⅹ A）项下的热浸法测定。

对本品4批样品进行浸出物测定，结果见表5，据最高值、最低值及平均值，暂定本品浸出物含量限度为不得少于26.0%。

表5　蛞蝓样品浸出物测定结果一览表

样品	浸出物均值（%）	样品	浸出物均值（%）
KY-1	35.4	KY-2-FH	34.1
KY-2	36.0	KY-3-FH	32.7
KY-3	32.6	KY-4-FH	38.6
KY-4	37.1		

《广西壮族自治区壮药质量标准第二卷（2011年版）》注释

参考文献

[1][3]高士贤. 中国动物药志 [M]. 长春：吉林科学技术出版社，1996：82.

[2][5]林吕何. 广西药用动物 [M]. 南宁：广西科学技术出版社，1991：39.

[4]邓明鲁，高士贤. 中国动物药 [M]. 长春：吉林人民出版社，1981：34.

[6]《中国药用动物志》协作组. 中国药用动物志 [M]. 天津：天津科学技术出版社，1979：19.

[7][8][9][10][11]国家中医药管理局《中华本草》编委会. 中华本草 [M]. 上海：上海科学技术出版社，1999（9）：26.

药学编著：陆敏仪　朱雪妍　韦家福
药学审校：广西壮族自治区食品药品检验所

粪箕笃　　勾弯

Fenjidu　　　　Gaeuvad

STEPHANIAE LONGAE HERBA

【概述】 粪箕笃，俗名田鸡草、雷林嘴、畚箕草、飞天雷公、戽斗藤、犁壁藤、铁板膏药、青蛙藤。其药用始见于萧步丹的《岭南采药录》，其后《陆川本草》、《南宁市药物志》等均有记载。《全国中草药汇编》、《中药辞典》、《中华本草》等大型辞书中对其药用价值、原植物、地理分布等亦有简要记述。粪箕笃分布于广东、广西等地的山地和疏林中干燥处，常缠绕于灌木上。[1]

【来源】 本品为防己科植物粪箕笃*Stephania longa* Lour.的茎叶。

粪箕笃为草质藤本，长1~4 m或稍过之，除花序外全株无毛；枝纤细，有条纹。叶纸质，三角状卵形，长3~9 cm，宽2~6 cm，顶端钝，有小凸尖；基部近截平或微圆，很少微凹；上面深绿色，下面淡绿色，有时粉绿色；掌状脉10~11条，向下的常纤细；叶柄长1~4.5 cm，基部常扭曲。复伞形聚伞花序腋生，总梗长1~4 cm，雄花序较纤细，被短硬毛。雄花：萼片8片，偶有6片，排成2轮，楔形或倒卵形，长约1 mm，背面被乳头状短毛；花瓣4片或有时3片，绿黄色，通常近圆形，长约0.4 mm；聚药雄蕊长约0.6 mm。雌花：萼片和花瓣均4片，很少3片，长约0.6 mm；子房无毛，柱头裂片平叉。核果红色，长5~6 mm；果核背部有2行小横肋，每行9~10条，小横肋中段稍低平，胎座迹穿孔。花期春末夏初，果期秋季。[2]

粪箕笃全年可采。一般多在秋季割取藤叶或连根挖取，洗去泥沙，除去细根，晒干或鲜用。[3]

起草样品收集情况：共收集到样品10批，详细信息见表1、图1、图2。

表1　粪箕笃样品信息一览表

编号	原编号	药用部位	产地/采集地点/批号	样品状态
FJD-1	20110312	地上部分	上思县思阳镇	药材
FJD-2	20110320	地上部分	藤县平福乡	药材
FJD-3	20110622	地上部分	上桥县西燕镇	药材
FJD-4	20110701	地上部分	马山县林圩镇	饮片
FJD-5	20101216	地上部分	藤县太平镇	饮片
FJD-6	20110128	地上部分	横县云表乡	药材
FJD-7	20101220	地上部分	武鸣县双桥镇	药材
FJD-8	20110125	地上部分	邕宁区四塘镇乡	药材
FJD-9	20110529	地上部分	南宁高峰林场	药材
FJD-10	20110610	地上部分	南宁市老虎岭	药材

备注：粪箕笃样品FJD-8同时制成腊叶标本，经鉴定，结果确定其为防己科植物粪箕笃，实验中以该样品作为粪箕笃的对照药材与其他样品进行比对。完成样品收集后，将所有10份样品（约300 g）进行粉碎处理，并统一过40目筛，备用。

图1　粪箕笃原植物

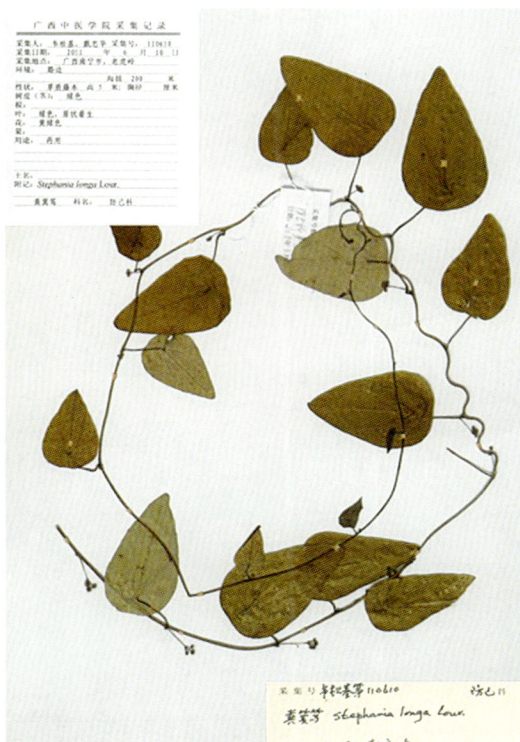

图2　粪箕笃标本

【化学成分】　劳爱娜等[4]人对海南岛产的粪箕笃进行生物碱的化学成分研究，其根茎经乙醇热萃，再按常法处理得总生物碱。从其酚性部分分得5个结晶，均属莲花氏烷型生物碱。其中3个为已知生物碱，分别鉴定为已知的stophaboline、stephabyssine及prostephabyssine；另外2个为新生物碱，分别命名为粪箕笃碱（longaninine）及粪箕笃酮碱（longanone）。邓京振等人[5]从采于广西南宁的粪箕笃的地上部分的醇提物中分离并鉴定了5个非碱性成分，经波谱分析分别鉴定为阿魏酸-对羟基苯乙醇酯（Ⅰ）、对香豆素-对羟基苯乙醇酯、桂皮酸、β-谷甾醇和β-谷甾醇-D-葡萄糖苷。其中化合物Ⅰ为未见文献报道的新化合物。

【药理与临床】　抑菌作用：林启云等人[6]以不同提取物给动物灌胃后，非生物碱（水煎剂）部分对动物尿量明显增加有利尿作用，并有明显的抑制细菌生长作用，其生物碱（氨水提取部分）无利尿作用，亦无明显的抑菌作用，但有较好的镇静作用和镇痛作用。其醇提物有利尿作用，而无明显的镇静和镇痛作用。

付中西[7]用粪箕笃60 g，柳树枝叶60 g治疗肾盂炎，其中急性6例，慢性12例，共治愈14例，说明草药粪箕笃、柳树枝叶治疗肾盂肾炎效果较好，对急性肾盂肾炎疗效尤为显著。

【性状】　本品藤茎柔细，扭曲，直径1~3 mm，棕褐色，有明显的纵棱；质坚韧，不易折断。叶多破碎或皱缩卷曲，灰绿色或绿褐色，完整者展开后呈三角状卵形，长3~9 cm，宽2~6 cm，顶端渐尖，基部近截平；掌状脉10~11条；叶柄长1~4.5 cm，基部常扭曲。气微，味苦。

本品主要鉴别特征为茎扭曲；叶三角状卵形，多皱缩卷曲。详见图3。

0 cm　　　　　　　5 cm

图3　粪箕笃药材

【鉴别】 （1）本品茎横切面：表皮细胞1列，木栓细胞2~4列。皮层为2~4列细胞，内有石细胞散在。中柱鞘纤维束与石细胞群断续排列成环，中柱鞘与维管束间为大型薄壁细胞。维管束外韧型，放射状排列；韧皮部筛管细胞皱缩，壁增厚；木质部木纤维壁厚，导管直径20~150 μm。薄壁组织中含草酸钙柱晶，直径1~10 μm；淀粉粒众多，直径5~15 μm。

粉末灰黄色或灰绿色。木薄壁细胞壁加厚，有的呈连珠状。纤维成束，壁厚，胞腔线形或不明显，直径8~20 μm。石细胞方形或长方形，淡黄色，胞腔大，直径30~80 μm。薄壁细胞中含细小的草酸钙柱晶，直径1~10 μm。

显微鉴别要点：茎横切面为波浪状，在中柱鞘与维管束交界处具多数石细胞，维管束为双韧型；粉末中木薄壁细胞壁加厚，有的呈连珠状。详见图4、图5、图6。

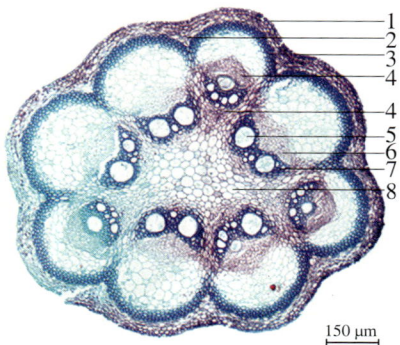

图4　粪箕笃茎横切面显微全貌图

1. 木栓层　2. 皮层　3. 纤维束鞘
4. 韧皮部　5. 导管　6. 形成层
7. 木质部　8. 髓部

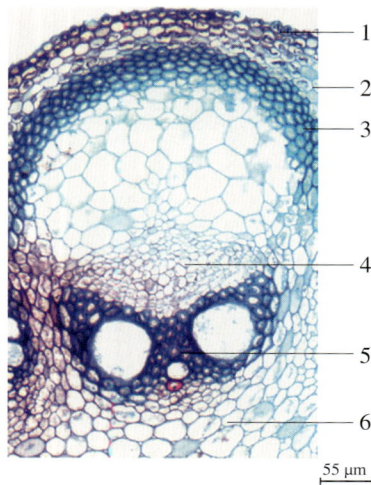

图5　粪箕笃茎横切面显微放大图

1. 木栓层　2. 皮层　3. 纤维束鞘
4. 韧皮部　5. 木质部　6. 髓部

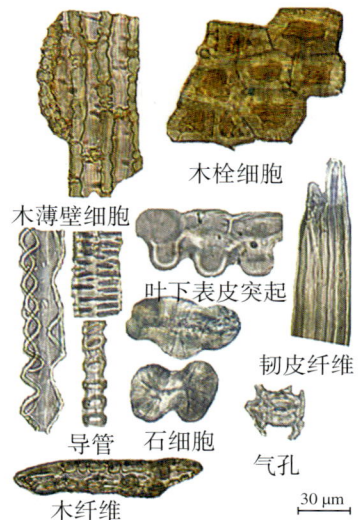

图6　粪箕笃茎叶粉末显微图

木栓细胞
木薄壁细胞
叶下表皮突起
韧皮纤维
导管　石细胞
气孔
木纤维

（2）取本品粉末5 g，加1%乙酸溶液50 ml，密塞，浸泡30分钟，超声处理30分钟，滤过，滤液用5%氢氧化钠溶液调碱性，用三氯甲烷提取两次，每次50 ml，合并三氯甲烷液，挥干溶剂，残渣加入三氯甲烷2 ml使溶解，作为供试品溶液。另取粪箕笃对照药材5 g，同法制成对照品溶液。吸取供试品溶液、对照药材溶液各5 μl，分别点于同一硅胶G薄层板上，以三氯甲烷-乙酸乙酯-甲酸（10：4：6）为展开剂，预饱和30分钟，展开，取出，晾干，喷以改良碘化铋钾试液。供试品色谱中，在与对照品药材相应的位置上，显相同颜色的斑点。10批样品按本法检验，均符合规定，且薄层色谱分离效果好，斑点圆整清晰，比移值适中，重现性好。

耐用性实验考察：对自制板、预制板（青岛海洋化工厂提供，批号：20091208）的展开效果进行考察，对不同展开温度（5 ℃、29 ℃）进行考察，对点状、条带状点样进行考察，结果均表明本法的耐用性良好。详见图7。

【检查】 水分　照水分测定法（中国药典2010年版一部附录Ⅸ H第一法）测定。

对本品10批样品进行水分测定，结果见表2，据最高值、最低值及平均值，并考虑到该药材为南方所产，而南方气候较为湿润，因此，将本品水分拟定为不得过12.0%。

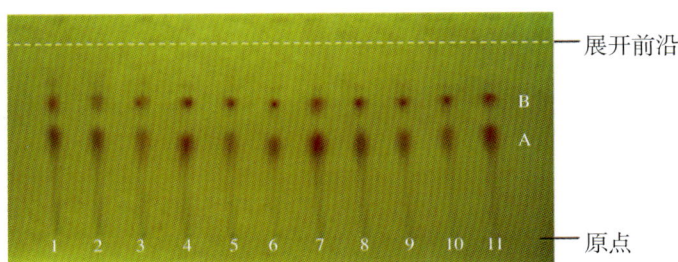

图7 粪箕笃样品TLC图

1. FJD–1　　2. FJD–2　　3. FJD–3　　4. FJD–4
5. FJD–5　　6. FJD–6　　7. FJD–7　　8. FJD–8
9. FJD–9　　10. FJD–10　　11. 对照药材　　A、B. 红棕色斑点

色谱条件：硅胶G薄层高效板，生产厂家：青岛海洋化工厂，批号：20091208，规格：10 cm×20 cm
圆点状点样，点样量：5 μl；温度：31 ℃；相对湿度：81RH%
展开剂：三氯甲烷–乙酸乙酯–甲酸（10∶4∶6）

表2　粪箕笃样品水分测定结果一览表

样品	水分均值（%）	样品	水分均值（%）
FJD–1	9.0	FJD–6	7.7
FJD–2	10.2	FJD–7	6.4
FJD–3	10.3	FJD–8	6.2
FJD–4	10.2	FJD–9	5.6
FJD–5	9.0	FJD–10	6.8
FJD–2–FH	5.9	FJD–5–FH	6.7
FJD–4–FH	6.9		

总灰分　照灰分测定法（中国药典2010年版一部附录Ⅸ K）测定。

对本品10批样品进行总灰分测定，结果见表3，据最高值、最低值及平均值，将本品总灰分拟定为不得过12.0%。

表3　粪箕笃样品总灰分测定结果一览表

样品	总灰分（%）	样品	总灰分（%）
FJD–1	10.4	FJD–6	8.2
FJD–2	10.3	FJD–7	8.2
FJD–3	10.1	FJD–8	8.9
FJD–4	10.2	FJD–9	6.9
FJD–5	10.1	FJD–10	8.7
FJD–2–FH	9.7	FJD–5–FH	9.8
FJD–4–FH	9.6		

酸不溶性灰分　照灰分测定法（中国药典2010年版一部附录Ⅸ K）测定。

对本品10批样品进行酸不溶性灰分测定，结果见表4，据最高值、最低值及平均值，将本品酸不溶性灰分拟定为不得过3.0%。

表4　粪箕笃样品酸不溶性灰分测定结果一览表

样品	酸不溶性灰分（%）	样品	酸不溶性灰分（%）
FJD-1	1.9	FJD-6	0.5
FJD-2	1.5	FJD-7	0.7
FJD-3	1.8	FJD-8	1.4
FJD-4	1.6	FJD-9	0.6
FJD-5	2.1	FJD-10	0.3
FJD-2-FH	2.6	FJD-5-FH	2.6
FJD-4-FH	1.6		

【浸出物】　查阅文献表明[8, 9]，粪箕笃中的活性成分主要为生物碱成分，其非碱性成分也具有一定的生物活性，因活性成分性质结构复杂，因此，考虑选用极性较大的水，以及稀乙醇、乙醇作为提取溶剂，分别进行冷浸法和热浸法测定来考察粪箕笃中所含活性成分的多少。对比实验结果表明，水热浸法浸出物的含量最高，但是水溶性杂质很多，溶液很难过滤，故不考虑该溶剂。而稀乙醇热浸法浸出物较乙醇的提取效果更优（以FJD-1为供试品，前者浸出物含量为18.48%，后者浸出物含量为15.48%），因此最终确定以稀乙醇为提取溶剂。照醇溶性浸出物测定法（中国药典2010年版一部附录Ⅹ A）项下的热浸法测定，对本品10批样品进行浸出物含量测定，结果见表5，据最高值、最低值及平均值，将本品浸出物含量拟定为不得少于13.0%。

表5　粪箕笃样品浸出物测定结果一览表

样品	浸出物均值（%）	样品	浸出物均值（%）
FJD-1	18.6	FJD-6	25.0
FJD-2	18.6	FJD-7	24.4
FJD-3	18.1	FJD-8	22.8
FJD-4	17.4	FJD-9	23.4
FJD-5	17.7	FJD-10	15.1
FJD-2-FH	15.7	FJD-5-FH	17.0
FJD-4-FH	17.2		

参考文献

[1][3]国家中医药管理局《中华本草》编委会. 中华本草：第8册[M]. 上海：上海科学技术出版社，1999：382（总1981）.

[2]中国科学院中国植物志编辑委员会. 中国植物志：第三十卷第一册[M]. 北京：科学出版社，1995：51-52.

[4]劳爱娜，高耀良，唐宗俭，等. 粪箕笃生物碱化学成分的研究[J]. 化学学报，1982，40（11）：1038-1043.

[5]邓京振，赵守训. 粪箕笃地上部分非碱性成分的分离和鉴定[J]. 中国药科大学学报，1993，24（2）：73-75.

[6]林启云，谢金鲜. 粪箕笃利尿、镇静及镇痛作用研究[J]. 广西中医药，2001，24（3）：167-169.

[7][8][9]付中西. 粪箕笃与柳树枝叶治肾盂肾炎疗效观察[J]. 中原医刊，1979，16（2）：35.

药学编著： 刘华钢　韦松基　王小新
药学审校： 广西壮族自治区食品药品检验所

赪桐　　棵赪桐

Chengtong　　Godoengzhoengz

CLERODENDRI JAPONICI HERBA

【概述】 赪桐，俗名荷苞花、状元红、贞桐花、红龙船花等。[1]其药用始见于《南方草木状》，其后《酉阳杂俎》、《植物名实图考》、《广西药用植物志》等均有记载。《全国中草药汇编》、《中药大辞典》、《中华本草》等大型辞书中对其药用价值、原植物、地理分布、产销情况等亦有简要记述。同时，赪桐又是一种多民族使用的民间草药，壮、傣、苗、景颇、基诺等多个民族的民间药书中都有记载。[2]该植物主要分布于西南及江苏、浙江南部、福建、台湾、湖南、广东、广西等省区的平原、溪边、山谷或疏林中，也有栽培。[3]广西主产于河池、天峨、三江、马山、上林、武鸣、南宁等地[4]，在民间有较长的使用历史，但《中国药典》及《广西中药材标准》尚无收载。

【来源】 本品为马鞭草科植物赪桐*Clerodendrum japonicum*（Thunb.）Sweet的干燥地上部分。

赪桐为灌木，高1~4 m；小枝四棱形，老枝近于无毛或被短柔毛。叶片圆心形，长8~35 cm，宽6~27 cm，顶端尖或渐尖，基部心形，边缘有疏短尖齿，表面疏生伏毛，脉基具较密的锈褐色短柔毛，背面密具锈黄色盾形腺体，脉上有疏短柔毛；叶柄长0.5~15 cm，具较密的黄褐色短柔毛。二歧聚伞花序组成顶生，大而开展的圆锥花序，长15~34 cm，宽13~35 cm；花萼红色，深5裂；花冠红色，稀白色，花冠管长1.7~2.2 cm，外面具微毛，里面无毛，顶端5裂；雄蕊长约达花冠管的3倍；子房无毛，4室，柱头2浅裂，与雄蕊均长突出于花冠外。果实椭圆状球形，绿色或蓝黑色，径0.7~1 cm，常分裂成2~4个分核，宿萼增大，初包被果实，后向外反折呈星状。花、果期5~11月。[5]

赪桐为灌木，其地上部分与地下部分历来因功能、主治不同而分别使用。以地上部分入药，更能体现壮医临床用药的习惯。该药全年可采，切段晒干，研末或鲜用。[6]

起草样品收集情况：共收集到样品7批，详细信息见表1、图1、图2。

壮药质量标准注释

表1　赪桐样品信息一览表

编号	原编号	药用部位	产地/采集地点/批号	样品状态
CT-1	马山弄拉110606	地上部分	马山县古零镇弄拉屯	药材
CT-2	河池110726	地上部分	河池市	药材
CT-3	马山县110726	地上部分	马山县	药材
CT-4	武鸣县110601	地上部分	武鸣县	药材
CT-5	田东平马110627	地上部分	田东县平马镇	药材
CT-6	百色靖西110605	地上部分	百色市靖西县	药材
CT-7	大新县110625	地上部分	大新县	药材

备注：赪桐样品CT-1同时制成腊叶标本，经鉴定，结果确定为马鞭草科植物赪桐，实验中以该样品作为赪桐的对照药材与其他样品进行对比。完成样品收集后，将所有7份样品（约300 g）进行粉碎处理，并统一过40目筛，备用。

图1 赪桐原植物

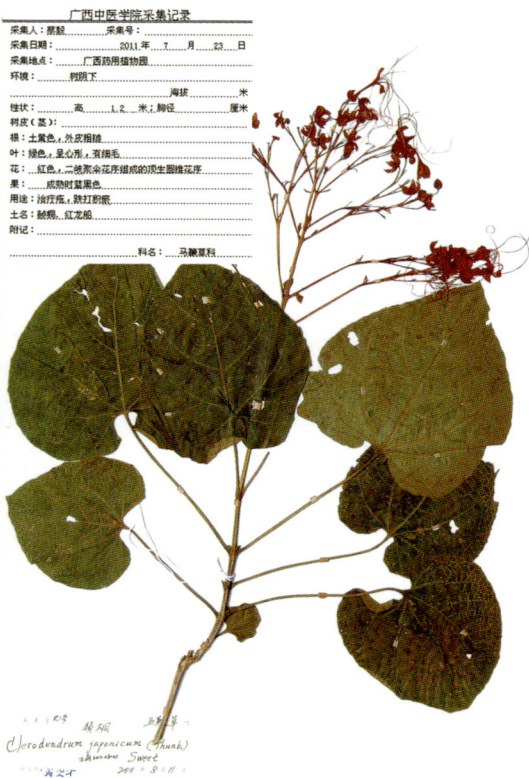

图2 赪桐标本

【化学成分】 赪桐成分复杂，含有氨基酸、多肽、蛋白质、糖、多糖、苷类、皂苷、有机酸、酚类和鞣质、黄酮、蒽醌、香豆素、内酯、植物甾醇、三萜等成分。有报道表明，本品含□-谷甾醇（sitosterol），□-胡萝卜苷（daucosterol），粗毛豚草素（hispidulin），4，5，7-三羟基黄酮（芹菜素，apigene），8-methoxy-5，7，3'，4'-tetrahydroxyflavone，芹菜素-7-O-□-D-葡萄糖苷（apigene-7-O-□-D-glucopyranoside），木栓酮（friedelin），豆甾-4-烯-6□-醇-3-酮（stigmast-4-ene-6□-ol-3-one），4，6-二对羟基苯乙酰氧基-D-葡萄糖，2-甲氧基对苯二酚-4-□-D-吡喃葡萄糖苷（tachioside），□-D-galactopyranoside，4-hydroxyphenyl，咖啡酸乙酯（ethyl caffeate），4-hydroxy-3-methoxy-Benzeneethanol，Methyl 4-hydroxy-o-anisate，6-methoxycoumarin，十六碳酸（hexadecanoic acid），连翘环己醇酮。还含有马蒂罗苷（martinoside），单乙酰马蒂罗苷（monoacetyl martinoside），贞桐苷A（clerodenoside A），阿克苷（acteoside），22，23-二氢菠甾醇（22，23-dihydrospinasterol），豆甾醇（stigmasterol），25，26-去氢豆甾醇（25，26-dehydrostigmasterol），乌索酸（ursolic acid），丁二酸酐（succinic anhydride）和小麦黄素（tricin）等。[7, 8]

【药理与临床】 赪桐具有祛风、散瘀、解毒消肿之功。岭南地区的中医或少数民族民间医生常用于治疗偏头痛、跌打瘀肿、痈肿疮毒。但相关的药理实验研究较少，空白点较多。

【性状】 本品茎呈圆柱形，直径0.5~2.5 cm；表面灰黄色，具纵皱纹及皮孔，质硬；断面皮部极薄，木部淡黄色，具同心性环纹及不甚明显的放射状纹理和褐色小点，髓部浅黄棕色，多凹陷。叶皱缩，灰绿色至灰黄色，被灰白色茸毛，展开后呈广卵圆形，先端渐尖，基部心形，边缘有锯齿。气微，味淡。

《广西壮族自治区壮药质量标准第二卷（2011年版）》注释

本品主要鉴别特征为茎外皮薄，形成纵皱纹，皮孔明显；叶被灰白色茸毛。详见图3。

【鉴别】 赪桐的显微结构研究已有报道[9, 10]，对多地采集的标本进行了对比研究，结果基本一致。有的尚可见到腺鳞，这可能是取材于开花的夏季所致。

（1）本品茎横切面：类方形。表皮细胞1列，类圆形，排列紧密，外被角质层；可见非腺毛及腺鳞，表皮下或可见数列木栓细胞。皮层厚角组织断续排列成环，薄壁细胞类圆形或椭圆形，排列疏松。韧皮部较窄，外方有纤维束断续排列成环。形成层不明显。木质部宽广，导管众多，单个或多个相聚，放射状排列。射线多由1~2列细胞组成。髓部宽广，占茎横切面的2/3以上。皮层、韧皮部、髓部可见不均匀增厚的含晶石细胞及草酸钙方晶。

粉末浅黄绿色。含晶石细胞类方形或类圆形，直径33~110 μm。草酸钙方晶较多，呈棱形、方形或多面形，直径4~30 μm。纤维周边薄壁细胞中含草酸钙方晶。大型腺毛黄褐色，呈伞状，腺头由数十个细胞组成，排列成1~2层，腺柄为数个细胞；腺鳞的腺头多为8个细胞；非腺毛较多，由2~11个细胞组成，节间膨大。导管以具缘纹孔为主，直径14~86 μm，亦见梯纹导管、螺纹导管。淀粉粒多为单粒，类球形或椭圆形，直径4~13 μm，脐点裂缝状、"人"字形或点状；复粒多由3粒组成。

显微鉴别要点：含晶石细胞、晶鞘纤维、腺鳞、腺毛及非腺毛是赪桐的主要鉴别特征，详见图4、图5、图6。

（2）取本品粉末1 g，加乙醇30 ml，超声处理30分钟，滤过，滤液蒸干，残渣加乙醇2 ml使溶解，作为供试品溶液。另取赪桐对照药材1 g，同法制成对照药材溶液。照薄层色谱法（中国药典2010年版一部附录Ⅵ B）试验，吸取

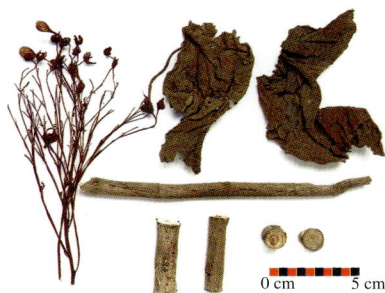

0 cm   5 cm

图3 赪桐药材

26 μm

图5 含晶石细胞放大图

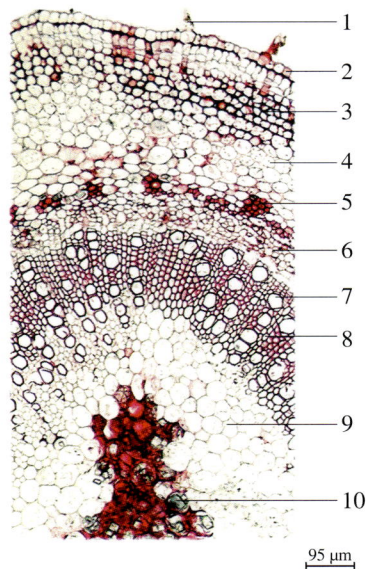

1. 非腺毛 2. 表皮
3. 厚角组织

95 μm

图4 赪桐茎横切面显微放大图
1. 非腺毛 2. 表皮 3. 厚角组织 4. 皮层 5. 中柱鞘纤维 6. 韧皮部 7. 木质部 8. 射线 9. 髓部 10. 含晶石细胞

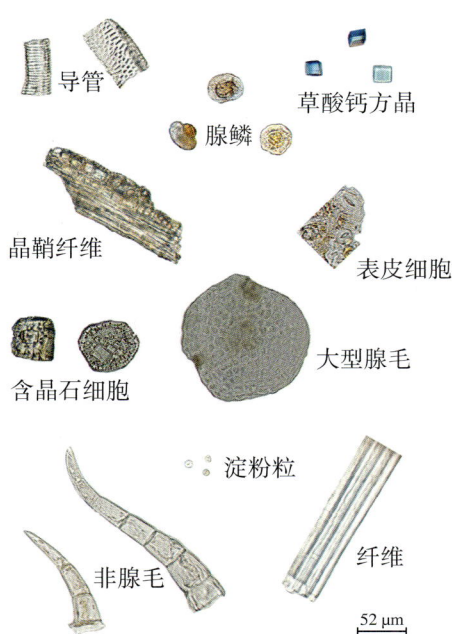

导管　草酸钙方晶　腺鳞　晶鞘纤维　表皮细胞　含晶石细胞　大型腺毛　淀粉粒　非腺毛　纤维

52 μm

图6 赪桐粉末特征图

上述两种溶液各10 μl，分别点于同一硅胶G薄层板上，以正己烷-三氯甲烷-丙酮-冰醋酸（15：8：2：0.1）为展开剂，展开，取出，晾干，喷以10%硫酸乙醇溶液，在105 ℃加热至斑点显色清晰。供试品色谱中，在与对照药材色谱相应的位置上，显相同颜色的斑点。7批样品按本法检验，均符合规定，且薄层色谱分离效果好，斑点圆整清晰，比移值适中，重现性好。详见图7。

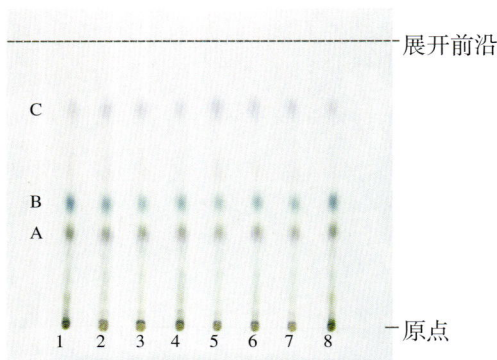

图7　赪桐样品TLC图

1. CT-1（对照药材）　　2. CT-2　　　3.CT-3　　　4. CT-4
5. CT-5　　　　　　　6. CT-6　　　7.CT-7　　　8. CT-1（对照药材）
A. 黄绿色斑点　　　　　B. 蓝绿色斑点　　　C. 蓝紫色斑点

色谱条件： 硅胶G薄层自制板，规格：10 cm×10 cm
　　　　　　圆点状点样，点样量：10 μl；温度：32 ℃；相对湿度：65RH%
　　　　　　展开剂：正己烷-三氯甲烷-丙酮-冰醋酸（15：8：2：0.1）

【检查】 水分 照水分测定法（中国药典2010年版一部附录Ⅸ H第一法）测定。

对本品5批样品进行水分测定，结果见表2，据最高值、最低值及平均值，并考虑到该药材为南方所产，而南方气候较为湿润，因此，将本品水分拟定为不得过12.0%。

表2　赪桐样品水分测定结果一览表

样品	水分均值（%）	样品	水分均值（%）
CT-1	7.7	CT-5	7.6
CT-2	7.5	CT-1-FH	9.5
CT-3	7.5	CT-6-FH	8.8
CT-4	7.8	CT-7-FH	9.3

总灰分 照灰分测定法（中国药典2010年版一部附录Ⅸ K）测定。

对本品5批样品进行总灰分测定，结果见表3，据最高值、最低值及平均值，将本品总灰分拟定为不得过10.0%。

表3　赪桐样品总灰分测定结果一览表

样品	总灰分（%）	样品	总灰分（%）
CT-1	8.5	CT-5	7.3
CT-2	7.6	CT-1-FH	6.1
CT-3	6.0	CT-6-FH	5.7
CT-4	7.2	CT-7-FH	7.4

酸不溶性灰分　照灰分测定法（中国药典2010年版一部附录Ⅸ K）测定。

对本品5批样品进行酸不溶性灰分测定，结果见表4，据最高值、最低值及平均值，将本品酸不溶性灰分拟定为不得过0.55%。

表4　赪桐样品酸不溶性灰分测定结果一览表

样品	酸不溶性灰分（%）	样品	酸不溶性灰分（%）
CT-1	0.5	CT-5	0.1
CT-2	0.2	CT-1-FH	0.2
CT-3	0.2	CT-6-FH	0.4
CT-4	0.1	CT-7-FH	0.3

【浸出物】　实验对比了水及三种不同浓度的乙醇（稀乙醇、75%乙醇、乙醇）作为提取溶剂的提取效果，水提取的水溶性杂质很多，溶液很难过滤，故不考虑该溶剂。而稀乙醇提取率较高，效果较佳（稀乙醇：28.1%；75%乙醇：23.7%；乙醇：17.8%），因此确定以稀乙醇为提取溶剂。而加热提取一方面有利于化学成分的溶出，另一方面又节省了实验时间，经研究最终确定采用热浸法来进行实验。用稀乙醇作溶剂，照醇溶性浸出物测定法（中国药典2010年版一部附录Ⅹ A）项下的热浸法测定。对本品5批样品进行浸出物含量测定，结果见表5，据最高值、最低值及平均值，将本品浸出物含量拟定为不得少于15.0%。

表5　赪桐样品浸出物测定结果一览表

样品	浸出物均值（%）	样品	浸出物均值（%）
CT-1	26.0	CT-5	22.1
CT-2	18.4	CT-1-FH	21.8
CT-3	17.6	CT-6-FH	17.7
CT-4	23.4	CT-7-FH	21.0

参考文献

［1］［3］［5］［6］国家中医药管理局《中华本草》编委会. 中华本草：第6册［M］. 上海：上海科学技术出版社，1999：571-572.

［2］贾敏如，李星炜. 中国民族药志要［M］. 北京：中国医药科技出版社，2005：168.

［4］朱华，蔡毅. 中国壮药原色图谱［M］. 南宁：广西民族出版社，2003：155.

［7］尚冀宁. 黄缨菊和赪桐化学成分研究［D］. 兰州：兰州大学，2010.

［8］田军，孙汉董. 赪桐的化学成分［J］. 云南植物研究，1995，17（1）：103-108.

［9］吴怀恩，丘琴，陆海琳，等. 赪桐的性状与显微鉴别［J］. 中药材，2010，33（9）：1392-1394.

［10］谭文红，韦群辉，李宏哲，等. 傣药赪桐的鉴别研究［J］. 中药材，2010，33（5）：710-711.

药学编著：朱 华　蔡 毅　马雯芳
药学审校：广西壮族自治区食品药品检验所

DYB45-GXZYC0192-2011

路边菊　　棵怀航

Lubianju　　　　Govaihag

KALIMERIS INDICAE HERBA

【概述】 路边菊，俗称田边菊、襄衣草、脾草、马兰。其药用始见于唐代陈臧器《本草拾遗》名为紫菊，南宋王介所著《履峻岩本草》称为阶前菊，明代朱橚《救荒本草》称为鸡心肠、马兰头。[1]《全国中草药汇编》等大型辞书中对其药用价值、原植物、地理分布等亦有简要记述。[2]湖南省中药材标准（2009版）收载名为马兰草。[3]同时，路边菊又是一种多民族使用的民间草药，壮、瑶、布依族等多个民族的民间药书中都有记载。路边菊原植物主要分布于我国南部各省区低山区、平坝或丘陵的潮湿地带。目前，尚无人工种植基地。

【来源】 本品为菊科植物马兰 *Kalimeris indica*（Linn.）Sch.-Bip.的干燥全草。

原植物形态：根状茎有匍枝，有时具直根。茎直立，高30~70 cm，上部有短毛，上部或从下部起有分枝。基部叶在花期枯萎，茎部叶倒披针形或倒卵状矩圆形，长3~6 cm，稀达10 cm，宽0.8~2 cm，稀达5 cm，顶端钝或尖，基部渐狭成具翅的长柄，边缘从中部以上具有小尖头的钝或尖齿或有羽状裂片，上部叶小，全缘，基部急狭无柄，全部叶稍薄质，两面或上面有疏微毛或近无毛，边缘及下面沿脉有短粗毛，中脉在下面凸起。头状花序单生于枝端并排列成疏伞房状。总苞半球形，径6~9 mm，长4~5 mm，总苞片2~3层，覆瓦状排列，外层倒披针形，长2 mm，内层倒披针状矩圆形，长达4 mm，顶端钝或稍尖，上部草质，有疏短毛，边缘膜质，有缘毛。花托圆锥形。舌状花1层，15~20个，管部长1.5~1.7 mm；舌片浅紫色，长达10 mm，宽1.5~2 mm；管状花长3.5 mm，管部长1.5 mm，被短密毛。瘦果倒卵状矩圆形，极扁，长1.5~2 mm，宽1 mm，褐色，边缘浅色而有厚肋，上部被腺及短柔毛。冠毛长0.1~0.8 mm，弱而易脱落，不等长。花期5~9月，果期8~10月。[4]

在广西各地均以路边菊作为本品名称，故本壮药标准以路边菊作为本品正名。路边菊以全草入药，夏、秋季采收，洗净，鲜用或晒干。

起草样品收集情况：共收集到样品10批，详细信息见表1、图1、图2。

表1　路边菊样品信息一览表

编号	原编号	药用部位	产地/采集地点/批号	样品状态
LBJ-1	1	全草	广西玉林市	饮片（短段）
LBJ-2	2	全草	广西玉林市	药材
LBJ-3	3	全草	广西玉林市	饮片（短段）
LBJ-4	4	全草	广西玉林市	饮片（短段）
LBJ-5	5	全草	广西梧州市	饮片（短段）
LBJ-6	6	全草	广西梧州市	饮片（短段）
LBJ-7	7	全草	广西梧州市	饮片（短段）
LBJ-8	8	全草	广西梧州市	药材
LBJ-9	9	全草	广西苍梧县	饮片（短段）

《广西壮族自治区壮药质量标准第二卷（2011年版）》注释

编号	原编号	药用部位	产地/采集地点/批号	样品状态
LBJ-10	10	全草	广西苍梧县	药材

备注：路边菊样品LBJ-10同时制成腊叶标本，经鉴定，结果确定其为菊科马兰属植物马兰，实验中以该样品作为路边菊的对照药材与其他样品进行对比。完成样品收集后，将所有10份样品进行粉碎处理，备用。

图1　路边菊原植物

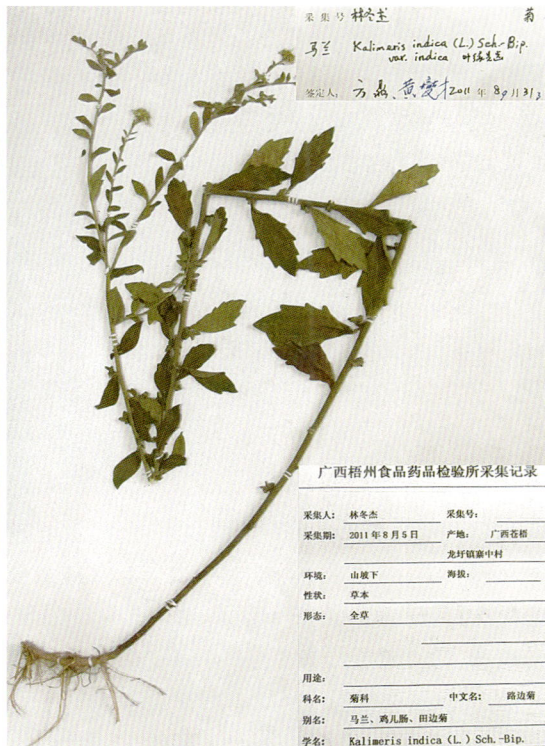

图2　路边菊标本

【化学成分】　路边菊中含挥发油约0.123%，油中含乙酸龙脑酯、甲酸龙脑脂、酚类、二聚戊烯、辛酸、倍半萜烯、倍半萜醇等。[5]路边菊中含黄酮类化合物[6]，还含□-谷甾醇[7]、萜类、萜醇类、醇类、酮类、醛类、酚类、有机酸类、酸类及烷烃类化合物[8]、石竹烯、乙酸异酯冰片、3，7-二甲基-1，3，7-三辛烯[9]、矿质元素、维生素、17种氨基酸。[10]

参考中国药典2010年版一部菊科植物菊花含量测定中有3，5-O-二咖啡酰基奎宁酸、绿原酸，路边菊同为菊科植物。经试验路边菊中含有3，5-O-二咖啡酰基奎宁酸、绿原酸。

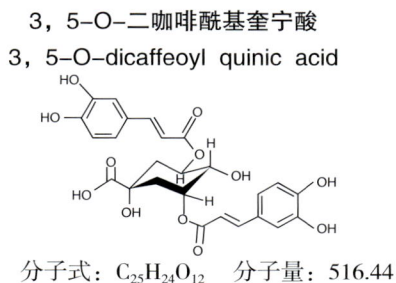

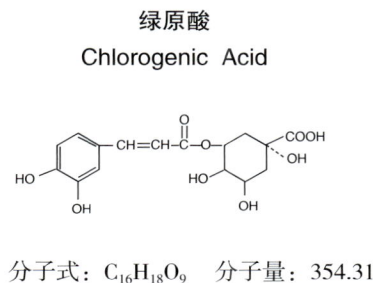

3，5-O-二咖啡酰基奎宁酸
3，5-O-dicaffeoyl quinic acid

分子式：$C_{25}H_{24}O_{12}$　分子量：516.44

绿原酸
Chlorogenic Acid

分子式：$C_{16}H_{18}O_9$　分子量：354.31

【药理与临床】　路边菊具有清热解毒、散瘀止血、消积的功效。路边菊水煎液对胃溃疡具有一定的预防及治疗作用。涂朝勇等研究表明[11]：路边菊水煎液能使大、小鼠胃溃疡指

壮药质量标准注释

数显著低于对照组。姚晓伟等研究表明[12]：路边菊提取物具有抗炎作用，抗炎作用可能与其抗氧化和减少炎症细胞因子生成有关。唐祖年等研究表明[13]：路边菊95%乙醇和50%乙醇提取物对大鼠和小鼠离体子宫平滑肌具有兴奋作用，并呈量效关系。路边菊50%乙醇提取物能明显缩短复钙凝血时间，对凝血酶原时间无明显影响。民间用于治疗感冒、痢疾、胃溃疡、结膜炎、跌打损伤等病症。[14]

【性状】 本品长30~120 cm，茎呈类圆柱状，光滑无毛，直径1~3 mm；表面灰绿色或紫褐色，体轻，质韧，断面有髓。叶皱缩卷曲，单叶互生，近无柄；叶片倒卵形、椭圆形至披针形，长7~10 cm，宽1.5~2.5 cm，先端尖、渐尖或钝，基部渐窄下延，边缘羽状浅裂或有极疏粗齿，近顶端叶渐小且全缘。头状花序，边花舌状，一层，多皱缩，被密毛。气微，味淡。

本品主要鉴别特征为单叶互生，近无柄；边缘羽状浅裂或有极疏粗齿；近顶端叶渐小且全缘。详见图3。

图3 路边菊药材

【鉴别】 取路边菊粉末1 g，加石油醚（30~60℃）20 ml，超声处理10分钟，弃去石油醚，药渣挥干，加稀盐酸1 ml与乙酸乙酯50 ml，超声处理30分钟，滤过，滤液蒸干，残渣加甲醇2 ml使溶解，作为供试品溶液。另取路边菊对照药材1 g，同法制成对照药材溶液。再取3，5-O-二咖啡酰基奎宁酸对照品加甲醇制成每1 ml含0.5 mg的溶液，作为对照品溶液。照薄层色谱法（中国药典2010年版一部附录Ⅵ B）试验，吸取上述三种溶液各1~3 μl分别点于同一聚酰胺薄膜上，以甲苯-乙酸乙酯-甲酸-冰醋酸-水（1∶15∶1∶1∶2）的上层溶液为展开剂，展开，取出，晾干，置紫外光灯（365 nm）下检视。供试品色谱中，在与对照药材色谱和对照品色谱相应的位置上，显相同颜色的荧光斑点。10批样品按本法检验，均符合规定，且薄层色谱分离效果好，斑点圆整清晰，比移值适中，重现性好。详见图4、图5。

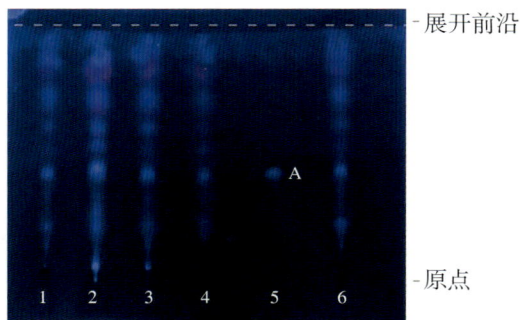

图4 路边菊样品TLC图

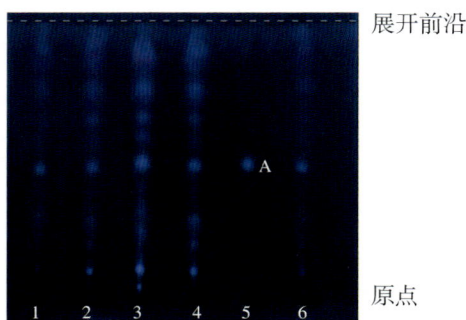

图5 路边菊样品TLC图

1. LBJ-1　2. LBJ-2　3. LBJ-3（对照药材）　4. LBJ-4　5. 3，5-O-二咖啡酰基奎宁酸对照品
6. LBJ-5　7. LBJ-6　8. LBJ-7　9. LBJ-8　10. LBJ-9　11. 3，5-O-二咖啡酰基奎宁酸对照品
12. LBJ-10　A. 蓝色荧光斑点

色谱条件：聚酰胺薄膜，生产厂家：浙江台州市路桥四甲生化塑料厂，批号：20080318
　　　　　圆点状点样，点样量：1 μl；温度：25 ℃；相对湿度：60RH%
　　　　　展开剂：甲苯-乙酸乙酯-甲酸-冰醋酸-水（1∶15∶1∶1∶2）的上层溶液
　　　　　检视：紫外光灯365 nm下观察

耐用性实验考察：对不同展开温度（10 ℃、30 ℃）进行考察，对环境不同相对湿度（50RH%、75RH%）进行考察，结果均表明本法的耐用性良好。

【检查】 水分 照水分测定法（中国药典2010年版一部附录Ⅸ H第一法）测定。

对本品10批样品进行水分测定，结果见表2，据最高值、最低值及平均值，并考虑到该药材为南方所产，而南方气候较为湿润，因此，将本品水分拟定为不得过15.0%。

表2 路边菊样品水分测定结果一览表

样品	水分均值（%）	样品	水分均值（%）
LBJ-1	12.4	LBJ-6	13.7
LBJ-2	13.4	LBJ-7	12.6
LBJ-3	13.1	LBJ-8	12.3
LBJ-4	13.3	LBJ-9	12.5
LBJ-5	13.7	LBJ-10	13.5
LBJ-1-FH	9.0	LBJ-3-FH	9.0
LBJ-2-FH	8.5		

总灰分 照灰分测定法（中国药典2010年版一部附录Ⅸ K）测定。

对本品10批样品进行总灰分测定，结果见表3，据最高值、最低值及平均值，将本品总灰分拟定为不得过6.0%。

表3 路边菊样品总灰分测定结果一览表

样品	总灰分（%）	样品	总灰分（%）
LBJ-1	3.1	LBJ-6	2.3
LBJ-2	3.0	LBJ-7	3.4
LBJ-3	3.2	LBJ-8	3.6
LBJ-4	4.3	LBJ-9	4.1
LBJ-5	3.5	LBJ-10	3.7
LBJ-1-FH	4.8	LBJ-3-FH	5.0
LBJ-2-FH	5.0		

【浸出物】 查阅文献表明[15]，路边菊中黄酮类为主要活性成分，黄酮类易溶于乙醇、水等极性溶剂，因此考虑用醇溶性浸出物测定法来考察路边菊中含活性成分的多少。而加热提取有利于化学成分的溶出，又节省了实验时间，故确定用热浸法来进行实验。实验之初对比了两种不同浓度的乙醇（稀乙醇和乙醇）作为提取溶剂的提取效果，对比实验结果表明，稀乙醇提取的浸出物水溶性杂质多，溶液很难过滤，耗时较长，故不考虑该溶剂，最终确定以乙醇为提取溶剂。照醇溶性浸出物测定法（中国药典2010年版一部附录 X A）项下的热浸法测定，对本品10批样品进行浸出物含量测定，结果见表4，据最高值、最低值及平均值，将本品浸出物含量拟定为不得少于5.0%。

表4 路边菊样品浸出物测定结果一览表

样品	浸出物均值（%）	样品	浸出物均值（%）
LBJ-1	10.1	LBJ-6	8.0
LBJ-2	6.0	LBJ-7	9.1
LBJ-3	9.1	LBJ-8	9.7
LBJ-4	5.8	LBJ-9	12.6
LBJ-5	8.4	LBJ-10	9.5
LBJ-1-FH	9.3	LBJ-3-FH	10.1
LBJ-2-FH	10.6		

【含量测定】 含量测定成分的选择：路边菊的功效为清热解毒、散瘀止血、消积。据文献报道[16]：绿原酸具有抗菌及抗病毒作用，这是其清热解毒的药理学基础；绿原酸有清除自由基及抗脂质过氧化作用，可保护血管内皮细胞，进而在防治动脉粥样硬化、血栓栓塞性疾病及高血压病等方面发挥作用，这是其散瘀止血的药理学基础；绿原酸还有降脂等作用。绿原酸具有多种药理作用，是路边菊功效"清热解毒，散瘀止血"的活性成分，拟对其含量进行控制。

参照有关文献，采用高效液相色谱法，对本品中绿原酸进行含量测定，结果显示该方法灵敏，精密度高，重现性好，结果准确，可作为本品内在质量的控制方法。测定方法考察及验证结果如下。

1. 方法考察与结果

1.1 色谱条件

以十八烷基硅烷键合硅胶为填充剂；以乙腈–0.1%磷酸为流动相；进样量10 μl，柱温35 ℃，流速1.0 ml/min。检测波长参考中国药典2010年版一部菊花中绿原酸含量测定的条件，对路边菊中绿原酸的含量进行检测，选择348 nm作为绿原酸的检测波长。

1.2 提取方法

路边菊和菊花同为菊科植物，参考中国药典2010年版一部菊花含量测定中对绿原酸的提取方法，以70%甲醇作为溶剂，超声提取路边菊中的绿原酸。

1.2.1 提取溶剂使用量考察

取本品（LBJ–3）粉末0.25 g，精密称定，共6份，每2份分别精密加入70%甲醇15 ml、25 ml、50 ml，称定重量，超声处理（功率300 W，频率45 kHz）30分钟，放至室温，再称定重量，用70%甲醇补足减失的重量，摇匀，滤过，弃去初滤液，取续滤液，用微孔滤膜过滤，即得。结果详见表5，25 ml、50 ml均比15 ml提取效果好，但25 ml、50 ml提取效果差别不大，其中以25 ml提取效果最佳，故确定提取溶剂的量为25 ml。

表5　提取溶剂使用量考察结果

溶剂量（ml）	绿原酸含量（%）
15	0.15
25	0.18
50	0.17

1.2.2 提取时间考察

取本品（LBJ–3）粉末0.25 g，精密称定，共8份，每2份分别精密加入70%甲醇25 ml，称定重量，考察超声提取时间为20分钟、40分钟、50分钟、60分钟，放冷，同上操作，即得。超声提取40分钟绿原酸含量最高，故超声提取时间定为40分钟，结果详见表6。

表6　提取时间考察结果

时间（分钟）	绿原酸含量（%）
20	0.17
40	0.19
50	0.18
60	0.18

综合以上试验结果，最终确定提取方法如下：取本品粉末（过四号筛）0.25 g，精密称定，精密加入70%甲醇25 ml，称定重量，超声处理（功率300 W，频率45 kHz）40分钟，放冷，同上操作，即得。

2. 方法学验证与结果

2.1 线性及范围

精密称取绿原酸对照品5.21 mg，置50 ml量瓶中（浓度：0.1042 mg/ml），溶剂为甲醇，分别精密吸取0.25 ml、0.5 ml、1 ml、1 ml、2 ml置10 ml、10 ml、10 ml、5 ml、5 ml量瓶中，加入溶剂70%甲醇定容得到浓度分别为2.605 μg/ml、5.21 μg/ml、10.42 μg/ml、20.84 μg/ml、41.68 μg/ml的对照品溶液，按正文拟定的色谱条件分别进样10 μl测定峰面积。以绿原酸对照品的进样量（μg）为纵坐标（Y），峰面积为横坐标（X）绘制标准曲线。结果表明绿原酸的进样量在0.02605~0.4168 μg范围内与峰面积具有良好的线性关系，回归方程为：$Y=1846039X-10829$，$r=0.9999$。

2.2 精密度试验

2.2.1 重复性

取同一份供试品溶液（LBJ-3），按正文拟定的色谱条件，连续测定6次。结果表明6次测定的绿原酸峰面积平均值为295538，RSD=0.40%（$n=6$），试验结果表明本法的精密度良好。

2.2.2 重现性

取同一批供试品（LBJ-3）粉末1 g，精密称定，按正文的方法平行测定6份，计算，6份样品测得绿原酸含量的平均值为0.191%，RSD=0.20%（$n=6$），试验结果表明本法的重现性良好。

2.3 准确度试验

精密称取绿原酸对照品10.42 mg，置50 ml量瓶中，加甲醇溶解并稀释至刻度，摇匀，作为绿原酸对照品储备液A。再精密称取绿原酸对照品10.70 mg，置50 ml量瓶中，加甲醇溶解并稀释至刻度，摇匀，作为绿原酸对照品储备液B。

精密吸取对照品储备液A 0.8 ml置平底烧瓶中，共3份；再精密吸取对照品储备液A 1 ml置平底烧瓶中，共3份；再精密吸取对照品储备液B 1.2 ml置平底烧瓶中，共3份。将上述9份加有对照品的平底烧瓶置水浴中减压回收至干。精密称取已知含量（绿原酸含量为0.191%）的供试品（LBJ-3）粉末0.125 g，分别置上述9个平底烧瓶中，按正文拟定的方法提取、测定，计算加样回收率，结果绿原酸平均回收率为98.68%，RSD=1.61%（$n=9$）。

2.4 耐用性试验

2.4.1 色谱柱的考察

分别采用不同品牌的色谱柱（Agilent ZORBAX SB-C18、依利特ODS-BP C18、Inertsil ODS-SP C18，三根色谱柱规格均为：5 μm，4.6 mm×250 mm）测定样品（LBJ-3）中绿原酸的含量，结果三根色谱柱测定结果平均值为0.191%，RSD=2.05%（$n=3$）。

2.4.2 色谱仪的考察

分别采用不同品牌的高效液相色谱仪（Agilent 1200型、Shimadzu LC-20AD）测定样品

（LBJ-3）中绿原酸的含量，结果两台色谱仪测定结果平均值为0.191%，RAD=2.86%（n=2）。结果均表明本法的耐用性良好。

按正文含量测定方法，测定了本品10批样品中的绿原酸的含量（详见表7），据最高值、最低值及平均值，并考虑药材来源差异情况，暂定本品含量限度为不得少于0.050%。

空白溶剂（70%甲醇）HPLC图、绿原酸对照品HPLC图、路边菊样品HPLC图分别见图6、图7、图8。

表7　10批样品测定结果

编号	采集（收集）地点/批号	绿原酸含量（%）
LBJ-1	广西玉林市	0.20
LBJ-2	广西玉林市	0.08
LBJ-3	广西玉林市	0.19
LBJ-4	广西玉林市	0.07
LBJ-5	广西梧州市	0.06
LBJ-6	广西梧州市	0.08
LBJ-7	广西梧州市	0.26
LBJ-8	广西梧州市	0.18
LBJ-9	广西苍梧县	0.07
LBJ-10	广西苍梧县	0.07
LBJ-1-FH	广西玉林市	0.083
LBJ-2-FH	广西玉林市	0.141
LBJ-3-FH	广西玉林市	0.132

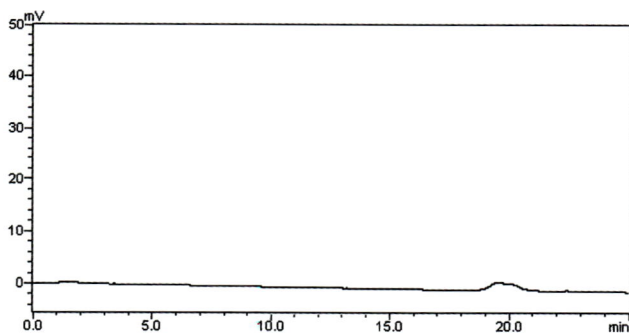

图6　空白溶剂（70%甲醇）HPLC图

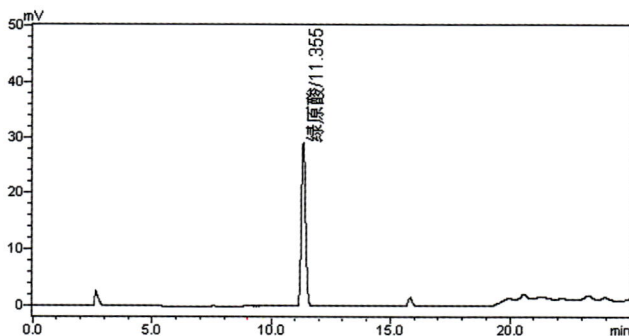

图7　绿原酸对照品HPLC图

《广西壮族自治区壮药质量标准第二卷（2011年版）》注释

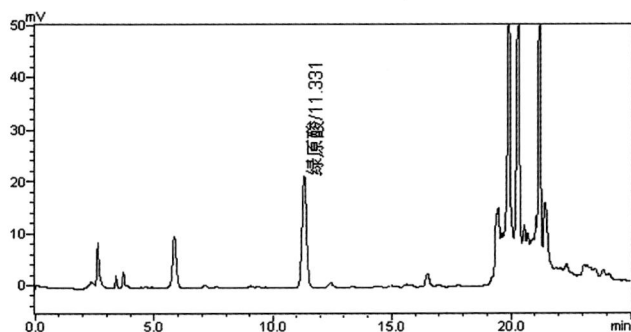

图8 路边菊样品HPLC图

参考文献

[1]张雪梅，刘圆，孟庆艳.民族药马兰的生药学鉴定[J].时珍国医国药，2007，18（3）：557-558.

[2][5]谢宗万.全国中草药汇编[M].北京：人民卫生出版社，1996：75-76.

[3]湖南省食品药品监督管理局.湖南省中药材标准[M].长沙：湖南科学技术出版社，2009：35-37.

[4]中国科学院中国植物志编辑委员会.中国植物志：第七十四卷[M].北京：科学出版社，1985：99-100.

[6][15]郑和权，周守标，朱肖锋，等.马兰总黄酮提取工艺优化及不同部位含量测定[J].食品与发酵工业，2008，34（11）：185-189.

[7]林彬彬，王刚，刘劲松，等.马兰化学成分研究[J].安徽中医学院学报，2008，27（6）：48-49.

[8]康文艺，赵超，穆淑珍，等.马兰挥发油成分的研究[J].中草药，2003，34（3）：210-211.

[9]马英姿，蒋道松.马兰挥发性成分研究[J].经济林研究，2002，20（2）：69-70.

[10]许泳吉.野生植物马兰的营养成分[J].山东化工，2006，35（3）：42-43.

[11]涂朝勇，田徽，王建，等.路边菊水煎液抗实验性胃溃疡的研究[J].时珍国医国药，2009，20（10）：2595-2596.

[12]姚晓伟，陶小琴.马兰提取物抗炎作用的实验研究[J].陕西中医，2010，31（11）：1559-1560.

[13]唐祖年，杨月，杨成芳.马兰对动物离体子宫的兴奋作用及促凝血的实验研究[J].时珍国医国药，2010，21（9）：2294-2295.

[14]郭甫臣.马兰草的临床应用[J].中国民族民间医药，2002（2）：119-120.

[16]吴卫华，康桢，欧阳冬生，等.绿原酸的药理学研究进展[J].天然产物研究与开发，2006，18（4）：691-394.

药学编著： 林冬杰 罗达龙 黄林杰
药学审校： 广西壮族自治区食品药品检验所

DYB45–GXZYC0196–2011

幌伞枫皮　　雅当老

Huangsanfengpi　　　　Ywdanghlaux

HETEROPANACIS FRAGRANTIS CORTEX

【概述】　幌伞枫，俗名大蛇药、五加通、凉伞木、阿婆伞、火雷木。以大蛇药之名始见于《常用中草药手册》（广州部队后勤部卫生部编），之后在我国中草药本草书籍和杂志中多有收载。据调查，幌伞枫在广西壮族地区民间有悠久的药用历史，每当感冒发热、中暑头痛、风湿痹痛引起全身疼痛不适时，壮族民间习惯用幌伞枫捣敷患处或煎水洗澡，驱赶风寒疼痛。幌伞枫原植物主要分布于广西、广东、海南、云南等海拔1000 m以下的向阳山谷及山坡疏林下，庭园绿化也有栽培。本品药材主产于广西龙州。

【来源】　本品为五加科植物幌伞枫*Heteropanax fragrans*（Roxb.ex DC.）Seem的干燥茎皮。

幌伞枫为常绿乔木，高5~30 m，胸径达70 cm，树皮淡灰棕色，枝无刺。叶大，3~5回羽状复叶，直径达50~100 cm；叶柄长15~30 cm，无毛或几无毛；托叶小，和叶柄基部合生；小叶片在羽片轴上对生，纸质，椭圆形，长5.5~13 cm，宽3.5~6 cm，先端短尖，基部楔形，两面均无毛，边缘全缘，侧脉6~10对，下面隆起，两面明显；小叶柄长至1 cm或无柄，顶生小叶柄有时更长。圆锥花序顶生，长30~40 cm，主轴及分枝密生锈色星状绒毛，后毛脱落；伞形花序头状，直径约1.2 cm，有花多数；总花梗长1~1.5 cm；苞片小，卵形，长2~3 mm，宿存；花梗长1~2 mm，花后延长；花淡黄白色，芳香；萼有绒毛，长约2 mm，边缘有5个三角形小齿；花瓣5片，卵形，长约2 mm，外面疏生绒毛；雄蕊5枚，花丝长约3 mm；子房2室；花柱2裂，离生，开展。果实卵球形，略侧扁，长7 mm，厚3~5 mm，黑色，宿存花柱长约2 mm，果梗长约8 mm。花期10~12月，果期次年2~3月。[1]

幌伞枫以茎皮入药，全年可采，剥取树皮，除去杂质，切片或段，晒干。[2]研究表明幌伞枫根含齐墩果酸、胡萝卜苷、白千层酸等[3]，很多地方也用幌伞枫根入药。

起草样品收集情况：共收集到样品7批，详细信息见表1、图1、图2。

表1　幌伞枫皮样品信息一览表

编号	原编号	药用部位	产地/采集地点	样品状态
HSFP–1	11050801	茎皮	百色市右江区乌拉村	药材
HSFP–2	11050802	茎皮	百色市右江区泮水乡	药材
HSFP–3	11052401	茎皮	南宁市邕武路绿化苗木场	药材
HSFP–4	11053001	茎皮	那坡县百省乡百坎村	药材
HSFP–5	11061201	茎皮	南宁市良庆区那马镇	药材
HSFP–6	11061501	茎皮	南宁市四塘镇	药材
HSFP–7	11052801	茎皮	南宁市邕宁区	药材

备注：幌伞枫皮样品HSFP–1同时压制成腊叶标本，腊叶标本经过方鼎和黄燮才两位植物分类专家鉴定为五加科植物幌伞枫，实验中以该样品作为幌伞枫皮的对照药材与其他样品进行对比研究。完成样品收集后，将所有7份样品（约500 g）进行粉碎处理，并统一过40目筛，备用。

图1　幌伞枫原植物

图2　幌伞枫标本

【化学成分】　幌伞枫根含齐墩果酸（oleanolic acid），胡萝卜苷（daucosterol），白千层酸（melaleucic acid），3□，23-二羟基-20（29）-羽扇烯-27，28-二羧酸［3□，23-dihydroxy-20（29）-lupene-27，28-dioic acid］和白千层酸-28-O-［□-L-鼠李糖-（1→4）-□-D-葡萄糖（1→6）］-□-D-葡萄糖苷{ melaleucic acid-28-O-［□-L-rhamnopyranosyl-（1→4）-□-D-glucopyranosyl（1→6）］-□-D-glucopyranosyl }。[4]

【性状】　本品呈板片状、卷筒状或弧状弯曲条块状，厚0.5~1 cm，外表面灰褐色至灰棕色，粗糙，栓皮较厚，上面龟裂状。内表面棕黄色，光滑，质坚硬，不易折断，折断面黄白色，颗粒性。气微，味苦而涩。详见图3。

【鉴别】　（1）本品茎皮横切面：木栓层由数至数十列细胞组成，淡黄色。皮层外侧石细胞群断续成环，部分细胞内含有草酸钙方晶；皮

图3　幌伞枫药材

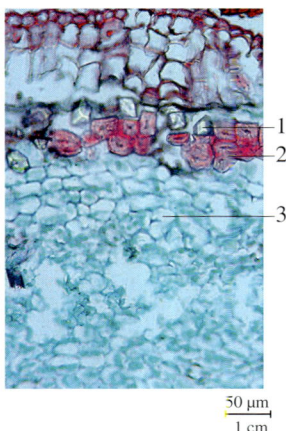

图5 幌伞枫茎皮
横切面局部放大图
1. 草酸钙方晶
2. 石细胞
3. 薄壁细胞

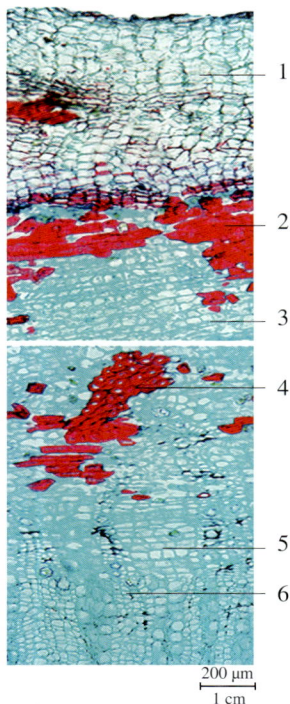

图4 幌伞枫茎皮横切面显
微全貌图

1. 木栓层　　2. 石细胞群
3. 皮层　　　4. 韧皮部纤维
5. 韧皮射线　6. 韧皮部

层细胞数十列，部分细胞内含草酸钙砂晶或方晶；皮层中异型维管束相间呈环状排列。韧皮部纤维数至十余个成束，断续成环。薄壁细胞内含草酸钙方晶。含棕黄色物质的分泌道散在。

显微鉴别要点：茎皮皮层有石细胞群散在分布，横切面中有草酸钙方晶，是其显微鉴别的主要特征。详见图4、图5。

（2）取本品粉末3 g，加石油醚（60~90 ℃）50 ml，加热回流40分钟，滤干，滤液蒸干，残渣加无水乙醇1 ml使溶解，作为供试品溶液。另取幌伞枫对照药材3 g，同法制成对照药材溶液。照薄层色谱法（中国药典2010年版一部附录Ⅵ B）试验，吸取供试品溶液及对照药材溶液各1 μl，分别点于同一硅胶G薄层板上，以石油醚（60~90 ℃）–丙酮（5∶1）为展开剂，展开，取出，晾干，置紫外灯（365 nm）下检视。供试品色谱中，在与对照药材色谱相应的位置上，显相同颜色的荧光斑点。7批样品按本法检验，均符合规定，且薄层色谱分离效果好，斑点圆整清晰，比移值适中，重现性好。

耐用性实验考察：采用点状点样对自制板、预制板（青岛海洋化工厂提供，批号：20111008）的展开效果进行考察，对不同展开温度（10 ℃、30 ℃）进行考察，结果均表明本法的耐用性良好，详见图6。

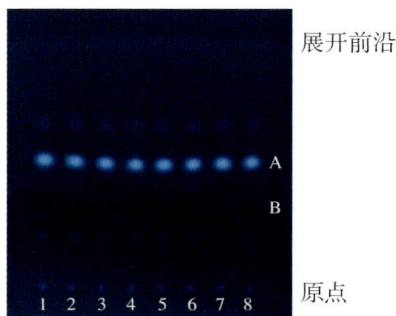

图6 幌伞枫皮样品TLC图

1. HSFP-1（对照药材）　2. HSFP-2　　3. HSFP-3　　4. HSFP-4
5. HSFP-5　　　　　　　6. HSFP-6　　7. HSFP-7　　8. HSFP-1（对照药材）
A. 蓝色荧光斑点　　　　B. 红色荧光斑点

色谱条件：硅胶G薄层预制板，生产厂家：青岛海洋化工厂，批号：20111008，规格：10 cm×10 cm
圆点状点样，点样量：1 μl；温度：25 ℃；相对湿度：45RH%
展开剂：石油醚（60~90℃）–丙酮（5∶1）
检识：紫外灯（365 nm）下检视

《广西壮族自治区壮药质量标准第二卷（2011年版）》注释

【检查】 **水分** 照水分测定法（中国药典2010年版一部附录ⅨH第一法）测定。

对本品7批样品进行水分测定，结果见表2，据最高值、最低值及平均值，并考虑到该药材为南方所产，而南方气候较为湿润，因此，将本品水分拟定为不得过15.0%。

表2　幌伞枫样品水分测定结果一览表

样品	水分均值（%）	样品	水分均值（%）
HSFP-1	10.4	HSFP-5	11.1
HSFP-2	12.4	HSFP-6	9.6
HSFP-3	10.6	HSFP-7	11.2
HSFP-4	10.3	HSFP-1-FH	10.7
HSFP-2-FH	9.4	HSFP-3-FH	9.6

总灰分 照灰分测定法（中国药典2010年版一部附录ⅨK）测定。

对本品7批样品进行总灰分测定，结果见表3，据最高值、最低值及平均值，将本品总灰分拟定为不得过15.0%。

表3　幌伞枫样品总灰分测定结果一览表

样品	总灰分（%）	样品	总灰分（%）
HSFP-1	6.5	HSFP-5	8.1
HSFP-2	4.4	HSFP-6	6.6
HSFP-3	9.6	HSFP-7	7.2
HSFP-4	7.4	HSFP-1-FH	6.0
HSFP-2-FH	12.2	HSFP-3-FH	12.5

【浸出物】 照浸出物测定法（中国药典2010年版一部附录ⅩA）项下的热浸法测定。

对本品7批样品进行浸出物含量测定，结果见表4，据最高值、最低值及平均值，将本品浸出物含量拟定为不得少于4.5%。

表4　幌伞枫样品浸出物测定结果一览表

样品	浸出物均值（%）	样品	浸出物均值（%）
HSFP-1	5.1	HSFP-5	4.6
HSFP-2	5.6	HSFP-6	4.6
HSFP-3	5.8	HSFP-7	5.2
HSFP-4	6.3	HSFP-1-FH	11.2
HSFP-2-FH	13.1	HSFP-3-FH	13.7

参考文献

［1］［2］国家中医药管理局《中华本草》编委会. 中华本草：第5册［M］. 上海：上海科学技术出版社，1999：798.

［3］［4］宋任华，李干孙，张壮鑫，等. 大蛇药化学成分的研究［J］. 云南植物研究，1988，10（4）：457.

药学编著： 赖茂祥　黄云峰　胡琦敏
药学审校： 广西壮族自治区食品药品检验所

锡叶藤　　勾呀

Xiyeteng　　Gaeunyap

TETRACERAE SARMENTOSAE RADIX

【概述】　锡叶藤，又名涩叶藤、擦锡藤、水车藤、涩沙藤等。其药用记载始于《常用中草药手册》，《广西药用植物名录》、《中华本草》、《中药大辞典》、《中国中药资源志要》、《中国壮药学》等均有记载。《广西药用植物名录》载广西产地为武鸣、邕宁、龙州、防城港、灵山、博白、桂平、平南、岑溪、苍梧。实地调研中发现上思、横县、宁明、容县等地均有资源，故锡叶藤的主产地为桂中、桂东、桂东南、桂西南及桂南沿海地区。广东、海南、云南亦有分布。生长于灌丛或疏林中。历版中国药典及广西中药材标准尚未收载锡叶藤。

【来源】　本品为五桠果科植物锡叶藤Tetracera sarmentosa（Linn.）Vahl的干燥根。

锡叶藤为常绿木质藤本，长达20 m或更长，多分枝，枝条粗糙，嫩枝被毛，老枝秃净。茎皮棕褐色，条屑状剥落。单叶互生，革质，极粗糙，长圆形、椭圆形或长圆状至卵形，长4~15 cm，宽2~6 cm，先端钝或稍尖，基部宽楔形或近圆形，基部不对称，中部以上边缘有小锯齿，两面被刚毛和短刚毛，用手触之有极粗糙感；侧脉10~15对；叶柄长1~1.5 cm。圆锥花序顶生或生于侧枝顶，长7~30 cm，被柔毛，花序轴常"之"字形屈曲；苞片1片，线形，长3~6 mm；小苞片线形，长1~3 mm；花两性，辐射对称，直径5~8 mm；萼片5片，离生，宿存，大小不等，无毛；花瓣常3片，白色，卵圆形，与萼片近等长；雄蕊多数；心皮1枚，无毛，花柱突出雄蕊之外。蓇葖果近卵形，长0.8~1.3 cm，成熟时黄红色，有残存花柱。种子1枚，黑色，外被黄红色流苏状似碗的假种皮。花期6~8月，果期9~12月。[1]

锡叶藤以根入药，全年均可采收，洗净，切段，晒干。《中国壮药学》[2]载来源：五桠果科植物锡叶藤Tetracera asiatica（Lour.）Hoogland的根或叶。根据民间用药实际调查，实际用药多为根、藤茎，特别是埋藏于表土之下的藤茎和根常混为同一药材入药。为明确药用部位，结合历史沿革，拟定锡叶藤药材来源为五桠果科植物锡叶藤Tetracera sarmentosa（Linn.）Vahl的根。

起草样品收集情况：共收集到样品10批，详细信息见表1、图1、图2。

表1　锡叶藤样品信息一览表

编号	原编号	药用部位	产地/采集地点/批号	样品状态
XYT-1	容县101124	根	容县	药材
XYT-2	武鸣101101	根	武鸣县	药材
XYT-3	防城101116	根	防城港市	药材
XYT-4	宁明101127	根	宁明县	药材
XYT-5	横县101105	根	横县	药材
XYT-6	浦北101112	根	浦北县	药材
XYT-7	博白111023	根	博白县	药材
XYT-8	东兴112021	根	东兴市	药材

续表

编号	原编号	药用部位	产地/采集地点/批号	样品状态
XYT-9	灵山101109	根	灵山县	药材
XYT-10	上思101118	根	上思县	药材

备注：锡叶藤样品XYT-1经鉴定，结果确定为五桠果科植物锡叶藤的根，实验中以该样品作为锡叶藤的对照药材与其他样品进行对比。完成样品收集后，将所有10份样品粉碎，并统一过40目筛，备用。

图1　锡叶藤原植物

【化学成分】　文献报道从锡叶藤药材地上部分分离得到良姜素（izalpinin）、良姜素-3-甲醚（izalpinin-3-methyl ether）、山奈素-4，7-二甲醚（knemoferol-4，7-dimethyl ether）、汉黄芩素（wogonin）、汉黄芩素7-O-□-D-葡萄糖醛酸甲酯苷（wogonin7-O-□-D-glueumrfide methyl ester）、汉黄芩素7-O-□-D-葡萄糖醛酸苷（wogonin 7-O-□-D-glucuronide）、双氢汉黄芩素（dihydrowogonin）、拌末酸（betulinic acid）、桦木酸（betulinic acid）、□-谷甾醇（□-stiosterols）、胡萝卜苷（daucosterol）、硬脂酸（stearic acid）。[3]

【药理与临床】　锡叶藤具有收敛、止泻、固精、消肿止痛的功效，常用于治疗久泻久痢、便血、脱肛、子宫脱垂、遗精、跌打肿痛等症。[4, 5]目前未见有关药理研究的报道。

【性状】　本品呈圆柱形，稍扭曲，主根长

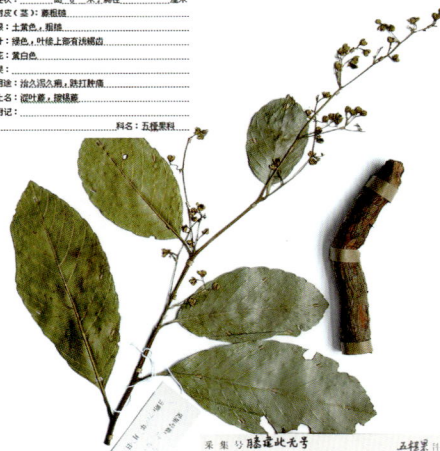

图2　锡叶藤标本

451

14~25 cm，直径0.3~4 cm，两端平截。表面灰棕色或砖红色，木栓层呈龟裂状，具浅状沟和横向裂纹，栓皮极易脱落；剥离栓皮的表面呈浅棕红色，具浅状沟和点状侧根痕。质硬，体重，不易折断。横切断面红棕色或棕黄色，皮部较窄；木部宽广，射线呈放射状，针孔众多。气微香，味微苦、涩。

本品主要鉴别特征为表面灰棕色或砖红色，木栓层呈龟裂状，质硬，不易折断。横断面红棕色或棕黄色，木部射线呈放射状，针孔明显。详见图3。

【鉴别】（1）本品横切面：木栓层由2~8列类长方形或类方形细胞组成，排列整齐，棕红色或棕褐色，偶见石细胞1~2列断续排列。皮层窄，细胞类圆形，排列疏松，薄壁细胞含有淀粉粒或草酸钙针晶束。韧皮部狭窄，细胞多边形，排列紧密。形成层明显，由4~5列长方形细胞组成，细胞排列整齐。木质部宽广，木纤维发达，木射线细胞充满淀粉粒，常含红棕色物质，偶见含草酸钙针晶束细胞。

粉末棕黄色或棕红色。淀粉粒众多，脐点明显，呈点状、线状、裂缝状、分叉状、星状，复粒多见，由2~5分粒组成，直径3~20 μm。草酸钙针晶束众多，散在或存在于黏液细胞内，长50~150 μm。石细胞长方形或多边形，含红棕色物质。具缘纹孔导管，直径20~80 μm。木栓细胞多角形，红棕色。

显微鉴别要点：横切面及粉末中，观察到棕红色或棕褐色的木栓细胞、木纤维细胞，含草酸钙针晶束的薄壁细胞是其显微鉴别的主要特征。详见图4、图5、图6。

（2）取本品粉末2 g，加入70%乙醇50 ml，水浴上加热回流2小时，放冷，滤过，滤液蒸干，残渣加甲醇3 ml使溶解，作为供试品溶液。另取锡叶藤对照药材2 g，

图3　锡叶藤药材

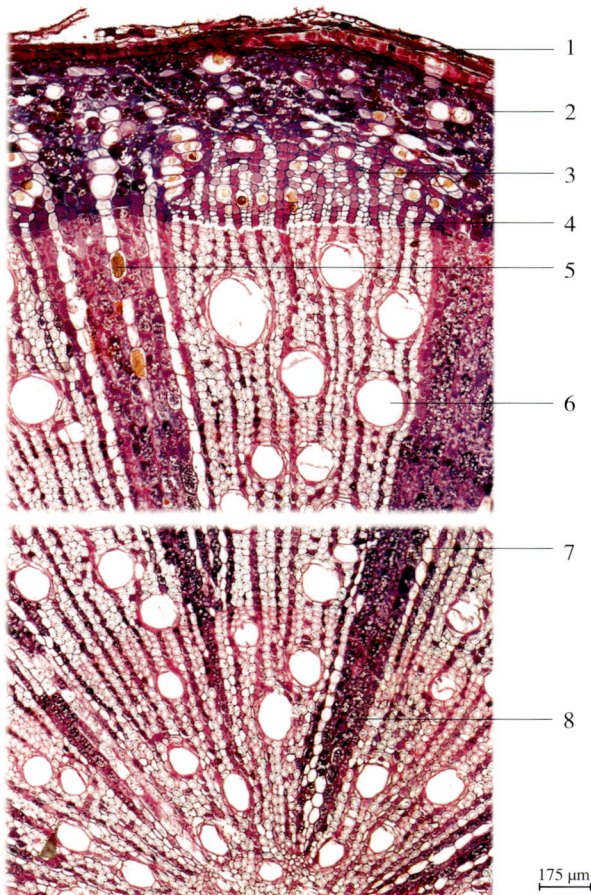

图4　锡叶藤根横切面显微全貌图

1. 木栓层　　　　2. 皮层　　3. 韧皮部　4. 形成层
5. 草酸钙针晶束　6. 木质部　7. 射线　　8. 淀粉粒

《广西壮族自治区壮药质量标准第二卷（2011年版）》注释

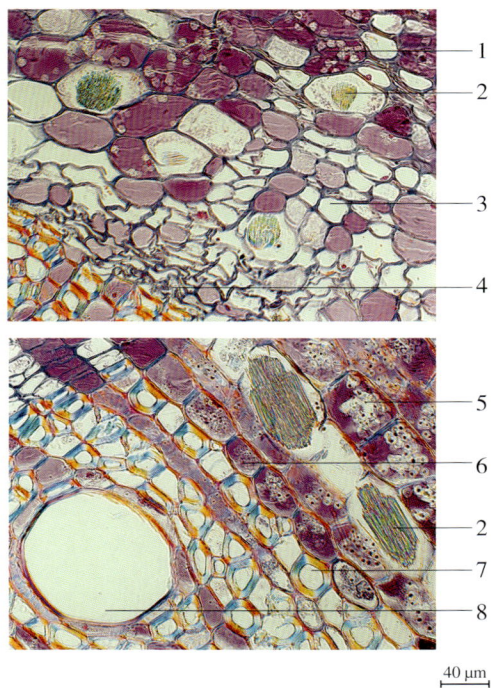

图5 锡叶藤根横切面显微放大图

1. 皮层　2. 草酸钙针晶束　3. 韧皮部　4. 形成层
5. 淀粉粒　6. 射线　　　　7. 纤维　　8. 导管

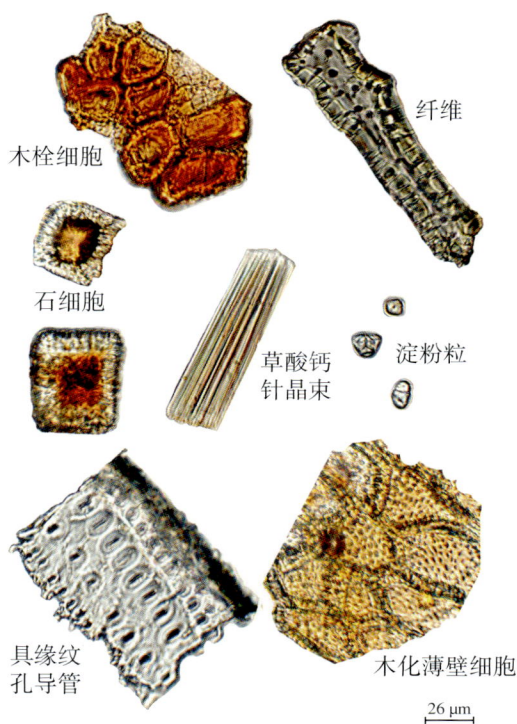

图6 锡叶藤粉末特征图

同法制成对照药材样品液。照薄层色谱法（中国药典2010年版一部附录Ⅵ B）试验，吸取上述两种溶液各1~2 μl，分别依次点于聚酰胺薄层板上，以乙醇–水（3∶2）为展开剂，展开，取出，晾干，置紫外光灯（365 nm）下检视。供试品色谱中，在与对照药材色谱相应的位置上，显相同颜色的荧光斑点。10批样品按本法检验，均符合规定，详见图7。

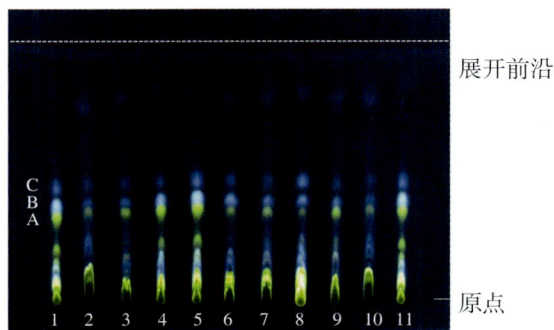

图7 锡叶藤样品TLC图

1. XYT-1（对照药材）　　2. XYT-2　　　3. XYT-3　　　4. XYT-4　　　5. XYT-5
6. XYT-6　　　　　　　　7. XYT-7　　　8. XYT-8　　　9. XYT-9　　　10. XYT-10
11. XYT-1（对照药材）　　A. 黄绿色荧光斑点　　B、C. 蓝色荧光斑点

色谱条件：聚酰胺薄层预制板，生产厂家：浙江台州市路桥四甲生化塑料厂，规格：10 cm×20 cm
　　　　　　圆点状点样，点样量：5 μl；温度：25 ℃；相对湿度：65RH%
　　　　　　展开剂：乙醇–水（3∶2）

耐用性实验考察：对不同展开温度（5 ℃、30 ℃）进行考察，对点状、条带状点样进行考察，结果均表明本法的耐用性良好。

【检查】 水分 照水分测定法（中国药典2010年版一部附录Ⅸ H第一法）测定。

对本品10批样品进行水分测定，结果见表2，据最高值、最低值及平均值，并考虑到该药材为南方所产，而南方气候较为湿润，因此，将本品水分拟定为不得过14.0%。

表2 锡叶藤样品水分测定结果一览表

样品	水分均值（%）	样品	水分均值（%）
XYT-1	7.8	XYT-6	10.6
XYT-2	10.6	XYT-7	10.4
XYT-3	9.1	XYT-8	11.1
XYT-4	11.0	XYT-9	10.6
XYT-5	10.3	XYT-10	10.3
XYT-3-FH	11.7	XYT-6-FH	11.3
XYT-4-FH	10.5		

总灰分 照灰分测定法（中国药典2010年版一部附录Ⅸ K）测定。

对本品10批样品进行总灰分测定，结果见表3，据最高值、最低值及平均值，将本品总灰分拟定为不得过8.0%。

表3 锡叶藤样品总灰分测定结果一览表

样品	总灰分（%）	样品	总灰分（%）
XYT-1	5.8	XYT-6	5.4
XYT-2	11.9	XYT-7	2.6
XYT-3	12.7	XYT-8	3.2
XYT-4	6.6	XYT-9	3.6
XYT-5	5.3	XYT-10	4.6
XYT-3-FH	5.7	XYT-6-FH	5.6
XYT-4-FH	4.7		

酸不溶性灰分 照灰分测定法（中国药典2010年版一部附录Ⅸ K）测定。

对本品10批样品进行酸不溶性灰分测定，结果见表4，据最高值、最低值及平均值，将本品酸不溶性灰分拟定为不得过3.0%。

表4 锡叶藤样品酸不溶性灰分测定结果一览表

样品	酸不溶性灰分（%）	样品	酸不溶性灰分（%）
XYT-1	2.0	XYT-6	2.3
XYT-2	2.4	XYT-7	1.4
XYT-3	2.5	XYT-8	1.3
XYT-4	1.4	XYT-9	1.7
XYT-5	1.9	XYT-10	1.7
XYT-3-FH	2.1	XYT-6-FH	2.1
XYT-4-FH	2.4		

【浸出物】 采用醇溶性浸出物测定法（中国药典2010年版一部附录Ⅹ A）进行测定，

《广西壮族自治区壮药质量标准第二卷（2011年版）》注释

随机选择了某个产区的锡叶藤根粉末对比热浸法和冷浸法的提取效果，再分别选择了水、稀乙醇、70%乙醇和乙醇这四种溶剂进行浸出物测定。实验表明乙醇作溶剂的热浸法所得的浸出物最多，最终确定以乙醇为提取溶剂，照醇溶性浸出物测定法（中国药典2010年版一部附录Ⅹ A）项下的热浸法测定。对本品9批样品进行浸出物含量测定，结果见表5，据最高值、最低值及平均值，将本品浸出物含量拟定为不得少于13.0%。

表5 锡叶藤样品浸出物测定结果一览表

样品	浸出物均值（%）	样品	浸出物均值（%）
XYT-1	25.7	XYT-6	19.9
XYT-2	22.5	XYT-7	17.6
XYT-3	13.3	XYT-8	15.0
XYT-4	24.2	XYT-9	16.2
XYT-5	16.1	XYT-10	–
XYT-3-FH	22.0	XYT-6-FH	23.0
XYT-4-FH	15.8		

参考文献

[1]中国科学院中国植物志编辑委员会. 中国植物志：第四十九卷第二分册 [M]. 北京：科学出版社，1984：191-193.

[2][4]梁启成，钟鸣. 中国壮药学 [M]. 南宁：广西民族出版社，2005：464.

[3]纳智，李朝明，郑慧兰，等. 锡叶藤的化学成分 [J]. 云南植物研究，2001，23（1）：400-402.

[5]国家中医药管理局《中华本草》编委会. 中华本草：第3册 [M]. 上海：上海科学技术出版社，1999：510-511.

药学编著： 滕建北 朱 华 马雯芳
药学审校： 广西壮族自治区食品药品检验所

满山红　　棵强垠

Manshanhong　　Go' gyangngoenz

VIBURNI FORDIAE RADIX

【概述】 满山红，俗名荚蒾、苍伴木、苦茶子、人丹子、火柴树。[1]始载于《中国高等植物图鉴》。《广西药用植物名录》、《广西本草选编》、《全国中草药汇编》、《中华本草》等辞书对其药用价值、原植物、地理分布等亦有简要记述。满山红分布于安徽、浙江、江西、福建、台湾、湖南、广东、广西、贵州及云南等地海拔200~1300 m的山谷溪涧旁疏林、山坡灌丛中或平原旷野。[2]

【来源】 本品为忍冬科植物南方荚蒾Viburnum fordiae Hance的根。

南方荚蒾为灌木或小乔木，高可达5 m；幼枝、芽、叶柄、花序、萼和花冠外面均被由暗黄色或黄褐色簇状毛组成的绒毛；枝灰褐色或黑褐色。叶纸质至厚纸质，宽卵形或菱状卵形，长4~7（~9）cm，顶端钝或短尖至短渐尖，基部圆形至截形或宽楔形、稀楔形，边缘基部除外常有小尖齿，上面（尤其沿脉）有时散生具柄的红褐色微小腺体（在放大镜下可见），初时被簇状或叉状毛，后仅脉上有毛，稍光亮，下面毛较密，无腺点，侧脉5~7（~9）对，直达齿端，上面略凹陷，下面凸起；粗枝上的叶带革质，常较大，基部较宽，下面被绒毛，边缘疏生浅齿或几全缘，侧脉较少；叶柄长5~15 mm，有时更短；无托叶。复伞形式聚伞花序顶生或生于具1对叶的侧生小枝之顶，直径3~8 cm，总花梗长1~3.5 cm或极少近于无，第一级辐射枝通常5条，花生于第三至第四级辐射枝上；萼筒倒圆锥形，萼齿钝三角形；花冠白色，辐状，直径（3.5~）4~5 mm，裂片卵形，长约1.5 mm，比筒长；雄蕊与花冠等长或略超出，花药小，近圆形；花柱高出萼齿，柱头头状。果实红色，卵圆形，长6~7 mm；核扁，长约6 mm，直径约4 mm，有2条腹沟和1条背沟。花期4~5月，果熟期10~11月。[3]

满山红以根入药，全年均可采收，洗净，切片，晒干。

起草样品收集情况：共收集到样品10批，详细信息见表1、图1、图2。

表1　满山红样品信息一览表

编号	原编号	药用部位	产地/采集地点/批号	样品状态
MSH-1	20101105	根	武鸣县双桥镇	药材
MSH-2	20110625	根	南宁市老虎岭	药材
MSH-3	20110622	根	上林县西燕镇	药材
MSH-4	20101222	根	藤县平福乡	药材
MSH-5	20110312	根	上思县思阳镇	药材
MSH-6	20110310	根	扶绥县东罗镇	药材
MSH-7	20110510	根	隆安县南圩镇	药材
MSH-8	20110403	根	容县黎村镇	药材
MSH-9	20110705	根	贵港市大圩镇	药材
MSH-10	20110224	根	融安县长安镇	药材

备注：满山红样品MSH-9同时制成腊叶标本，经鉴定，结果确定其为忍冬科植物南方荚蒾，实验中以该样品作为满山红的对照药材与其他样品进行对比。完成样品收集后，将所有10份样品（约300 g）进行粉碎处理，并统一过24目筛，备用。

图1 满山红原植物

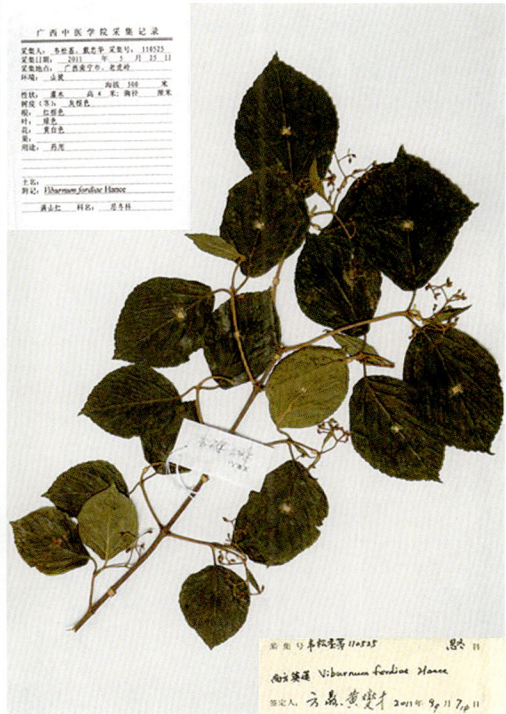

图2 满山红标本

【化学成分】 成分预实验显示：满山红药材可能含有糖、多糖、苷类、鞣质、有机酸、黄酮、蒽醌、酚类、香豆素、内酯、挥发油。

【药理与临床】 现尚未见有药理方面的研究报道。

【性状】 本品呈不规则块片状。表面淡棕色或土黄色，较粗糙，具纵向细皱纹，外皮易脱落，直径0.5~5.8 cm，厚0.5~0.8 cm。质坚硬，断面皮部薄，灰棕色，木部宽，类白色或红棕色，心材颜色较深，导管放射状。气微臭，味苦、涩。

本品主要鉴别特征为外皮易脱落，质坚硬，断面皮部薄，木部宽，类白色或红棕色，心材颜色较深，详见图3。

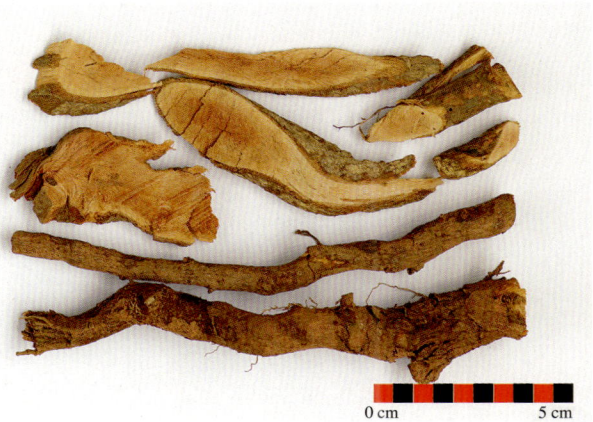

图3 满山红药材

【鉴别】 （1）本品根横切面：木栓层棕色，由5~14列类长方形细胞组成。外皮层薄壁细胞1~3列，长圆形，排列紧密；皮层细胞类圆形，排列疏松。可见由1~4列纤维组成的断续成环的中柱鞘。韧皮部窄，由5~9列细胞组成；皮层和韧皮部细胞常含草酸钙簇晶。形成层不明显。木质部宽广；导管常为不规则形；木射线多由1~3列类圆形细胞组成。

显微鉴别要点：横切面可见由纤维组成的断续成环的中柱鞘，详见图4。

457

（2）取本品粉末1 g，加水10 ml，加盐酸1 ml，加热回流30分钟，放冷至室温，滤过，滤液用乙酸乙酯振摇提取2次，每次15 ml，合并乙酸乙酯液，蒸干，残渣加甲醇1 ml使溶解，作为供试品溶液。另取满山红对照药材1 g，同法制成对照药材溶液。照薄层色谱法（中国药典2010年版一部附录ⅥB）试验，吸取上述两种溶液各6 µl，分别点于同一硅胶G薄层板上，以三氯甲烷-乙酸乙酯-甲酸（6：3：1）为展开剂，预平衡15分钟，展开，取出，晾干，喷以三氯化铝试液，在105 ℃加热至斑点显色清晰，置紫外光灯（365 nm）下检视。供试品色谱中，在与对照药材色谱相应的位置上，显相同颜色的荧光斑点。10批样品按本法检验，均符合规定，且所得薄层色谱斑点清晰，分离较好，易判断结果，重现性好。

耐用性实验考察：对不同展开系统——三氯甲烷-丙酮-甲酸（8：5：2）、乙酸乙酯-甲酸-水（10：1：1）、三氯甲烷-甲醇-水（6.4：4.5：1.2）、三氯甲烷-乙酸乙酯-丙酮（5：1：4）、三氯甲烷-乙酸乙酯-甲酸（6：3：1）进行考察，对不同展开温度（25 ℃、32 ℃）、不同相对湿度（40RH%、70RH%）进行考察，对不同点样量（1 µl、3 µl、5 µl、6 µl）进行考察，结果均表明本法的耐用性良好，详见图5。

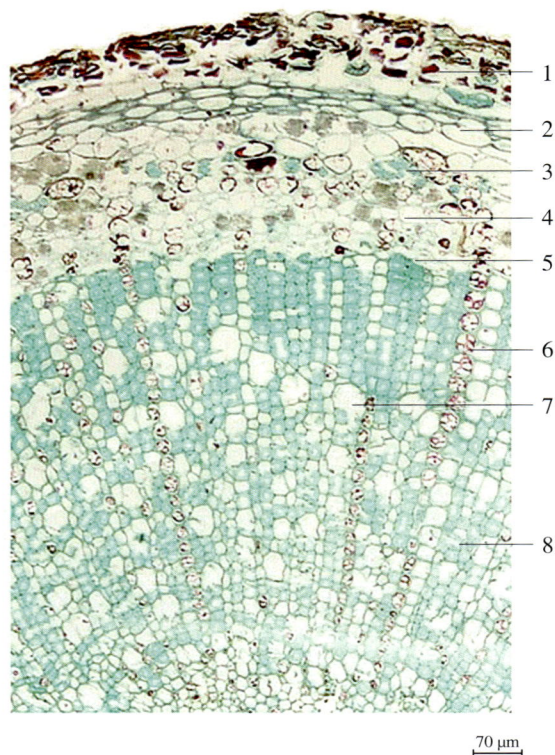

70 µm

图4　满山红根横切面显微全貌图
1. 木栓层　2. 皮层　3. 中柱鞘　4. 韧皮部
5. 形成层　6. 射线　7. 导管　8. 木质部

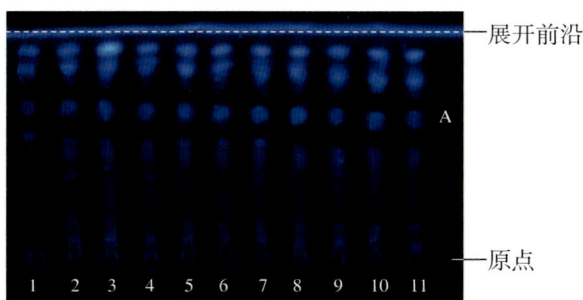

图5　满山红样品TLC图

1. MSH-1	2. MSH-2	3. MSH-3	4. MSH-4	5. MSH-5	6. MSH-6
7. MSH-7	8. MSH-8	9. MSH-9	10. MSH-10	11. 对照药材	A. 蓝色荧光斑点

色谱条件： 硅胶G薄层自制板，生产单位：青岛海洋化工有限公司，批号：20100616；

黏合剂：0.5%羧甲基纤维素钠；厚度：0.5 mm；规格：10 cm × 20 cm

圆点状点样，点样量：6 µl；温度：30 ℃；相对湿度：54RH%

展开剂：三氯甲烷-乙酸乙酯-甲酸（6：3：1）

显色剂：三氯化铝试液，在105 ℃加热至斑点显色清晰

【检查】 水分 照水分测定法（中国药典2010年版一部附录Ⅸ H第一法）测定。

对本品10批样品进行水分测定，结果见表2，据最高值、最低值及平均值，并考虑到该药材为南方所产，而南方气候较为湿润，因此，将本品水分拟定为不得过14.0%。

表2 满山红样品水分测定结果一览表

样品	水分均值（%）	样品	水分均值（%）
MSH-1	11.8	MSH-6	11.4
MSH-2	11.7	MSH-7	11.2
MSH-3	10.5	MSH-8	11.4
MSH-4	11.7	MSH-9	11.5
MSH-5	11.5	MSH-10	11.4
MSH-1-FH	6.3	MSH-6-FH	7.5
MSH-2-FH	7.7		

总灰分 照灰分测定法（中国药典2010年版一部附录Ⅸ K）测定。

对本品10批样品进行总灰分测定，结果见表3，据最高值、最低值及平均值，将本品总灰分拟定为不得过5.0%。

表3 满山红样品总灰分测定结果一览表

样品	总灰分（%）	样品	总灰分（%）
MSH-1	3.3	MSH-6	4.2
MSH-2	3.7	MSH-7	3.8
MSH-3	3.6	MSH-8	4.3
MSH-4	4.3	MSH-9	4.4
MSH-5	4.2	MSH-10	4.4
MSH-1-FH	1.4	MSH-6-FH	1.4
MSH-2-FH	1.6		

酸不溶性灰分 照灰分测定法（中国药典2010年版一部附录Ⅸ K）测定。

对本品10批样品进行酸不溶性灰分测定，结果见表4，据最高值、最低值及平均值，将本品酸不溶性灰分拟定为不得过1.6%。

表4 满山红样品酸不溶性灰分测定结果一览表

样品	酸不溶性灰分（%）	样品	酸不溶性灰分（%）
MSH-1	0.9	MSH-6	1.2
MSH-2	1.1	MSH-7	1.1
MSH-3	0.9	MSH-8	1.3
MSH-4	1.3	MSH-9	1.3
MSH-5	1.2	MSH-10	1.4
MSH-1-FH	0.3	MSH-6-FH	0.1
MSH-2-FH	0.3		

【浸出物】 根据成分预试验结果，满山红中的主要成分有黄酮类等。加热提取一方面有利于化学成分的溶出，另一方面又节省了实验时间，经研究最终确定采用热浸法来进行实验。实验之初对比了水、乙醇、稀乙醇作为提取溶剂的提取效果，对比实验结果表明，稀乙醇提取效果较乙醇的提取效果更优（以MSH-1为供试品，后者浸出物含量为13.89%，前者浸出物含量为16.87%），故最终确定以稀乙醇为提取溶剂，照醇溶性浸出物测定法

（中国药典2010年版一部附录ⅩA）项下的热浸法测定。对本品10批样品进行浸出物含量测定，结果见表5，据最高值、最低值及平均值，将本品浸出物含量拟定为不得少于9.0%。

表5　满山红样品浸出物测定结果一览表

样品	浸出物均值（%）	样品	浸出物均值（%）
MSH-1	16.7	MSH-6	16.5
MSH-2	17.3	MSH-7	16.6
MSH-3	17.6	MSH-8	16.2
MSH-4	6.1	MSH-9	16.2
MSH-5	16.4	MSH-10	16.1
MSH-1-FH	13.0	MSH-6-FH	12.9
MSH-2-FH	10.9		

参考文献

［1］［2］国家中医药管理局《中华本草》编委会. 中华本草：第7册［M］. 上海：上海科学技术出版社，1999：553（总6596）.

［3］中国科学院中国植物志编辑委员会. 中国植物志：第七十二卷［M］. 北京：科学出版社，1995：91.

药学编著：韦松基　刘华钢　薛亚馨
药学审校：广西壮族自治区食品药品检验所

满山香　棵函博

Manshanxiang　　　Gohombo

GAULTHERIAE LEUCOCARPAE HERBA

【概述】　满山香，俗名上山虎、透骨草、搜山虎、万里香、透骨消等。历代本草均未见有满山香的记载，本品以"透骨草"之名始载于明代的《滇南本草》。其后清代《天宝本草》、《分类草药性》均有记载。《中华本草》、《全国中草药汇编》、《中药大辞典》、《贵州本草》、《广西药用植物名录》等对其药用价值、原植物、地理分布、产销情况等亦有简要记述。同时，满山香又是一种多民族使用的民间草药，壮、瑶、傣、苗等多个民族的民间药书中都有记载。满山香原植物主要分布在四川、云南、陕西、贵州、广西等省（区）的山野草地及丛林边。

【来源】　本品为杜鹃花科植物滇白珠*Gaultheria leucocarpa* Bl.var.*yunnanensis*（Franch.）T.Z.Hsu et R.C.Fang的干燥地上部分。全年均可采收，除去杂质，切碎，晒干。

满山香为常绿灌木，高1~3 m，稀达5 m，树皮灰黑色；枝条细长，左右曲折，具纵纹，无毛。叶卵状长圆形，稀卵形、长卵形，革质，有香味，长7~9（~12）cm，宽2.5~3.5 cm，先端尾状渐尖，尖尾长达2 cm，基部钝圆或心形，边缘具锯齿，表面绿色，有光泽，背面色较淡，两面无毛，背面密被褐色斑点，中脉在背面隆起，在表面凹陷，侧脉4~5对，弧形上举，连同网脉在两面明显；叶柄短，粗壮，长约5 mm，无毛。总状花序腋生，序轴长5~7（~11）cm，纤细，被柔毛，花10~15朵，疏生，序轴基部为鳞片状苞片所包；花梗长约1 cm，无毛；苞片卵形，长3~4 mm，凸尖，被白色缘毛；小苞片2片，对生或近对生，着生于花梗上部近萼处，披针状三角形，长约1.5 mm，微浓绿毛；花萼裂片5片，卵状三角形，钝头，具缘毛；花冠白绿色，钟形，长约6 mm，口部5裂，裂片长宽各2 mm；雄蕊10枚，着生于花冠基部，花丝短而粗，花药2室，每室顶端具2芒；子房球形，被毛，花柱无毛，短于花冠。浆果状蒴果球形，直径约5 mm，或达1 cm，黑色，5裂；种子多数。花期5~6月，果期7~11月。[1]

满山香以地上部分入药，全年均可采收，鲜用或切碎，晒干。广西玉林药市及各地多数药店均有销售。

起草样品收集情况：共收集到样品6批，详细信息见表1、图1、图2。

表1　满山香样品信息一览表

编号	原编号	药用部位	产地/采集地点/批号	样品状态
MSX-1	20101115	地上部分	广西马山县	药材
MSX-2	20110204	地上部分	广西金秀瑶族自治县	药材
MSX-3	20110418	地上部分	广西大明山	药材
MSX-4	20110428	地上部分	广西靖西县那坡镇	药材
MSX-5	20110509	地上部分	广西金秀瑶族自治县	药材
MSX-6	20110721	地上部分	广西金秀瑶族自治县药材市场	药材

备注：满山香样品MSX-5同时制成腊叶标本，经鉴定，结果确定其为杜鹃花科植物滇白珠，实验中以该样品作为满山香的对照药材与其他样品进行对比。完成样品收集后，将所有6份样品（约300 g）进行粉碎处理，并统一过40目筛，备用。

壮药质量标准注释

图1　满山香原植物

图2　满山香标本

【化学成分】　满山香含挥发油，油中主要成分是水杨酸甲酯（methylsalicylat）。[2]其地上部分醇提物的氯仿溶出部位含熊果酸（ursolic acid）、香草酸（vanillic acid）、槲皮苷（quercitrin）及正三十二烷酸的同系物，根含有东莨菪素（scopoletin，Ⅱ）、棕榈酸（palmitic acid）、胡萝卜苷（daucosterol）、（+）-lyoniresinol、（-）-5'-甲氧基异落叶松树脂醇［（-）-5'-methoxy-isolariciresinol］、乙酰丁香酸（cetylsyringic acid）等。另含（-）-isolariciresinol-2□-O-□-D-xylopyranoside、（+）-lyoniresinol-2□-O-□-L-arabinopyranoside等木脂素苷类化合物。[3-5]

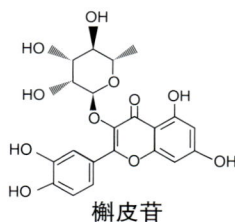

槲皮苷

【药理与临床】　满山香具有祛风除湿、散寒止痛、活血通络、化痰止咳的功效。用于治疗风湿痹痛、胃寒疼痛、跌打损伤、咳嗽多痰。满山香根水提物、乙酸乙酯和正丁醇萃取物均有较显著的抑制金黄色葡萄球菌的作用，有一定的抑制大肠杆菌和绿脓杆菌的作用，且根与茎的提取物作用一致。[6, 7]满山香根乙酸乙酯和正丁醇提取物显著抑制小鼠腹腔毛细血管通透性，对热致疼痛具有明显的镇痛作用。滇白珠根水提物对S_{180}肉瘤的瘤重有抑制作用。[8]满山香根水提物日总剂量为114.4 g/kg，对小鼠体重、行为、进食、皮毛、眼和黏膜、呼吸、四肢活动均无任何影响，观察7天，未出现任何毒性反应。[9]

【性状】　本品茎呈圆柱形，直径0.2~0.8 cm。表面灰棕色至灰褐色，光滑无毛，具细纵皱纹及叶痕。体轻易折断，断面黄白色。完整叶片卵状长圆形，长6~13 cm，宽3~5 cm，先端尾状渐尖，基部心形或圆形，两面均无毛，边缘有细锯齿。气微香，味淡。

本品主要鉴别特征为茎光滑，体轻易折断。叶基部心形或圆形，边缘有细锯齿。气微香。详见图3。

【鉴别】 （1）本品茎横切面：表皮细胞1列，长方形，外有角质层。皮层细胞6~8列，部分细胞含有草酸钙方晶，直径10~26 μm。中柱鞘纤维1~5列，断续成环。韧皮部较薄。形成层不明显。木质部约占茎的1/3，导管散在，射线细胞1~2列。

图3 满山香药材

粉末黄绿色。纤维较多，成束或散在，纤维束周围薄壁细胞含草酸钙方晶，形成晶鞘纤维，纤维直径16~43 μm。可见草酸钙方晶、簇晶，直径8~20 μm。石细胞单个散在或多个相聚，呈类方形、长方形或不规则形，孔沟明显，直径21~42 μm，长达226 μm。网纹导管直径17~38 μm。叶表皮细胞为气孔平轴式。

显微鉴别要点：茎横切面表皮细胞外有角质层。粉末中可见晶鞘纤维，石细胞单个散在或多个相聚。详见图4、图5。

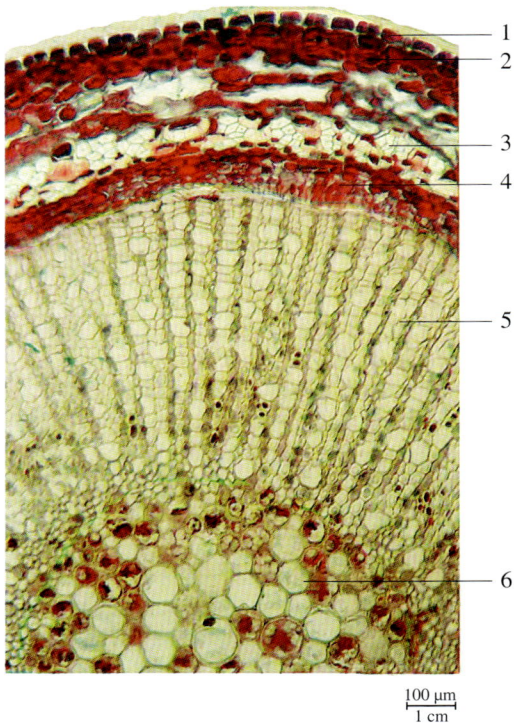

图4 满山香茎横切面显微图

1.表皮　2.皮层　3.中柱鞘纤维
4.韧皮部　5.木质部　6.髓部

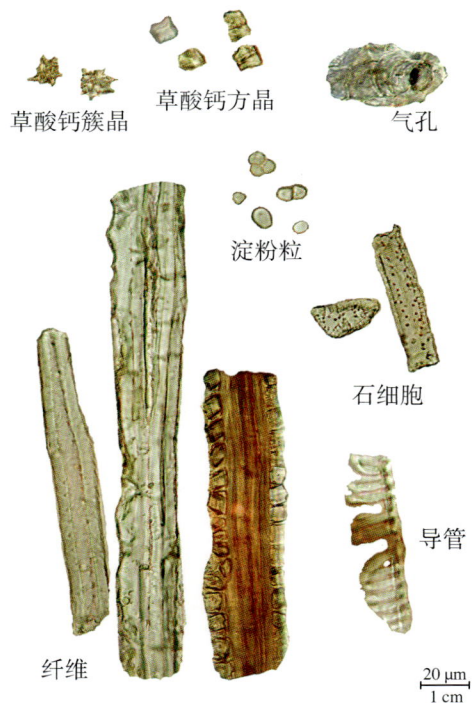

图5 满山香粉末显微图

（2）取本品粉末1.0 g，加甲醇20 ml，超声处理30分钟，滤过，滤液作为供试品溶液。另取槲皮苷对照品，加甲醇制成每1 ml含0.2 mg溶液，作为对照品溶液。照薄层色谱法（中国药典2010年版一部附录Ⅵ B）试验，吸取上述两种溶液各1~2 μl，分别点于同一硅胶G薄层板上，以三氯甲烷-乙酸乙酯-甲酸（3∶5∶1）为展开剂，展开，取出，晾干，喷以5%三氯化铝乙醇溶液，在105 ℃加热5分钟，置紫外光灯（365 nm）下检视。供试品色谱中，在与对照品色谱相应的位置上，显相同颜色的荧光斑点。6批样品按本法检验，均符合规定，且薄层色谱分离效果好，斑点圆整清晰，比移值适中，重现性好。详见图6。

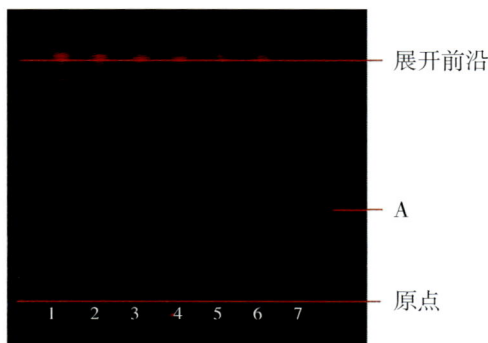

图6　满山香样品TLC图

1. MSX-3　　2. MSX-4　　3. MSX-5（对照药材）　　4. MSX-6
5. MSX-1　　6. MSX-2　　7. 槲皮苷对照品　　　　　　A. 黄绿色荧光斑点

色谱条件：硅胶G薄层预制板，生产厂家：青岛海洋化工厂，批号：20100408，规格：10 cm × 10 cm
　　　　　圆点状点样，点样量：1 μl；温度：25 ℃；相对湿度：70RH%
　　　　　展开剂：三氯甲烷-乙酸乙酯-甲酸（3∶5∶1）

耐用性实验考察：对自制板、预制板（青岛海洋化工厂提供，批号：20100408）的展开效果进行考察，对不同展开温度（4 ℃、35 ℃）进行考察，对不同相对湿度（30RH%、90RH%）进行考察，结果均表明本法的耐用性良好。

【检查】　水分　照水分测定法（中国药典2010年版一部附录Ⅸ H第二法）测定。

对本品6批样品进行水分测定，结果见表2，据最高值、最低值及平均值，并考虑到该药材为南方所产，而南方气候较为湿润，因此，将本品水分拟定为不得过13.0%。

表2　满山香样品水分测定结果一览表

样品	水分均值（%）	样品	水分均值（%）
MSX-1	10.4	MSX-4	11.0
MSX-2	11.0	MSX-5	10.4
MSX-3	10.6	MSX-6	10.4
MSX-3-FH	8.4	MSX-5-FH	9.2
MSX-4-FH	8.8		

总灰分　照灰分测定法（中国药典2010年版一部附录Ⅸ K）测定。

对本品6批样品进行总灰分测定，结果见表3，据最高值、最低值及平均值，将本品总灰分拟定为不得过6.0%。

《广西壮族自治区壮药质量标准第二卷（2011年版）》注释

表3　满山香样品总灰分测定结果一览表

样品	总灰分（%）	样品	总灰分（%）
MSX-1	2.3	MSX-4	2.2
MSX-2	2.4	MSX-5	2.2
MSX-3	2.4	MSX-6	2.2
MSX-3-FH	4.8	MSX-5-FH	2.3
MSX-4-FH	1.7		

【浸出物】　实验之初对比了水冷浸法、水热浸法、75%乙醇热浸法三种提取溶剂的提取效果，对比实验结果表明，采用水热浸法浸出物的含量最高，75%乙醇热浸法次之，水冷浸法含量最低，因此，最终确定以水溶性浸出物测定法（中国药典2010年版一部附录Ⅹ A）项下的热浸法测定。对本品6批样品进行浸出物含量测定，结果见表4，据最高值、最低值及平均值，将本品浸出物含量拟定为不得少于10.0%。

表4　满山香样品浸出物测定结果一览表

样品	浸出物均值（%）	样品	浸出物均值（%）
MSX-1	29.8	MSX-4	29.6
MSX-2	31.2	MSX-5	32.0
MSX-3	29.4	MSX-6	30.0
MSX-3-FH	17.8	MSX-5-FH	14.4
MSX-4-FH	12.4		

【含量测定】　满山香含有槲皮苷，摸索满山香中槲皮苷的含量测定方法，可作为控制本品质量标准的指标之一。现参考相关文献[10]，采用高效液相色谱法，对本品中槲皮苷进行含量测定，结果显示该方法灵敏，精密度高，重现性好，结果准确，可作为本品内在质量的控制方法。测定方法考察及验证结果如下。

1. 方法考察与结果

1.1 色谱条件

以十八烷基硅烷键合硅胶为填充剂；以乙腈-0.1%磷酸为流动相；进样量10 µl，柱温为室温，流速1.0 ml/min。用紫外-可见分光光度计在200~400 nm进行扫描，槲皮苷对照品在260.10 nm波长处有最大吸收，详见图7，参考中国药典2010年版一部侧柏叶药材含量测定方法中的检测波长，故确定检测波长为254 nm。

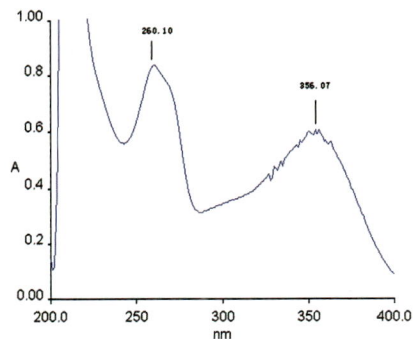

图7　槲皮苷对照品紫外扫描图

1.2 提取方法

1.2.1 提取方法考察

取本品（MSX-3）粉末0.1 g，精密称定，共6份，精密加入50%甲醇25 ml，称定重量，每2份分别加热回流60分钟、超声处理（功率90 W，频率45 kHz）30分钟、索氏提取2小时，放至室温，再称定重量，用50%甲醇补足减失的重量，摇匀，滤过，弃去初滤液，取续滤液，用微孔滤膜过滤，即得。结果详见表5，超声提取含量测定结果较低，加热回流与索氏提取结果相差不大，但加热回流更简便、快捷，故确定加热回流为提取方法。

表5　提取方法考察结果

提取方法	槲皮苷含量（mg/g）
回流提取	3.88
超声提取	3.44
索氏提取	3.92

1.2.2 提取溶剂考察

取本品（MSX-3）粉末0.1 g，精密称定，共6份，每2份分别精密加入甲醇、50%甲醇、水25ml，称定重量，加热回流60分钟，放至室温，再称定重量，用上述相应溶剂补足减失的重量，摇匀，滤过，弃去初滤液，取续滤液，用微孔滤膜过滤，即得。结果详见表6，采用50%甲醇所得的含量最高，故确定50%甲醇为提取溶剂。

表6　提取溶剂考察结果

提取溶剂	槲皮苷含量（mg/g）
甲醇	3.08
50%甲醇	3.98
水	2.60

1.2.3 提取时间考察

取本品（MSX-3）粉末0.1 g，精密称定，共6份，分别精密加入50%甲醇25 ml，称定重量，每2份分别加热回流30分钟、1小时、2小时，放至室温，再称定重量，用50%甲醇补足减失的重量，摇匀，滤过，弃去初滤液，取续滤液，用微孔滤膜过滤，即得。结果详见表7，加热回流30分钟，所得的槲皮苷含量较低，加热回流1小时、2小时，两者无明显差别，从节省时间方面考虑，故确定加热回流时间为1小时。

表7　提取时间考察结果

提取时间	槲皮苷含量（mg/g）
30分钟	3.64
1小时	4.02
2小时	3.99

综合以上试验结果，最终提取方法确定如下：取本品粉末0.1 g，精密称定，精密加入50%甲醇25 ml，称定重量，加热回流1小时，放至室温，再称定重量，用50%甲醇补足减失的重量，摇匀，滤过，弃去初滤液，取续滤液，用微孔滤膜过滤，即得。

2. 方法学验证与结果

2.1 线性及范围

精密称取槲皮苷对照品11.0 mg，置100 ml棕色量瓶中，用甲醇溶解并稀释至刻度，摇匀，制成110 μg/ml对照品溶液，备用。分别精密吸取槲皮苷对照品溶液0.25 ml、0.5 ml、1.0 ml、2.0 ml、4.0 ml、8.0 ml，分别置10 ml量瓶中，加甲醇稀释至刻度，摇匀，作为不同浓度的对照品溶液。

将上述对照品溶液按正文拟定的色谱条件分别进样10 μl，以对照品的进样量（ng）为横坐标，峰面积为纵坐标，绘制标准曲线，结果表明：当槲皮苷对照品进样量在27.5~880 ng范围内时，进样量与峰面积呈良好的线性关系，回归方程为：$Y=1490.5X+17022$，$r=0.9993$。

2.2 精密度试验

2.2.1 重复性

取同一份供试品溶液（MSX-3），按正文拟定的色谱条件，连续测定6次。结果表明6次测定的槲皮苷峰面积平均值为275331.8，RSD=1.51%（$n=6$），试验结果表明本法的精密度良好。

2.2.2 重现性

取同一批供试品（MSX-3）粉末0.1 g，精密称定，按正文的方法平行测定6份，计算，6份样品测得槲皮苷含量的平均值为4.10 mg/g，RSD=1.06%（$n=6$），试验结果表明本法的重现性较好。

2.3 准确度试验

精密称取槲皮苷对照品11.0 mg，置100 ml棕色量瓶中，用甲醇溶解并稀释至刻度，作为槲皮苷对照品储备液。

精密称取已知含量（槲皮苷含量为4.10 mg/g）的供试品（MSX-3）粉末0.05 g，共6份，分别置6个具塞锥形瓶中，精密加入槲皮苷对照品储备液2.0 ml，精密加入50%甲醇23.0 ml，按正文拟定的方法提取、测定，计算加样回收率，结果槲皮苷平均回收率为102.7%，RSD=1.67%（$n=6$）。

2.4 耐用性试验

2.4.1 色谱柱的考察

分别采用不同品牌的色谱柱（AQ-C18、appollo-C18、XB-C18，三根色谱柱规格均为：5 μm，4.6 mm×250 mm）测定样品（MSX-3）中槲皮苷的含量，结果三根色谱柱测定结果平均值为4.03 mg/g，RSD=1.72%（$n=3$）。

2.4.2 色谱仪的考察

分别采用不同品牌的色谱仪（日本岛津LC-10ATVP型、Waters 1525-2998）测定样品（MSX-3）中槲皮苷的含量，结果两台色谱仪测定结果平均值为4.06 mg/g，RAD=1.91%（$n=2$）。

按正文含量测定方法，测定了本品6批样品中的槲皮苷的含量（详见表8），据最高值、最低值及平均值，并考虑药材来源差异情况，暂定本品槲皮苷含量限度为不得少于0.055%。

空白溶剂HPLC图、槲皮苷对照品HPLC图、满山香样品HPLC图分别见图8、图9、图10。

表8　6批样品测定结果

编号	采集（收集）地点	槲皮苷含量（%）	RSD（%）
MSX-1	广西马山县	0.36	1.39
MSX-2	广西金秀瑶族自治县	0.46	2.17
MSX-3	广西大明山	0.46	1.09
MSX-4	广西靖西县那坡镇	0.36	0
MSX-5	广西金秀瑶族自治县	0.44	0
MSX-6	广西金秀瑶族自治县药材市场	0.48	1.04

续表

编号	采集（收集）地点/批号	槲皮苷含量（%）	RSD（%）
MSX-3-FH	广西大明山	0.145	2.65
MSX-4-FH	广西靖西县那坡镇	0.066	1.47
MSX-5-FH	广西金秀瑶族自治县	0.070	0.45

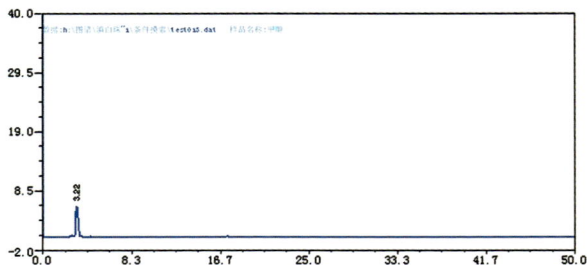

图8　空白溶剂HPLC图

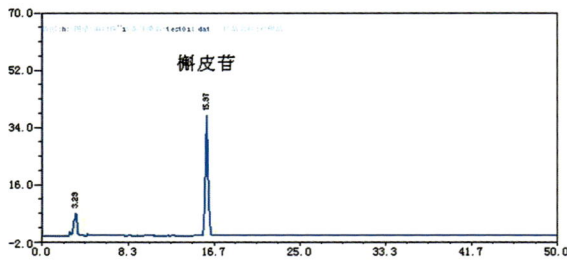

图9　槲皮苷对照品HPLC图

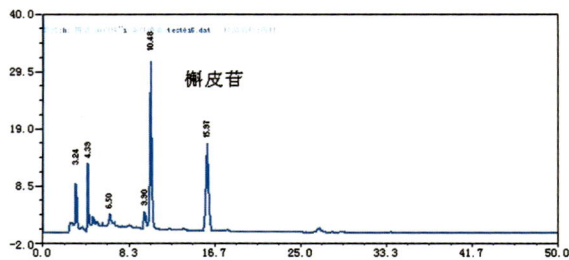

图10　满山香样品HPLC图

参考文献

[1]中国科学院中国植物志编辑委员会.中国植物志：第五十七卷第三分册［M］.北京：科学出版社，1991：60.

[2]马学毅，魏涛，翟建军，等.贵阳滇白珠精油化学成分研究［J］.分析测试通报，1992，11（1）：63.

[3]张治针，果德安，李长龄，等.滇白珠化学成分的研究（Ⅰ）［J］.中草药，1998，29（8）：508-511.

[4]张治针，果德安，李长龄，等.滇白珠化学成分的研究（Ⅱ）［J］.中草药，1999，30（3）：167-169.

[5]张治针，果德安，李长龄，等.滇白珠木脂素苷的研究［J］.药学学报，1999，34（2）：128-131.

[6]张治针，果德安，李长龄.滇白珠抗菌抗炎和镇痛活性的实验研究［J］.西北药学杂志，1999，14（2）：60-61.

[7]马小军，赵玲，杜程芳，等.滇白珠提取物抗细菌活性的筛选［J］.中国中药杂志，2001，26（4）：223-226.

[8]庞声航，余胜民，黄琳芸，等.广西20种传统瑶药抗肿瘤筛选研究［J］.广西中医药，2006，29（4）：53-57.

[9]黄琳芸，钟鸣，余胜民，等."虎钻"类传统瑶药的急性毒性研究［J］.广西中医药，2005，28（5）：42-43.

[10]国家药典委员会.中华人民共和国药典2010年版一部［M］.北京：中国医药科技出版社，2010：135.

药学编著：刘　元　宋志钊　李星宇

药学审校：广西壮族自治区食品药品检验所

榕树叶　　盟棵垒

Rongshuye　　　　Mbawgoreiz

FICI MICROCARPAE FOLIUM

【概述】　榕树，始载于《南方草木状》，谓："南海、桂林多植之。叶如木麻，实如冬青，树干拳曲。"作为民间草药始见于《岭南采药录》，其中分别收载有榕树须、小榕叶、大榕叶三种。[1]《本草纲目拾遗》[2]载："榕有大小两种，大叶榕续筋骨，止痛消淤，小叶榕及须散淤理跌打。"《广西中药材标准》1990年版[3]已收载。《中药大辞典》[4]、《广西中药材标准》和《广西本草选编》均以榕树叶为正名，故正文沿用之。别名有小叶榕、细叶榕、万年青等。由于在咳特灵胶囊处方中主要成分写为小叶榕浸膏，当前药材商品名多称小叶榕。《广东省中药材标准》[5]亦把小叶榕作为正名。目前榕树叶主要作为中成药咳特灵的原料流通于市场。广西各地均有分布，目前主要作为行道树栽培。

【来源】　本品为桑科植物榕树Ficus microcarpa Linn.f. 的干燥叶。

榕树为大乔木，高达15~25 m，胸径达50 cm，冠幅广展；老树常有锈褐色气生根。树皮深灰色。叶薄革质，狭椭圆形，长4~8 cm，宽3~4 cm，先端钝尖，基部楔形，表面深绿色，干后深褐色，有光泽，全缘，基生叶脉延长，侧脉3~10对；叶柄长4~10 mm，无毛；托叶小，披针形，长约8 mm。果成对腋生或生于已落叶枝叶腋，成熟时黄色或微红色，扁球形，直径6~8 mm，无总梗，基生苞片3片，广卵形，宿存；雄花、雌花、瘿花同生于一果内，花间有少许短刚毛；雄花无柄或具柄，散生于内壁，花丝与花药等长；雌花与瘿花相似，花被片3片，广卵形，花柱近侧生，柱头短，棒形。花期5~6月。[6]

目前，批量采集的药材，多数是在行道树的枝条修剪时收集，除去枝条，晒干。据一些药品生产企业的经验，用秋季采收的榕树叶提取小叶榕浸膏收率较高。另有研究报道[7]，通过HPLC测定不同季节小叶榕中的有效成分异牡荆苷的含量，表明7~12月含量较高，故正文规定秋、冬季采收。

起草样品收集情况：共收集到样品10批，详细信息见表1、图1、图2。

表1　榕树叶样品信息一览表

编号	原编号	药用部位	产地/采集地点/批号	备注
RSY-1	1	叶	广西宾阳县	自采
RSY-2	2	叶	广西南宁草药市场	市售品
RSY-3	3	叶	广西梧州市	市售品
RSY-4	4	叶	广西南宁水街草药店	市售品
RSY-5	5	叶	广西南宁水街草药店	市售品
RSY-6	6	叶	广西柳州市	市售品
RSY-7	7	叶	广西桂林市	自采
RSY-8	8	叶	广东茂名市	市售品
RSY-9	9	叶	广西靖西县	自采
RSY-10	10	叶	广西玉林药市	市售品

文献报道[8, 9]，同属植物雅榕Ficus concinna Miq.、垂叶榕Ficus benjamina L.与本种近

似，容易混淆。但雅榕叶顶端短尖或骤尖，基部楔形或近圆形，网脉两面均突起，侧脉10对以上；垂叶榕叶较薄，先端渐尖，基部圆形或楔形，侧脉多数，网脉较明显。在收集样品中未见到上述混淆品。

图1　榕树叶原植物

图2　榕树叶标本

【化学成分】　含三萜皂苷、黄酮苷、酸性树脂、鞣质。[10]最近有人对小叶榕的化学成分做了较系统的研究，从中分离鉴定了17个化合物，其中黄酮类成分3个，三萜及甾醇类成分8个，醇、酸及酯类成分6个，分别为牡荆素（Vitexin）、荭草苷（Orientin）、异牡荆苷（Isovitexin）、十八烷酸（Stearic acid）、十五烷酸（Pentadecyl acid）、三十二烷醇（Dotriacontanol）、二十八烷醇（Octacosanol）、二十六烷酸（Hexacosanoicacid）、□-香树酯酮（□-amyrone）、□-谷甾醇（□-sitosterol）、羽扇豆醇（Lupeol）、羽扇豆醇乙酸酯（Lupeopl acetate）、□-香树酯醇（□-amyrin）、胡萝卜苷（Daucosterol）、□-香树酯醇乙酸酯（□-amyrin acetate）、马斯里酸（Maslinic acid）、表木栓醇（Epifriedelinol）。[11]

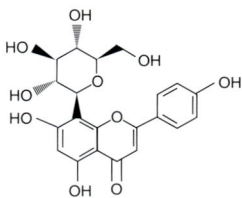

牡荆素（$C_{21}H_{20}O_{10}$）

《广西壮族自治区壮药质量标准第二卷（2011年版）》注释

【药理与临床】 抗菌作用：1∶50浓度的榕树叶和树皮，试管内对金黄色葡萄球菌、舒氏痢疾杆菌有抑制作用。[12]

止咳作用：采用小鼠喷雾致咳法、小鼠酚红祛痰法、小鼠耳肿胀抗炎法三种体内动物实验考察了小叶榕在镇咳、祛痰、抗炎相关模型中的作用。结果表明，小叶榕水提物、乙酸乙酯萃取物均有明显的镇咳、祛痰和抗炎作用。证明黄酮类成分是小叶榕镇咳、祛痰、抗炎的有效成分之一。[13]小叶榕水提物、醇提物均有明显的止咳、平喘作用，且醇提物的作用稍强于水提物。[14]

【性状】 本品呈不规则卷曲状，黄褐色或褐绿色，完整叶片展开后呈倒卵状长圆形，长3.5~9 cm，宽2~5 cm；顶端钝或短尖，基部稍狭，全缘。两面光滑，基出脉3条，主脉腹面微突，背面突起；侧脉3~10对，沿边缘整齐网结。叶柄长0.4~1.5 cm。质脆。气微，味微苦、涩。

本品主要鉴别特征为完整叶片展开后呈倒卵状长圆形，顶端钝或短尖，基部稍狭，全缘；两面光滑，基出脉3条；侧脉3~10对，沿边缘整齐网结。详见图3。

图3　榕树叶药材

【鉴别】 （1）本品粉末淡黄绿色。草酸钙簇晶及方晶散在，直径7~15 μm。纤维散在或成束。分泌细胞含棕色物。表皮细胞表面观类多角形，垂周壁较平直；可见不定式气孔。有的表皮细胞含有较大的钟乳体。详见图4。

（2）取本品粉末1 g，加50%乙醇20 ml，超声处理30分钟，滤过，滤液蒸干，残渣加水10 ml使溶解，用等量的乙醚振摇提取2次，弃去乙醚液，再用等量的乙酸乙酯振摇提取3次，合并提取液，蒸干，残渣加甲醇2 ml使溶解，作为供试品溶液。另取小叶榕对照药材1 g，同法制成对照药材溶液。再取牡荆素对照品，加甲醇制成每1 ml含0.2 mg的溶液，作为对照品溶液。照薄层色谱法（中国药典2010年版一部附录Ⅵ B）试验，吸取上述三种溶液各2 μl，分别点于同一聚酰胺薄膜上，以乙酸乙酯-乙醇-水-冰醋酸（24∶8∶8∶1）为展开剂，展开，取出，晾干，喷以1%三氯化铝乙醇溶液，挥干，置紫外光灯（356 nm）下检视。供试

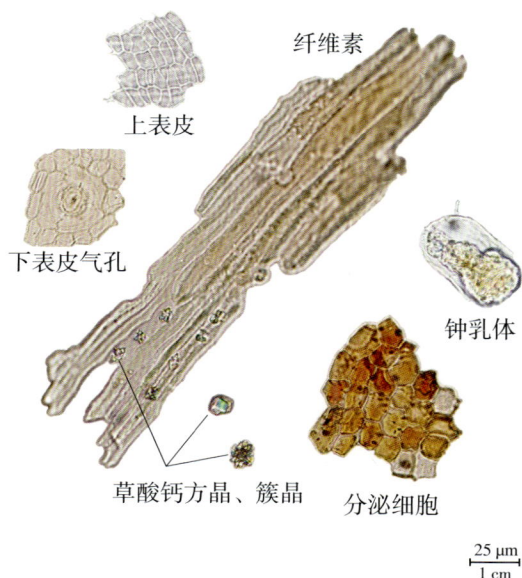

图4　榕树叶粉末显微图

品色谱中，在与对照药材色谱相应的位置上显相同颜色的荧光斑点，在与对照品色谱相应的位置上显相同颜色的荧光斑点。10批样品按本法检验，均符合规定，且薄层色谱分离效果好，斑点清晰，比移值适中，重现性好。

耐用性实验考察：对不同厂家的聚酰胺薄膜（国药集团化学试剂有限公司、浙江省台州市路桥四甲生化塑料厂和广州市艺能色谱材料厂提供）的展开效果进行考察，对不同展开温度（15 ℃、24 ℃、35 ℃）进行考察，对点状、条带状点样进行考察，结果均表明本法的耐用性良好，详见图5。

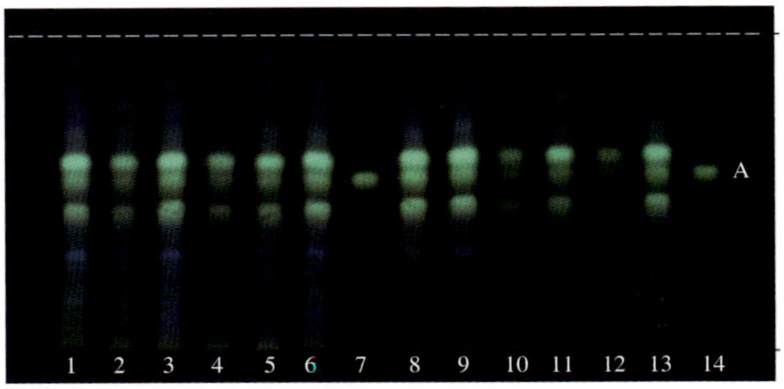

图5　榕树叶样品TLC图

1. RSY-1　2. RSY-2　3. RSY-3　4. RSY-4　5. RSY-5　6. 小叶榕对照药材　7. 牡荆素对照品
8. RSY-6　9. RSY-7　10. RSY-8　11. RSY-9　12. RSY-10　13. 小叶榕对照药材　14. 牡荆素对照品
A. 绿色荧光斑点

色谱条件：聚酰胺薄膜，生产厂家：国药集团化学试剂有限公司，规格：10 cm×20 cm

条带状点样，点样量：2 μl；温度：24 ℃；相对湿度：55RH%

展开剂：乙酸乙酯-乙醇-水-冰醋酸（24∶8∶8∶1）

【检查】　水分　照水分测定法（中国药典2010年版一部附录Ⅸ H第一法）测定。

对本品10批样品进行水分测定，结果见表2，据最高值、最低值及平均值，将本品水分拟定为不得过15.0%。

表2　榕树叶样品水分测定结果一览表

样品	水分均值（%）	样品	水分均值（%）
RSY-1	10.7	RSY-6	10.3
RSY-2	11.2	RSY-7	10.4
RSY-3	10.7	RSY-8	12.5
RSY-4	11.0	RSY-9	10.7
RSY-5	11.0	RSY-10	12.7
RSY-1-FH	8.8	RSY-5-FH	8.5
RSY-4-FH	8.8		

总灰分　照灰分测定法（中国药典2010年版一部附录Ⅸ K）测定。

对本品10批样品进行总灰分测定，结果见表3，据最高值、最低值及平均值，并考虑到部分样品可能在晾晒加工时带入了地面的泥沙，叶面上附着了较多的泥沙，故总灰分偏高，将本品总灰分拟定为不得过15.0%。

表3　榕树叶样品总灰分测定结果一览表

样品	总灰分（%）	样品	总灰分（%）
RSY-1	10.4	RSY-6	11.1
RSY-2	11.5	RSY-7	9.8
RSY-3	10.5	RSY-8	12.3
RSY-4	8.5	RSY-9	11.8
RSY-5	12.3	RSY-10	16.9
RSY-1-FH	10.2	RSY-5-FH	11.8
RSY-4-FH	8.4		

【浸出物】　由于本品目前主要作为咳特灵胶囊的原料，其中小叶榕浸膏的质控标准主要是乙醇浸出物，与之对应，在药材标准中也把醇溶性浸出物作为质控指标。照醇溶性浸出物测定法（中国药典2010年版一部附录Ⅹ A）项下的热浸法测定，用80%乙醇作溶剂。

对本品10批样品进行浸出物含量测定，结果见表4，据最高值、最低值及平均值，将本品浸出物含量拟定为不得少于4.0%。

表4　榕树叶样品浸出物测定结果一览表

样品	浸出物均值（%）	样品	浸出物均值（%）
RSY-1	26.0	RSY-6	20.1
RSY-2	10.5	RSY-7	20.3
RSY-3	17.3	RSY-8	5.3
RSY-4	8.7	RSY-9	17.4
RSY-5	11.1	RSY-10	4.7
RSY-1-FH	27.0	RSY-5-FH	11.3
RSY-4-FH	9.6		

参考文献

[1]萧步丹. 岭南采药录 [M]. 广州：广东科学技术出版社，2009：79，89，121.

[2]赵学敏. 本草纲目拾遗 [M]. 北京：人民卫生出版社，1986：194-195.

[3][8]广西壮族自治区卫生厅. 广西中药材标准 [M]. 南宁：广西科学技术出版社，1992：90.

[4][10][12]江苏新医学院. 中药大辞典：下册 [M]. 上海：上海人民出版社，1977：2529.

[5][9]广东省食品药品监督管理局. 广东省中药材标准：第一册 [M]. 广州：广东科学技术出版社，2004：29-31.

[6]中国科学院中国植物志编辑委员会. 中国植物志 [M]. 北京：科学出版社，1998：112-113.

[7][11][13]李彦文. 小叶榕化学成分和质量标准研究 [D]. 北京：北京中医药大学，2008.

[14]韦锦斌，黄仁彬，林军，等. 小叶榕水提物和醇提物止咳平喘作用的比较研究 [J]. 广西中医药，2006，29（4）：58-59.

药学编著：谢黔锋　饶伟文
药学审校：广西壮族自治区食品药品检验所

壮药质量标准注释

磨盘草　　棵芒牧

Mopancao　　　　Gomakmuh

ABUTILI INDICI HERBA

【概述】 磨盘草，俗名金花草、唐挡草、耳响草、帽笼子、磨笼子。其药用始见于清代何克谏的《生草药性备要》，其后萧步丹的《岭南采药录》、《全国中草药汇编》、《广西本草选编》、《中药辞海》等大型中草药文献中均有记载。《广西中药材标准》第二版正式收载为广西中药材品种。《全国中草药汇编》对其药用价值、原植物、地理分布、产销情况等亦有简要记述。磨盘草原植物主要分布于福建、台湾、广西、广东、贵州和云南等省（区）的山地、原野、滨海和田边。

【来源】 本品为锦葵科植物磨盘草*Abutilon indicum*（Linn.）Sweet的干燥地上部分。

磨盘草为一年生或多年生亚灌木状草本，高0.5~2.5 m，全部皆被灰色短柔毛。叶互生，具长柄；圆卵形至阔卵形，长3~9 cm，宽2.5~7 cm，先端短尖，基部心形，叶缘有不规则的圆齿，两面皆被灰色小柔毛。花单生叶腋，黄色，直径2~2.5 cm；花柄长，近顶端有节；花萼盘状，5深裂，绿色，密被灰色小柔毛，裂片阔卵形，短尖；花瓣5片，较萼长2倍以上；雄蕊多数，花丝基部连成短筒；子房上位，心皮15~20枚，轮状排列。蒴果圆形似磨盘，高约1.5 cm，宽2 cm，分果爿15~20，顶端具短芒。种子肾形，被星状疏柔毛。

磨盘草以地上部分或根入药，夏、秋二季均可采收，洗净，切段晒干备用。广西玉林、百色等地市场均有销售。

起草样品收集情况：共收集到样品9批，详细信息见表1、图1、图2。

表1　磨盘草样品信息一览表

编号	原编号	药用部位	产地/采集地点/批号	样品状态
MPC-1	MP-01	地上部分	百色市人民菜市场草药铺03号	药材
MPC-2	MP-02	地上部分	百色市人民菜市场草药铺05号	药材
MPC-3	MP-03	地上部分	广西柳州市	药材
MPC-4	MP-04	地上部分	广西南宁市西乡塘区石埠镇	药材
MPC-5	MP-05	地上部分	广西百色市右江区四塘镇	药材
MPC-6	MP-06	地上部分	玉林药材市场15-128	饮片
MPC-7	MP-07	地上部分	玉林药材市场27-108	饮片
MPC-8	MP-08	地上部分	玉林药材市场A 16-36	饮片
MPC-9	MP-09	地上部分	广西百色市田东县城郊	药材

备注：磨盘草样品MPC-5同时制成腊叶标本，经鉴定，结果确定其为锦葵科植物磨盘草，在实验中以该样品作为磨盘草的对照药材与其他样品进行对比。完成样品收集后，将所有9份样品（约300 g）进行粉碎处理，并统一过40目筛，备用。

【化学成分】 全草含黄酮苷、酚类、氨基酸、有机酸和糖类。黄酮苷有棉花皮苷（Gossypin）、棉花皮次苷（Gossypitrin）、矢车菊素-3-芦丁糖苷（Cyanidin-3-rutinoside）。全草含土木香内酯（alantolactone）和异土木香内酯（isoalantolactone），没食子酸

图1 磨盘草原植物

图2 磨盘草标本

（gallic acid）；地上部分含亮氨酸（leucine），组氨酸（histidine），苏氨酸（threnine），丝氨酸（serine），天冬氨酸（aspartic acid），香草酸（vanillic acid），对-香豆酸（coumaric acid），对-羟基苯甲酸（hydroxybenzoic acid），咖啡酸（caffeic acid），延胡索酸（fumaric acid），对-□-D-葡萄糖氧基苯甲酸（p-□-D-glucosyloxybenmic acid），葡萄糖基-香草醛基葡萄糖（gluco-vanilloyiglucose），果糖（fructose），半乳糖（galactose），葡萄糖（glucose），□-谷甾醇（□-sitosterol），黏液质（mucilage）及C22~C44烷烃（alkane）；花含棉花皮素-8-葡萄糖苷即棉花皮苷（gossypetin-8-glucoside，gossypin），棉花皮素-7-葡萄糖苷即棉花皮异苷（gossypetin-7-glucoside，gossypitrin），矢车菊素-3-芦丁苷（cyanidin-3-rutinoside）。磨盘草还含挥发油，油中成分有□-蒎烯（□-pinene），丁香烯（caryophellene），丁香烯氧化物（caryophylleneoxide），桉叶素（cineole），牻牛儿醇（geraniol），牻牛儿醇乙酸酯（geranylacetate），榄香烯（elemene），金合欢醇（farnesol），龙脑（Borneol）及桉叶醇（eudesmol）等。[1]陈勇等对磨盘草药材化学成分进行了初步研究，运用溶剂萃取、多种柱层析及重结晶等方法从中分离得到8个化合物，运用MS，H-NMR，C-NMR等现代波谱技术，确定了其中5个化合物的结构，分别为三十二烷醇（1）、三十二烷酸（2）、豆甾醇（3）、□-谷甾醇（4）、豆甾醇-3-O-□-D-吡喃葡萄糖苷（5）。其中，化合物1、2、3、5四个化合物均为首次从磨盘草中分离得到。[2]另有学者从磨盘草叶、茎、根中得到鞣质，含量分别为0.34%、0.16%、0.27%。[3]刘娜等从磨盘草中分离了7个化合物，鉴定了6个化合物，分别为□-谷甾醇（□-sitosterol，1）、齐墩果酸（oleanicacid，2）、24R-5□豆甾烷-3，6-二酮（24R-5□-stigmastane-3，6-dione，3）、胡萝卜苷（daucosterol，4）、2，6-二甲氧基对苯醌（2，6-dimethoxy-1，4-benzoquinone，5）、香草酸（vanillic acid，6），还有一个脂肪酸类成分，其中化合物2-5均为首次从磨盘

草中分得。[4]张燕等对磨盘草微量元素的初级形态进行分析，用电感耦合等离子体质谱法测定了磨盘草中Ca、Mg、Zn、Fe、Mn、Cu、Ni、Cr的含量，并进行了初级形态研究。结果表明，8种元素在原药中的含量特征如下：Ca>Mg>Zn>Fe>Mn>Cu>Ni>Cr；总提取率中Mg超过了50%，其次是Ni（39.05%），其他元素均在35%以下；各元素残留率中，Zn、Cu、Ca的头煎残留率最高（86.48%，80.63%，80.54%），Mg的头煎残留率最低（60.08%）；Cu的颗粒吸附率最高。[5]陈勇等用超临界CO_2流体萃取法研究磨盘草挥发油的化学成分，对提取的挥发油共鉴定了31种化学成分，其含量占总峰面积的83.71%。[6]

【药理与临床】 磨盘草主要含生物碱类、黄酮类、皂苷及萜类化合物，具降血糖、平喘等多种药理作用。[7]磨盘草中的棉花皮苷（Gossypin）可显著抑制角叉菜胶所致大鼠足浮肿及蛋白外渗；有研究表明，磨盘草药材具有明显的抗炎及利尿作用，磨盘草药材醇提物高、中、低剂量能明显降低二甲苯所致小鼠耳廓肿胀度，6小时内能明显增加大鼠排尿量，与空白组比较具有显著性差异（$P<0.05$）。[8]另外通过二甲苯致小鼠耳炎实验法、醋酸引起小鼠腹膜炎法观察磨盘草不同提取部位的抗炎作用，磨盘草乙醇提取物对二甲苯致小鼠耳炎症及醋酸引起小鼠腹膜炎症具有明显的抑制作用，石油醚提取物在6小时内明显增加大鼠尿量。说明抗炎活性部位为磨盘草乙醇提取部位，利尿活性部位为磨盘草石油醚提取部位。[9]传统医学认为磨盘草具有疏风清热、益气通窍、祛痰利尿的功效。临床主要用于治疗感冒、久热不退、流行性腮腺炎、耳鸣、耳聋、肺结核、小便不利、泄泻、淋病、疝气、痈肿、荨麻疹、咳嗽、中耳炎、咽炎、尿路感染、疮痈肿毒、跌打损伤等。有研究表明，磨盘草、艾叶煎液浸浴可治疗婴儿湿疹，将66例患儿随机分为两组，治疗组36例采用中草药磨盘草、艾叶煎液浸浴治疗，对照组30例采用常规西药治疗。结果治疗组总有效率94.4%，对照组总有效率93.3%，两组疗效无显著性差异（$P>0.05$）；3个月后随访，治疗组复发率22.72%，比对照组复发率（52.6%）明显降低。[10]

【性状】 本品茎呈圆柱形，有分枝，外表皮有网格状皱纹，淡棕色至浅灰褐色，被灰色柔毛。体轻、质韧，断面中央有髓。叶互生，有长柄。叶片圆卵形，边缘具圆齿或锯齿，上表面浅灰绿色至浅黄棕色，下表面色稍浅，被灰色柔毛。花梗长。萼盘状，有毛，5裂。蒴果圆形，磨盘状，被柔毛。气微，味淡。详见图3。

本品主要性状鉴别要点为果多见，蒴果圆形，磨盘状，叶极皱缩或破碎，茎枝表面有网格状皱纹。

【鉴别】 （1）本品茎横切面：表皮细胞1~2列，类圆形或椭圆形，排列紧密，外被星状毛及腺毛。皮层较窄，细胞类圆形，有的细胞内含草酸钙簇晶。韧皮部较窄，韧皮纤维与韧皮细胞相间排列，韧皮细胞内含草酸钙簇晶。形成层3~5列细胞。木质部宽，导管单个或2个相聚，

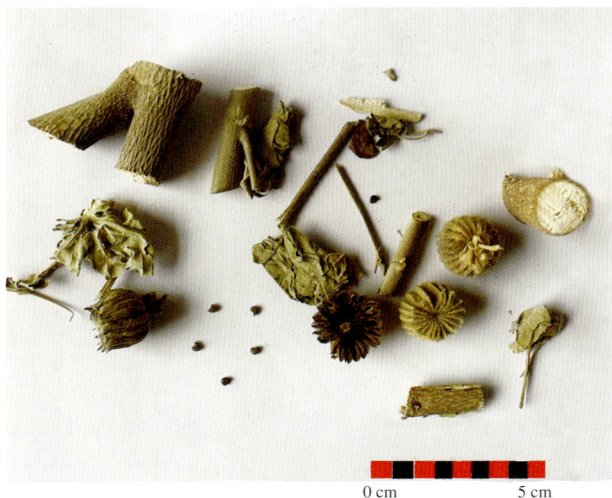

0 cm　　　　　5 cm

图3　磨盘草药材

《广西壮族自治区壮药质量标准第二卷（2011年版）》注释

木纤维与木薄壁细胞相间排列。髓部细胞含草酸钙簇晶。

显微鉴别要点：茎横切面表皮被大量星状毛，韧皮部和木质部纤维与薄壁细胞径向相间排列，薄壁细胞中有较多的草酸钙簇晶。详见图4。

（2）取本品粉末2 g，加甲醇20 ml，水浴加热回流提取10分钟，滤过，滤液浓缩至约1 ml，作为供试品溶液。另取磨盘草对照药材2 g，同法制成对照药材溶液。照薄层色谱法（中国药典2010年版一部附录Ⅵ B）试验，吸取上述两种溶液各10 μl，分别点于同一硅胶G薄层板上，以环己烷-醋酸乙酯（9∶3）为展开剂，展开，取出，晾干，喷以10%硫酸乙醇溶液，在105 ℃加热数分钟至斑点显色清晰。分别置日光和紫外光灯（365 nm）下检视。供试品色谱中，在与对照药材色谱相应的位置上，显相同颜色的斑点或荧光斑点。9批样品按本法检验均符合规定，且薄层色谱分离效果好，斑点圆整清晰，比移值适中，重现性好。详见图5。

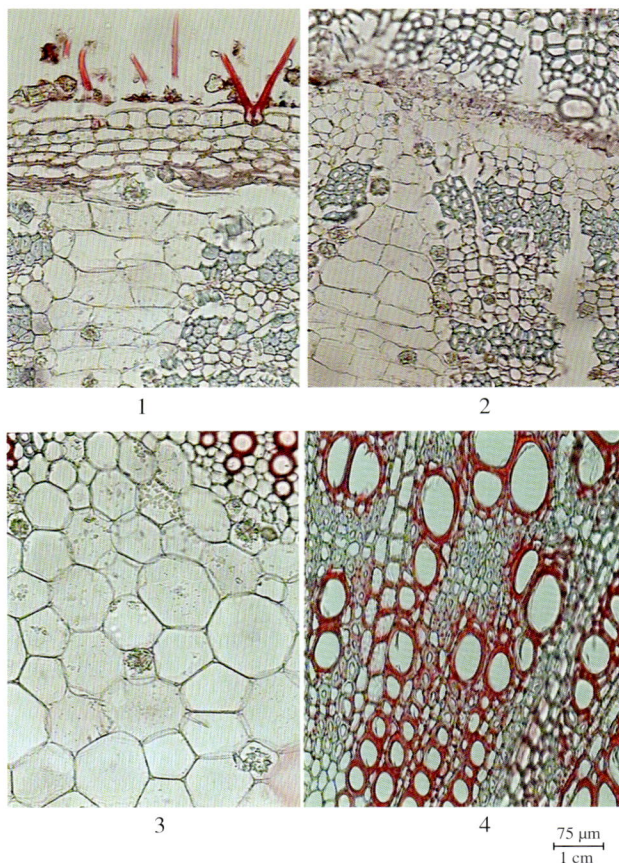

75 μm
1 cm

图4　磨盘草茎横切面放大图

1. 星状毛	2. 纤维束与韧皮薄壁细胞相间排列
3. 草酸钙簇晶	4. 木质部导管、射线和木纤维

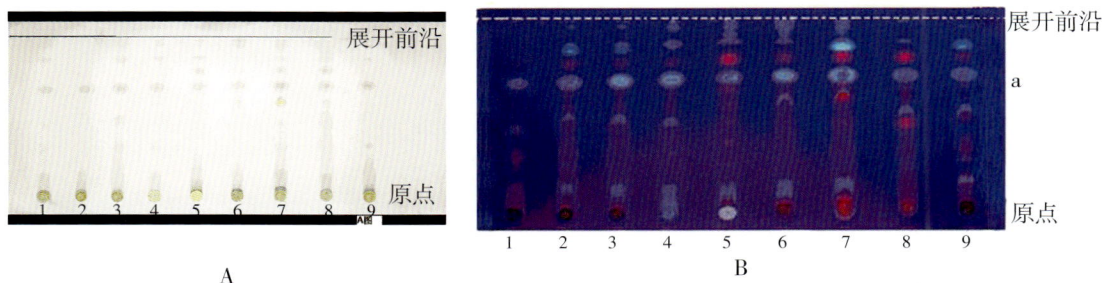

图5　磨盘草TCL图（A. 日光下观察；B. 紫外光灯365 nm下观察）

1. MPC-1　2. MPC-2　3. MPC-3　4. MPC-4　5. MPC-5（对照药材）

6. MPC-6　7. MPC-7　8. MPC-8　9. MPC-9

A.（日光下观察：紫红色斑点；紫外光灯365 nm下观察：黄绿色荧光斑点）

色谱条件：硅胶G薄层预制板，生产厂家：青岛海洋化工厂，批号：20091208，规格：10 cm×20 cm

圆点状点样，点样量：5 μl；温度：28 ℃；相对湿度：65RH%

展开剂：环己烷-醋酸乙酯（9∶3），喷以10%硫酸乙醇，在105 ℃加热数分钟至显色清晰，先在日光下检视，再置紫外光灯（365 nm）下检视耐用性实验考察：对自制板、预制板（青岛海洋化工厂提供，批号：20091208）的展开效果进行考察，对不同展开温度（20 ℃、31 ℃）进行考察，对点状、条带状点样进行考察，结果均表明本法的耐用性良好。

【检查】 水分 照水分测定法（中国药典2010年版一部附录Ⅸ H）测定。

对本品9批样品进行水分测定，结果见表2，据最高值、最低值及平均值，并考虑南方天气较潮湿，因此，将本品水分拟定为不得过13.0%。

表2 磨盘草样品水分测定结果一览表

样品	水分均值（%）	样品	水分均值（%）
MPC-1	8.2	MPC-6	8.6
MPC-2	8.8	MPC-7	7.9
MPC-3	11.2	MPC-8	9.8
MPC-4	9.1	MPC-9	9.3
MPC-5	10.2	MPC-8-FH	7.1
MPC-6-FH	7.2		
MPC-7-FH	6.8		

【浸出物】 照醇溶性浸出物测定法（中国药典2010年版一部附录Ⅹ A）项下的热浸法测定，用70%乙醇作溶剂。

对本品9批样品进行浸出物含量测定，结果见表3，据最高值、最低值及平均值，并考虑到本品系使用叶和枝条，嫩叶与老叶有一定区别，将本品浸出物含量拟定为不得少于5.2%。

表3 磨盘草样品浸出物测定结果一览表

样品	浸出物均值（%）	样品	浸出物均值（%）
MPC-1	6.7	MPC-6	8.2
MPC-2	7.9	MPC-7	7.4
MPC-3	7.2	MPC-8	7.7
MPC-4	6.8	MPC-9	6.5
MPC-5	7.0	MPC-8-FH	8.8
MPC-6-FH	6.6		
MPC-7-FH	7.2		

参考文献

［1］Deokule S S, Patale M W. Pharmacognostic study of Abutilon indicum（L.）Sweet［J］. Journal of Phytological Research, 2002, 15（1）: 1-6.

［2］陈勇，杨晨，魏后超，等. 磨盘草化学成分研究［J］. 时珍国医国药，2010，21（9）：2245-2246.

［3］张燕，张洪斌，胡海强，等. 磨盘草不同部位中鞣质含量测定［J］. 中国中医药信息杂志，2010，17（3）：53-54.

［4］刘娜，贾凌云，孙启时. 中药磨盘草的化学成分［J］. 沈阳药科大学学报，2009，26（3）：196-197，221.

［5］张燕，张洪斌，陈忠荫，等. 磨盘草微量元素的初级形态分析［J］. 时珍国医国药，2010，21（5）：1068-1070.

［6］陈勇，杨晨，魏后超，等. 磨盘草挥发油化学成分的GC-MS分析［J］. 中国民族民间医药，2010，19（3）：25-26.

［7］顾关云，蒋昱. 磨盘草及苘麻属植物的化学成分与药理作用［J］. 现代药物与临床，2009，24（6）：338-340.

［8］陈勇，杨晨，魏后超，等. 磨盘草药材醇提物抗炎、利尿作用实验研究［J］. 亚太传统医药，2009，5（12）：19-21.

［9］陈勇，杨晨. 磨盘草不同提取部位抗炎利尿药理实验研究［C］. 第二届临床中药学学术研讨会论文集，2009.

［10］莫礼滨. 磨盘草、艾叶煎液浸浴治疗婴儿湿疹36例［J］. 广西中医药，2011，34（5）：31-32.

药学编著：覃忠于　农凤鸣　李小金
药学审校：广西壮族自治区食品药品检验所

藤黄檀　　痛必灵

Tenghuangtan　　　　Dungbizlingz

DALBERGIAE HANCEI RADIX

【概述】 藤黄檀，又名桬果藤、檀树（《中国主要植物图说·豆科》），丁香柴（《中国高等植物图鉴》），红香藤、藤香、鸡肠香、降香（《陆川本草》），大香藤、痛必灵（《全国中草药汇编》），黄龙脱衣、白鸡刺藤、屈叶藤（《广西药用植物名录》）。[1-3]本品为广西壮族民间验方的组成之一，在民间有较长的使用历史，故收入本标准，但历版药典及广西中药材标准尚无收载。藤黄檀原植物主要分布于安徽、浙江、福建、江西、广东、广西、四川、贵州等省区的山谷溪旁、疏林下或山坡灌丛中。[4, 5]

【来源】 本品为豆科植物藤黄檀*Dalbergia hancei* Benth.的干燥根。

藤黄檀为常绿木质藤本植物。枝纤细，幼枝疏生白色柔毛；有时枝条变成钩状或螺旋状。托叶细小披针形，叶膜质，早落；奇数羽状复叶，长5~8 cm，互生，夜间闭合。小叶片9~13片，较小狭长圆形或倒卵状长圆形，长7~22 mm，宽5~8 mm，先端钝，微缺，基部圆形或宽楔形，嫩时两面被伏贴疏柔毛，长成时上面无毛。总状花序远较复叶短，幼时包藏于舟状、覆瓦状排列、早落的苞片内，数个总状花序常再集成腋生短圆锥花序；圆锥花序腋生，花微小，花梗密生锈色短柔毛，长1~2 mm，与花萼和小苞片同被褐色短茸毛；基生小苞片卵形，副萼状小苞片披针形，均密生锈色柔毛，早落；花萼阔钟状，萼齿5个，长约3 mm，萼齿短，阔三角形，先端钝或圆，有锈色毛；花冠白色，芳香，长约6 mm，各瓣均具长柄，旗瓣椭圆形，先端微缺，近于反折，瓣片基部有长爪，两侧稍呈截形，具耳，中间渐狭下延而成一瓣柄，翼瓣与龙骨瓣长圆形；雄蕊9个，单体，有时为二体，（9）+1；子房线形，有短柄，被短柔毛，花柱较长，柱头小。荚果长圆形，扁平，长3~7 cm，宽1.2 cm，无毛，具柄，含种子1~4颗。种子肾形，极扁平，长约8 mm，宽约5 mm。花期3~5月，果期7~8月。[6-8]

藤黄檀以根入药，夏、秋二季采挖，除去泥沙，切片，晒干。[9]

起草样品收集情况：共收集到样品6批，详细信息见表1、图1、图2。

表1　藤黄檀样品信息一览表

编号	原编号	药用部位	产地/采集地点/批次	样品状态
THT-1	上思县十万大山110711	根	上思县十万大山	药材
THT-2	宁明101003	根	宁明县	药材
THT-3	广西中医学院药圃101214	根	广西中医学院药圃	药材
THT-4	南宁老虎岭110720	根	南宁市老虎岭	药材
THT-5	南宁龙虎山110820	根	南宁市龙虎山	药材
THT-6	南宁高峰110715	根	南宁高峰林场	药材

备注：藤黄檀样品THT-1同时制成腊叶标本，经鉴定，结果确定其为豆科植物藤黄檀的根，实验中以该样品作为藤黄檀的对照药材与其他样品进行对比。完成样品收集后，将所有6份样品（约300 g）进行粉碎处理，并统一过40目筛，备用。

图1　藤黄檀原植物

图2　藤黄檀标本

【性状】　本品呈圆柱形，直径0.4~2.6 cm，表面棕褐色，粗糙，栓皮易破裂脱落，破裂后向外卷曲，脱落后呈红褐色，栓皮未脱落处有突起的皮孔及支根痕，质硬，难折断，断面黄棕色或灰白色，针孔密集。气微，味微甜。

　　本品主要鉴别特征为栓皮易破裂脱落，破裂后向外卷曲，脱落后呈红褐色，质硬，难折断，断面针孔密集。详见图3。

【鉴别】　（1）本品横切面：木栓层细胞数列，长方形；皮层窄，细胞类椭圆形；韧皮部内纤维束成群散在；木质部导管较大，常单个或数个聚集，木质部纤维与木薄壁细胞略断续成环状排列；射线细胞1~4列；薄壁细胞内含棕色块、方晶、柱晶。

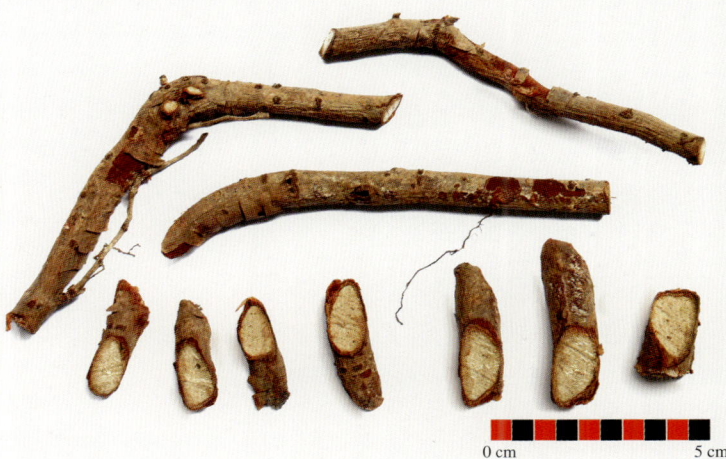

图3　藤黄檀药材

　　粉末黄棕色。具缘纹孔导管。纤维长壁增厚；草酸钙方晶，5~27 μm，柱晶，13~20 μm。木栓细胞类长方形。纤维束周围薄壁细胞内含草酸钙方晶、柱晶，形成晶鞘纤维。

　　显微鉴别要点：草酸钙方晶、柱晶以及晶鞘纤维在藤黄檀药材横切面及其粉末中大量存在，故观察到草酸钙方晶、柱晶以及晶鞘纤维是其鉴别的主要特征，详见图4、图5、图6。

481

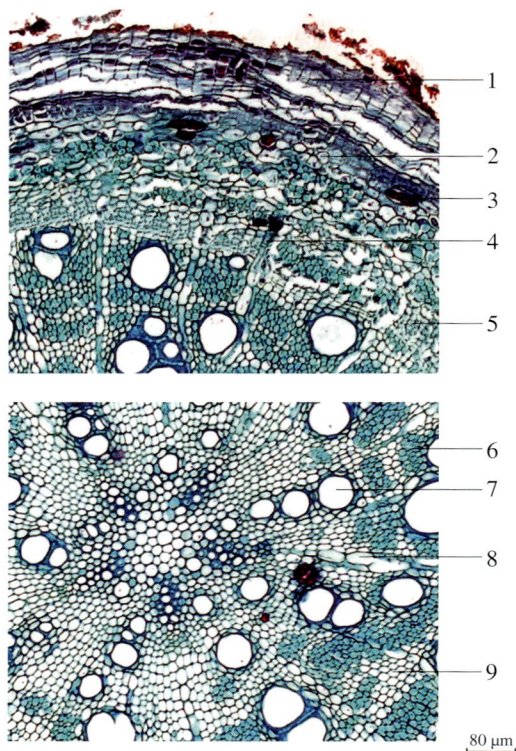

图5 藤黄檀根棕色块显微放大图

11 μm

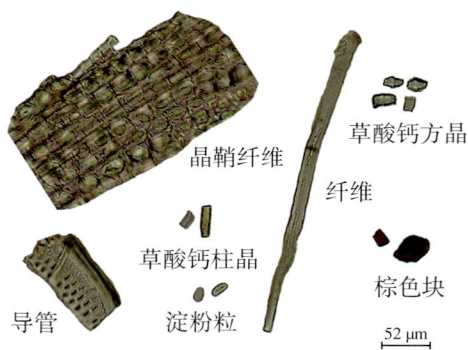

图4 藤藤黄檀根横切面显微全貌图

1. 木栓层　　2. 皮层　　3. 棕色块
4. 韧皮射线　5. 韧皮部　6. 木纤维束
7. 导管　　8. 木射线　9. 木薄壁细胞

80 μm

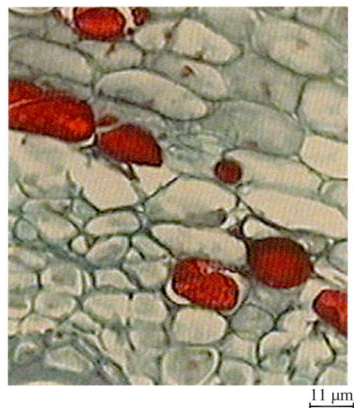

晶鞘纤维
草酸钙方晶
纤维
草酸钙柱晶
棕色块
导管
淀粉粒
52 μm

图6 藤黄檀根粉末显微图

（2）取本品粉末1 g，加乙醇25 ml，加热回流1小时，放冷，滤过，滤液蒸干，残渣加甲醇2 ml使溶解，作为供试品溶液。另取藤黄檀对照药材1 g，同法制成对照药材溶液。照薄层色谱法（中国药典2010年版一部附录Ⅵ B）试验，吸取上述两种溶液各5~10 μl，分别点于同一硅胶G薄层板上，以石油醚-丙酮（3：2）为展开剂，预饱和15分钟，展开，取出，晾干，喷以10%香草醛浓硫酸试液，在105 ℃加热至斑点显色清晰。供试品色谱中，在与对照药材色谱相应的位置上，显相同颜色的斑点。6批样品按本法检验，均符合规定，且薄层色谱分离效果好，斑点圆整清晰，比移值适中，重现性好。详见图7。

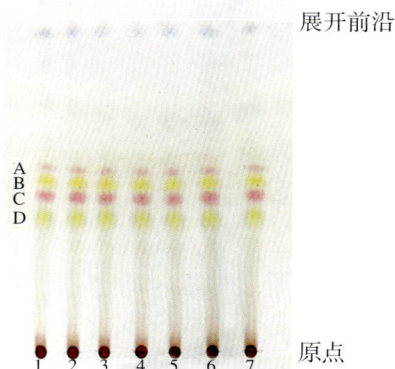

展开前沿

A
B
C
D

原点

1 2 3 4 5 6 7

图7 藤黄檀样品TLC图

1. THT-1（对照药材）　2. THT-2　　3. THT-3
4. THT-4　　5.THT-5　　6. THT-6
7. THT-1（对照药材）
A. 浅红色荧光斑点　　B. 黄色荧光斑点
C. 桃红色荧光斑点　　D. 黄绿色荧光斑点

色谱条件：硅胶G薄层自制板，规格：10 cm×20 cm
圆点状样点样，点样量：5 μl；温度：25 ℃；
相对湿度：65RH%
展开剂：石油醚-丙酮（3：2）

【检查】 水分 照水分测定法（中国药典2010年版一部附录Ⅸ H第一法）测定。

对本品3批样品进行水分测定，结果见表2，据最高值、最低值及平均值，将本品水分拟定为不得过12.0%。

表2 藤黄檀样品水分测定结果一览表

样品	水分均值（%）	样品	水分均值（%）
THT-1	3.8	THT-4	–
THT-2	4.8	THT-5	–
THT-3	4.2	THT-6	–
THT-2-FH	9.7	THT-6-FH	9.6
THT-3-FH	9.2		

总灰分 照灰分测定法（中国药典2010年版一部附录Ⅸ K）测定。

对本品3批样品进行总灰分测定，结果见表3，据最高值、最低值及平均值，将本品总灰分拟定为不得过5.0%。

表3 藤黄檀样品总灰分测定结果一览表

样品	总灰分（%）	样品	总灰分（%）
THT-1	1.9	THT-4	–
THT-2	3.8	THT-5	–
THT-3	2.8	THT-6	–
THT-2-FH	2.9	THT-6-FH	1.1
THT-3-FH	2.0		

酸不溶性灰分测定 照灰分测定法（中国药典2010年版一部附录Ⅸ K）测定。

对本品3批样品进行酸不溶性灰分测定，结果见表4，据最高值、最低值及平均值，将本品酸不溶性灰分拟定为不得过1.0%。

表4 藤黄檀样品酸不溶性灰分测定结果一览表

样品	酸不溶性灰分（%）	样品	酸不溶性灰分（%）
THT-1	0.3	THT-4	–
THT-2	0.9	THT-5	–
THT-3	0.3	THT-6	–
THT-2-FH	0.1	THT-6-FH	0.1
THT-3-FH	0.1		

【浸出物】 实验之初对比了加热提取和冷浸提取的提取效果，结果表明，加热提取较冷浸提取效果优，且加热提取一方面有利于化学成分的溶出，另一方面又节省了实验时间，经研究最终确定采用热浸法来进行实验。对比水和乙醇作为提取溶剂的提取效果，结果表明，水提取的水溶性杂质较多，溶液很难过滤，故不考虑该溶剂，最终确定以乙醇为提取溶剂，照醇溶性浸出物测定法（中国药典2010年版一部附录Ⅹ A）项下的热浸法测定。

对本品3批样品进行浸出物含量测定，结果见表5，据最高值、最低值及平均值，将本品浸出物含量拟定为不得少于5.0%。

表5　藤黄檀样品浸出物测定结果一览表

样品	浸出物均值（%）	样品	浸出物均值（%）
THT-1	15.7	THT-4	–
THT-2	14.4	THT-5	–
THT-3	16.3	THT-6	–
THT-2-FH	9.4	THT-6-FH	9.0
THT-3-FH	6.5		

参考文献

［1］［4］［6］［9］国家中医药管理局《中华本草》编委会. 中华本草：第四册十一卷 ［M］. 上海：上海科学技术出版社，1999：433.

［2］［7］中国科学院中国植物志编辑委员会　中国植物志 ［M］. 北京：科学出版社，2010：108.

［3］［5］［8］《全国中草药汇编》编写组. 全国中草药汇编：下册 ［M］. 2版. 北京：人民卫生出版社，1996：693.

药学编著：甄汉深　丘 琴　梁子宁
药学审校：广西壮族自治区食品药品检验所

蟾蜍皮　　能唝酬

Chanchupi　　　　Naenggoepsou

BUFONIS CORIUM

【概述】　蟾蜍皮，俗名蟾皮、干蟾皮、癞蟆皮、蛤蚆皮等。其原动物蟾蜍始载于我国第一部药物学专著《神农本草经》[1]，列为下品。《本草纲目》、《本草纲目拾遗》等医药古籍对蟾蜍皮的药用也有记载。[2, 3]经调查目前使用的蟾蜍皮商品来源，主要为黑眶蟾蜍及中华大蟾蜍两种，故将此两种收入本标准。历版《中国药典》和《广西中药材标准》均未有蟾蜍皮质量标准的收载。1997年版《江西省中药材标准》以"干蟾皮"收入。《中华本草》、《中药大辞典》、《中国壮药学》等当代大型辞书中对其药用价值、原动物、地理分布、产销情况等均有简要记述。[4-6]蟾蜍皮为广西常用特色壮、瑶药材，具有清热解毒、利水消肿之功。在广西壮族地区民间多广泛应用于恶性肿瘤的治疗。黑眶蟾蜍原动物主要栖息于广西、广东、海南、福建、台湾等省（区）的潮湿草丛中，亦有人工养殖，广西区内多有分布；中华大蟾蜍原动物主要栖息于东北、华北、华东、华中、西北等省区的泥土、石下或草间，广西区内分布较少，主要分布于桂北地区。

【来源】　本品为蟾蜍科动物黑眶蟾蜍*Bufo melanostictus* Schneider或中华大蟾蜍*Bufo bufo gargarizans* Cantor的干燥皮。

黑眶蟾蜍体长5~10 cm，雄性略小。头高，头宽大于头长，上下颌均无齿，鼻孔近吻端，眼间距大于鼻间距，鼓膜大；头顶部两侧各有大而长的耳后腺。沿吻棱、眼眶上缘、鼓膜前缘及上下颌有明显的黑色骨质棱或黑色线，头部明显下凹，皮肤与头骨紧密相连，上下颌有黑色线，皮肤极粗糙，除头部无疣粒外，全身布满大小不等的瘰疬，背部有黄棕色或棕红色的斑纹，腹面色浅，在腹胸部有不规则而较显著的灰色斑纹。雄性第1、第2指基部内侧有黑色婚垫。

中华大蟾蜍体粗壮，体长约8 cm以上。沿吻棱、眼眶上缘、鼓膜前缘及上下颌无明显的黑色骨质棱或黑色线。雄性前肢内侧3指有黑色婚垫，无声囊。

有关专著对蟾蜍皮的药用部位有不同的解释：《中华本草》收录蟾皮为中华大蟾蜍或黑眶蟾蜍除去内脏的干燥体，亦可以理解为去掉内脏后晒干或阴干的蟾蜍，有骨头，肌肉的结构，也称之为干蟾；《中药大辞典》所收录的蟾皮则为黑眶蟾蜍或中华大蟾蜍的皮（未说明干用或鲜用），亦可以理解为剥掉蟾蜍的皮单独使用；《江西省中药材标准》所收录的干蟾蜍皮为黑眶蟾蜍或中华大蟾蜍的干燥皮。正文所收录的蟾蜍皮是根据广西壮族民间习惯使用，系指蟾蜍科动物黑眶蟾蜍或中华大蟾蜍的干燥皮。

蟾蜍以夏、秋季为多，捕捉后剖腹杀死，或用锥子从枕孔插入蟾蜍脑部，搅动1分钟，蟾蜍即死。剥取皮肤时，先剥腹部，再剥四肢和背部，最后剥头部，注意耳后腺要剥完整，除净筋肉，贴于板上或撑开干燥（晒干、风干或烤干）。

起草样品收集情况：共收集到样品10批，详细信息见表1、图1、图2。

表1 蟾蜍皮样品信息一览表

编号	原编号	药用部位	产地/采集地点/批号	样品状态
CCP-1	1	干燥皮	广西玉林药市	药材
CCP-2	2	干燥皮	广西玉林药市	药材
CCP-3	3	干燥皮	广西全州县	原动物加工
CCP-4	4	干燥皮	广西玉林药市	药材
CCP-5	5	干燥皮	广西隆安县	原动物加工
CCP-6	6	干燥皮	广西南宁市	药材
CCP-7	7	干燥反	广西上林县	原动物加工
CCP-8	8	干燥皮	广西靖西县	原动物加工
CCP-9	9	干燥皮	广西全州县	药材
CCP-10	10	干燥皮	广西全州县	原动物加工

　　备注：蟾蜍皮10批样品经鉴定，结果除CCP-9为中华大蟾蜍外，其余各批样品均为黑眶蟾蜍。实验中以CCP-9、CCP-10作为蟾蜍皮的对照药材与其他样品进行对比，样品收集过程中，除了收集市售的干燥蟾蜍皮药材外，亦收集了蟾蜍原活体动物经加工制成的干燥蟾蜍皮。完成样品收集后，将所有10份样品进行粉碎处理，过筛，备用。

图1 黑眶蟾蜍原动物

图2 中华大蟾蜍原动物

【化学成分】 蟾蜍原动物中化学成分主要分为以下几类：（1）蟾毒配基类（蟾酥毒素水解得到的20多种蟾毒配基）；（2）蟾酥毒素类（分为蟾毒、蟾毒配基脂肪酸酯和蟾毒配基硫酸酯）；（3）蟾毒色胺类（亦称为吲哚碱类）；（4）其他化合物（吗啡、肾上腺素胆甾醇等）。化学研究表明，蟾蜍皮所含化学成分与蟾酥相似[7-9]，但蟾酥中的种类少而含量更集中；吲哚生物碱类有4个主要成分相同，另一吲哚生物碱脱氢蟾蜍色胺，在蟾皮中的相对含量较高，而在蟾酥中很低；且初步判断蟾酥中甾醇类主要为□-谷甾醇，而蟾皮中主要为胆甾醇和胆甾醇棕榈酸酯。蟾蜍耳后腺与皮肤分泌物中含有30种以上的甾体化合物，生理活性物质主要是蟾蜍毒素及其水解产物蟾毒配基。[10]研究证实，蟾蜍皮中的蟾毒配基类的华蟾酥毒基（cinobufa gin，CBG）和酯蟾毒配基（resibufo genin，RBG）既为主要有效成分，亦为有毒成分，具有一定的毒性，临床使用稍有不慎就会引起毒副反应。近年来张英等人[11]从中华大蟾蜍皮中分离得到胆甾醇（cholesterol）、棕榈酸胆甾烯酯（palmitatie acid cholesteryl ester）、蟾毒它灵（bufotalin）、沙蟾毒（arenobufagin）、嚏根草配基（hellebrigenin）、嚏根草配基3-辛二酸半酯（hellebrigenin-3-hemisuberate）；徐乃玉等[12]测得中华大蟾蜍皮粉中含有钙、镁、钠、锰、铁、锌、铜、磷、硅及银等元素，其中以钙为最多，其次为铁和镁。

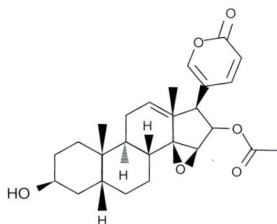

华蟾酥毒基（$C_{26}H_{34}O_6$）

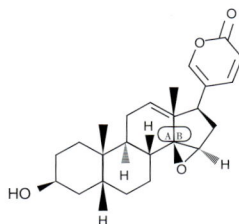

酯蟾毒配基（$C_{24}H_{32}O_4$）

【药理与临床】 蟾蜍皮具有清热解毒、利水消肿之功。蟾蜍皮及其方剂历代均有临床使用。广西壮族民间多应用于治疗各种恶性肿瘤，配伍其他药材或者单方使用；近年来以蟾蜍皮为原料经过提取制成的华蟾素片、华蟾素胶囊对治疗原发性肝癌、中晚期肺癌等恶性肿瘤，取得了较好的疗效。综合文献，其主要有如下药理作用[13-15]：

1．所含华蟾素可显著提高正常与免疫抑制及致敏小鼠血清IgG的含量，对体液细胞及非特异性细胞免疫功能均有促进作用。

2．华蟾素能明显抑制DHBV的复制并且有较强的抗病毒作用。

3．华蟾素能显著抑制小鼠瘤（S_{180}）、小鼠肝癌实体型（Heps）、小鼠网经只细胞瘤（L_2）等肿瘤的生长，抑制率达30%以上，其抑制肿瘤生长作用的强弱与剂量有一定的量效关系，且在抑瘤生长时，不伤害正常细胞；复方蟾皮胶囊具有辐射增效和一定程度的防御放射引起的副作用的功效；从新鲜蟾皮中提得的阿瑞那蟾蜍精10 μg对小鼠P_{388}白血病细胞生长的抑制率为52%。

4．300 μg阿瑞那蟾蜍精可使大鼠血压升高5.33 kPa（40 mmHg），维持40分钟；当用100 μg时血压升高3.33 kPa（25 mmHg），维持12分钟。

5．毒性：给小鼠快速静脉注射Ⅰ号（蟾蜍皮水溶性成分）50 mg/kg，24小时未见异常反应；给小鼠静脉注射Ⅱ号（蟾蜍皮水脂混合成分），LD_{50}为3.81 ± 0.22 ml/kg；给小鼠腹腔注射Ⅱ号，LD_{50}为26.27 ± 0.31 ml/kg；Ⅰ、Ⅱ号对大鼠均可引起心电图异常，但未见死亡。按序贯法由小白鼠尾静脉注射不同剂量的中华大蟾蜍分泌物氯仿提取物及花背蟾蜍分泌物氯仿提取物，得到RC的LD_{50}为8.91 ± 1.52 ml/kg，GC的LD_{50}为10.86 ± 0.64 ml/kg。腹腔注射华蟾素注射液20.4 mg/kg（相当于临床用量的500倍、100倍），隔日给药1次，间隔6天称体重1次，共计20天，未发现心电图和组织学的明显改变，但血检时，发现大剂量组有血小板数略升高及白细胞数略降低的现象。两剂量对发育中大鼠的平均体重增长均有一定的抑制作用。说明华蟾素应用时在计量和疗程长度上仍需给予一定的注意且需继续观察研究。

【性状】 **黑眶蟾蜍** 本品呈矩圆形、扁平状，体长5~10 cm，体宽3~12 cm。头部略呈钝三角形，较厚，头部沿吻棱、眼眶上缘、鼓膜前缘和上下颌缘有十分明显的黑色线；耳后腺明显，呈长卵圆形，"八"字状排列。四肢向外伸出。外表面粗糙，背部黑色、灰黑色或灰绿色，背部有大小不等的疣状突起，色较深；腹部黄白色，疣点较细小，有少许黑斑。内表面灰白色，与疣点相对应处有同样大小的黑色浅凹点。质韧，不易折断。气微腥，味咸、微麻舌。

中华大蟾蜍　本品体长约8 cm以上，体宽10~14 cm；头部沿吻棱、眼眶上缘、鼓膜前缘和上下颌缘无黑色线。

　　本品主要性状特征为：黑眶蟾蜍头部沿吻棱、眼眶上缘、鼓膜前缘和上下颌缘有明显的黑色线，中华大蟾蜍则无此黑色线；药材以皮完整、干燥者质为佳。详见图3、图4。

图3　黑眶蟾蜍皮药材

图4　中华大蟾蜍皮药材

　　【鉴别】　（1）蟾蜍皮含蟾蜍二烯内酯类成分，主要有华蟾酥毒基与酯蟾毒配基，它们既是主要有效成分，亦是有毒成分，故采用华蟾酥毒基对照品与酯蟾毒配基对照品作为化学对照品；除了这两种成分外，药材薄层层析还可检视出其他斑点，故同时采用对照药材作为对照。

　　取本品粉末2 g，加乙醇30 ml，回流提取1小时，滤过，滤液蒸干，残渣加甲醇1 ml使溶解，作为供试品溶液。另取蟾蜍皮对照药材2 g，同法制成对照药材溶液。再取华蟾酥毒基对照品、酯蟾毒配基对照品，加乙醇分别制成每1 ml含1 mg的溶液，作为对照品溶液。照薄层色谱法（中国药典2010年版一部附录Ⅵ B）试验，吸取供试品溶液2~3 μl，对照药材溶液2 μl，对照品溶液1 μl，分别点于同一硅胶G薄层板上，以环己烷-三氯甲烷-丙酮（4：3：1.5）为展开剂，展开，取出，晾干，喷以10%硫酸乙醇溶液，105 ℃下加热5分钟，置紫外光灯（365 nm）下检视。供试品色谱中，在与华蟾酥毒基对照品色谱相应的位置上，显相同的黄绿色荧光斑点；在与酯蟾毒配基对照品色谱相应的位置上，显相同的绿色荧光斑点；在与对照药材色谱相应的位置上，从原点开始依次显相同的黄色、黄绿色、绿色、橙色荧光斑点。10批样品按本法检验，均符合规定，且薄层色谱分离效果好，斑点集中清晰，比移值适中，重现性好。

　　耐用性实验考察：对不同品牌的预制板（青岛海洋化工厂提供，批号：20110308；烟台市化工研究所提供，批号：20110412）的展开效果进行考察，对不同展开温度（8 ℃、28 ℃）进行考察，对不同相对湿度（50RH%、88RH%）的展开效果进行考察，对点状、条带状点样进行考察，结果均表明本法的耐用性良好，详见图5。

　　（2）文献记载，蟾蜍皮中含有吲哚生物碱类成分。经化学成分预试，结果表明药材确实含有吲哚生物碱类成分。为此建立该药材吲哚生物碱类成分TLC鉴别方法。因目前无相应的对照品供应，故采用对照药材作为对照。

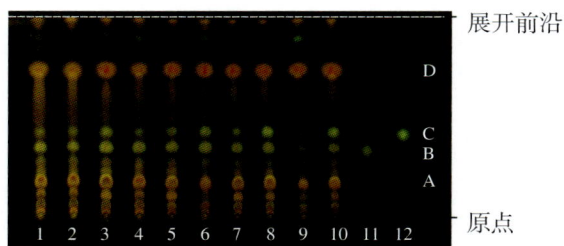

图5 蟾蜍皮样品TLC图

1. CCP-1　　2. CCP-2　　3. CCP-3　　4. CCP-4　　5. CCP-5
6. CCP-6　　7. CCP-7　　8. CCP-8　　9. CCP-9（对照药材）　　10. CCP-10（对照药材）
11. 华蟾酥毒基对照品　　12. 酯蟾毒配基对照品　　A. 黄色荧光斑点　　B. 黄绿色荧光斑点
C. 绿色荧光斑点　　D. 橙色荧光斑点

色谱条件： 硅胶G薄层预制板，生产厂家：青岛海洋化工厂，批号：20110308，规格：10 cm×20 cm
　　　　　圆点状点样，点样量：供试品溶液2~3 μl，对照药材溶液2 μl，对照品溶液1 μl；
　　　　　温度：27 ℃；相对湿度：35RH%
　　　　　展开剂：环己烷-三氯甲烷-丙酮（4：3：1.5）

　　取本品粉末2 g，加乙醇30 ml，回流提取1小时，滤过，滤液蒸干，残渣加甲醇1 ml使溶
解，作为供试品溶液。另取蟾蜍皮对照药材2 g，同上法制成对照药材溶液。照薄层色谱法
（中国药典2010年版一部附录Ⅵ B）试验，吸取样品溶液2~3 μl，对照药材溶液2 μl，分别点
于同一硅胶G薄层板上，以正丁醇-醋酸-水（4：1：5）上层液为展开剂，展开，取出，晾
干，喷以20%对二甲氨基苯甲醛盐酸（2→3）溶液，在105 ℃加热至斑点显色清晰。供试品
色谱中，在与对照药材色谱相应的位置上，从原点开始依次显相同的蓝紫色、粉色、浅粉
色、黄色的斑点。10批样品按本法检验，均符合规定，且薄层色谱分离效果好，斑点圆整
清晰，比移值适中，重现性好。

　　耐用性实验考察：对不同品牌的预制板（青岛海洋化工厂提供，批号：20110608；烟
台市化工研究所提供，批号：20110412）的展开效果进行考察，对不同温度（8 ℃、30 ℃）
进行考察，对不同相对湿度（50RH%、88RH%）的展开效果进行考察，对点状、条带状点
样进行考察，结果均表明本法的耐用性良好，详见图6。

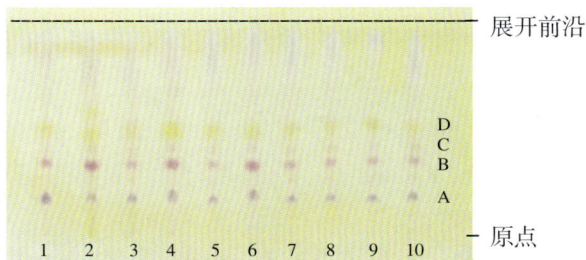

图6 蟾蜍皮样品TLC图

1. CCP-1　　2. CCP-2　　3. CCP-3　　4. CCP-4　　5. CCP-5
6. CCP-6　　7. CCP-7　　8. CCP-8　　9. CCP-9（对照药材）　　10. CCP-10（对照药材）
A. 蓝紫色斑点　　B. 粉色斑点　　C. 浅粉色斑点　　D. 黄色斑点

色谱条件： 硅胶G薄层预制板，生产厂家：青岛海洋化工厂，批号：20110608，规格：10 cm×20 cm
　　　　　圆点状点样，点样量：供试品溶液2~3 μl，对照药材溶液2 μl；温度：29 ℃；相对湿度：68RH%
　　　　　展开剂：正丁醇-醋酸-水（4：1：5）

【检查】　水分　照水分测定法（中国药典2010年版一部附录Ⅸ H第一法）测定。

对本品10批样品进行水分测定，结果见表2，据最高值、最低值及平均值，并考虑到该药材为南方所产，而南方气候较为湿润，药材在运输和贮存过程中发生变化等因素，因此，将本品水分拟定为不得过14.0%。

表2　蟾蜍皮样品水分测定结果一览表

样品	水分均值（%）	样品	水分均值（%）
CCP-1	8.8	CCP-6	8.5
CCP-2	8.1	CCP-7	9.1
CCP-3	9.1	CCP-8	9.3
CCP-4	9.1	CCP-9	8.9
CCP-5	11.9	CCP-10	9.2
CCP-3-FH	3.9	CCP-8-FH	8.9
CCP-7-FH	4.7		

总灰分　照灰分测定法（中国药典2010年版一部附录Ⅸ K）测定。

对本品10批样品进行总灰分测定，结果见表3，据最高值、最低值及平均值，将本品总灰分拟定为不得过24.0%。

表3　蟾蜍皮样品总灰分测定结果一览表

样品	总灰分（%）	样品	总灰分（%）
CCP-1	14.1	CCP-6	11.7
CCP-2	9.5	CCP-7	15.6
CCP-3	14.2	CCP-8	16.4
CCP-4	16.6	CCP-9	20.6
CCP-5	18.4	CCP-10	18.4
CCP-3-FH	10.0	CCP-8-FH	7.6
CCP-7-FH	8.2		

【浸出物】　本品主要有效成分大多溶于乙醇，因此，考虑用醇溶性浸出物来考察蟾蜍皮中所含活性成分的多少。而加热提取一方面有利于化学成分的溶出，另一方面又节省了实验时间，经研究最终确定采用热浸法来进行实验。实验对比了两种不同浓度的乙醇（30%乙醇、乙醇）作为提取溶剂的提取效果。实验结果表明，30%乙醇提取的浸出物水溶性杂质很多，溶液很难过滤，不考虑该溶剂，故确定以乙醇为提取溶剂，照醇溶性浸出物测定法（中国药典2010年版一部附录Ⅹ A）项下的热浸法测定。

对本品10批样品进行浸出物含量测定，结果见表4，据最高值、最低值及平均值，将本品浸出物含量拟定为不得少于4.0%。

表4　蟾蜍皮样品浸出物测定结果一览表

样品	浸出物均值（%）	样品	浸出物均值（%）
CCP-1	7.4	CCP-6	5.4
CCP-2	4.8	CCP-7	11.1

续表

样品	浸出物均值（%）	样品	浸出物均值（%）
CCP-3	9.4	CCP-8	15.6
CCP-4	7.2	CCP-9	4.8
CCP-5	12.3	CCP-10	15.7
CCP-3-FH	8.6	CCP-8-FH	8.4
CCP-7-FH	8.8		

【含量测定】 文献记载蟾蜍皮的活性成分与蟾酥一致。[16-18]华蟾酥毒基和酯蟾毒配基是蟾毒内酯中含量较高的成分，且其既是抗肿瘤活性成分，亦是毒性成分，具有杀伤和抑制肿瘤细胞生长的作用。制定华蟾酥毒基和酯蟾毒配基【含量测定】项，对于控制蟾蜍皮质量，确保临床用药安全有效具有重要意义。参照有关文献[19-22]，采用高效液相色谱法，对本品进行华蟾酥毒基和酯蟾毒配基含量测定，结果显示该方法灵敏，精密度高，重现性好，结果准确，可作为本品内在质量的控制方法。测定方法考察及验证结果如下。

1. 方法考察与结果

1.1 色谱条件

以十八烷基硅烷键合硅胶为填充剂；以乙腈-0.5%磷酸二氢钾（40：60），用磷酸（调pH值为3.2）为流动相；进样量10 μl，柱温40 ℃，流速0.8 ml/min。用紫外-可见分光光度计在200~800 nm进行扫描，华蟾酥毒基对照品在293.8 nm波长处有最大吸收，酯蟾毒配基对照品在297.5 nm波长处有最大吸收，参照中国药典2010年版一部"蟾酥"含量测定项下的检测波长[23]，确定检测波长为296 nm。详见图7、图8。

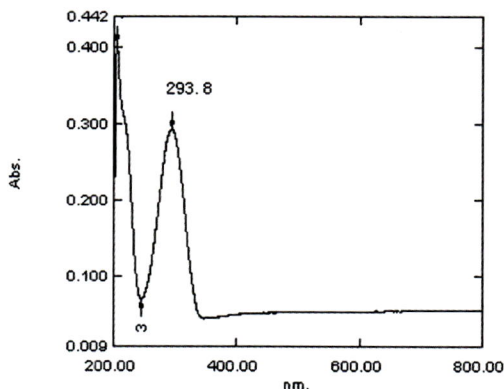

图7　华蟾酥毒基对照品紫外扫描图

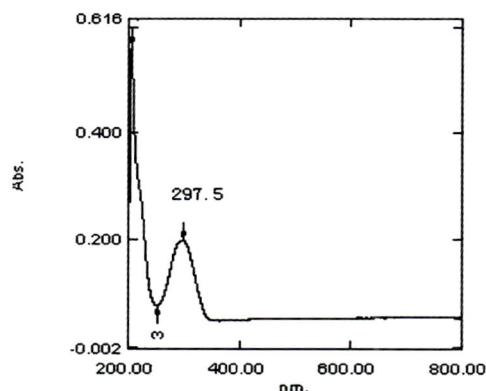

图8　酯蟾毒配基对照品紫外扫描图

1.2 提取方法

1.2.1 提取方法考察

取本品（CCP-5）粉末（过六号筛）2 g，精密称定，共4份，精密加入甲醇30 ml，称定重量，每2份分别加热回流1小时或超声处理（功率400 W，频率40 kHz）1小时，放至室温，再称定重量，用甲醇补足减失的重量，摇匀，滤过，弃去初滤液，取续滤液，用微孔滤膜过滤，即得。结果：加热回流提取华蟾酥毒基、酯蟾毒配基以及两者的总量均高于超声提取，故确定提取方法为加热回流。详见表5。

表5 提取方法考察结果

提取方法	华蟾酥毒基含量（%）	酯蟾毒配基含量（%）	总量（%）
回流提取	0.077	0.051	0.13
超声提取	0.025	0.021	0.049

1.2.2 提取溶剂考察

取本品（CCP-5）粉末（过六号筛）2 g，精密称定，共6份，每2份分别精密加入甲醇30 ml、乙醇30 ml、氯仿30 ml，称定重量，加热回流提取1小时，放至室温，再称定重量，用甲醇补足减失的重量，摇匀，滤过，弃去初滤液，取续滤液，用微孔滤膜过滤，即得。结果：氯仿提取供试液色谱图分离效果较差，甲醇提取和乙醇提取的供试液色谱图分离效果较好，无杂质峰干扰，且两种溶剂提取的含量差异不大，故确定甲醇为提取溶剂。详见表6。

表6 提取溶剂考察结果

提取溶剂	华蟾酥毒基含量（%）	酯蟾毒配基含量（%）	总量（%）
甲醇	0.077	0.051	0.13
乙醇	0.077	0.050	0.13
氯仿	分离效果不佳	分离效果不佳	

1.2.3 提取条件优化

采用正交设计方法，以华蟾酥毒基和酯蟾毒配基为考核指标，对药材破碎度、提取溶剂浓度、提取时间、提取溶剂量等"四因素三水平"进行考察。根据试验结果确定本品供试品溶液的制备方法为：取本品粉末（过六号筛）2.0 g，精密称定，置具塞锥形瓶中，精密加入甲醇30 ml，称定重量，加热回流1小时，放冷，再称定重量，用甲醇补足减失的重量，摇匀，滤过，取续滤液，用微孔滤膜过滤，即得。

2. 方法学验证与结果

2.1 线性及范围

取华蟾酥毒基对照品溶液（97.5 μg/ml），分别精密吸取0.5 ml、2 ml、4 ml、6 ml、8 ml、10 ml置10 ml量瓶中，各加甲醇稀释至刻度，摇匀，作为不同浓度的对照品溶液。

将上述对照品溶液按正文拟定的色谱条件分别进样10 μl，以对照品的进样量（μg）为横坐标，峰面积为纵坐标，绘制标准曲线，结果表明：当华蟾酥毒基对照品进样量在0.0488~0.975 μg范围内时，进样量与峰面积呈良好的线性关系，回归方程为：$Y = 9.71 \times 10^5 X + 540$，$r = 0.9999$。

取酯蟾毒配基对照品溶液（100 μg/ml），分别精密吸取0.5 ml、2 ml、4 ml、6 ml、8 ml、10 ml置10 ml量瓶中，各加甲醇稀释至刻度，摇匀，作为不同浓度的对照品溶液。

将上述对照品溶液按正文拟定的色谱条件分别进样10 μl，以对照品的进样量（μg）为横坐标，峰面积为纵坐标，绘制标准曲线，结果表明：当华蟾酥毒基对照品进样量在0.05~1.0 μg范围内时，进样量与峰面积呈良好的线性关系，回归方程为：$Y=9.6 \times 10^5 X+6769$，$r=0.9997$。

2.2 精密度试验

2.2.1 重复性

取同一份供试品溶液（CCP-5），按正文拟定的色谱条件，连续测定5次。结果：5次测定的华蟾酥毒基峰面积平均值为336791，RSD=0.78%（$n=5$）；酯蟾毒配基峰面积平均值为361647，RSD=0.55%（$n=5$）。表明本法的精密度良好。

2.2.2 重现性

取同一批供试品（CCP-5）粉末2 g，精密称定，按正文的方法平行测定6份，结果：6份样品测得华蟾酥毒基含量的平均值为0.063%，RSD=2.41%（$n=6$）；6份样品测得酯蟾毒配基含量的平均值为0.056%，RSD=1.46%（$n=6$）。表明本法的重现性较好。

2.3 准确度试验

精密称取已知含量（华蟾酥毒基含量为0.062%，酯蟾毒配基含量为0.056%）的供试品（CCP-5）粉末1 g，共6份，精密称定，分别精密加入华蟾酥毒基（0.0172 mg/ml）及酯蟾毒配基（0.0155 mg/ml）混合对照品甲醇溶液30 ml。按正文拟定的方法提取、测定，计算加样回收率。结果：测定华蟾酥毒基含量平均回收率为95.54%，RSD为1.24%（$n=6$）；酯蟾毒配基含量平均回收率为103.76%，RSD为1.18%（$n=6$）。

2.4 耐用性试验

2.4.1 色谱柱的考察

分别采用不同品牌的色谱柱（ODS HYPERSIL C18、Sapphire C18、Kromasil 100-5 C18，三根色谱柱的规格均为：5 μm，4.6 mm × 250 mm）测定样品（CCP-5）中的华蟾酥毒基和酯蟾毒配基总含量。结果：三根色谱柱测定总量平均值为0.122%，RSD=2.94%（$n=3$）。

2.4.2 色谱仪的考察

分别采用不同品牌的色谱仪（岛津LC-20A型、Agilent 1200型）测定样品（CCP-5）中华蟾酥毒基和酯蟾毒配基的总含量。结果：两台色谱仪测定结果平均值为0.122%，RAD=0.60%（$n=2$）。

2.5 样品测定及含量限度制定

按正文含量测定方法，测定了本品10批样品中的华蟾酥毒基和酯蟾毒配基的总含量（详见表7），据最高值、最低值及平均值，并考虑药材来源差异情况，暂定本品总含量限度为不得少于0.040%。

表7　10批样品测定结果

编号	采集（收集）地点/批号	总含量（%）
CCP-1	广西玉林药市	0.047
CCP-2	广西玉林药市	0.045
CCP-3	广西全州县	0.10
CCP-4	广西玉林药市	0.12
CCP-5	广西隆安县	0.12

続表

编号	采集（收集）地点/批号	总含量（%）
CCP–6	广西南宁市	0.22
CCP–7	广西上林县	0.19
CCP–8	广西靖西县	0.11
CCP–9	广西全州县	0.021
CCP–10	广西全州县	0.19
CCP–3–FH	广西全州县	0.082
CCP–7–FH	广西上林县	0.071
CCP–8–FH	广西靖西县	0.106

　　空白溶剂（甲醇）HPLC图、华蟾酥毒基对照品HPLC图、酯蟾毒配基对照品HPLC图、蟾蜍皮样品HPLC图分别见图9、图10、图11、图12。

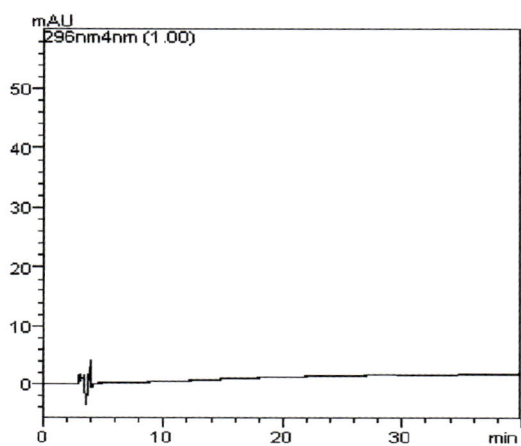

图9　空白溶剂（甲醇）HPLC图

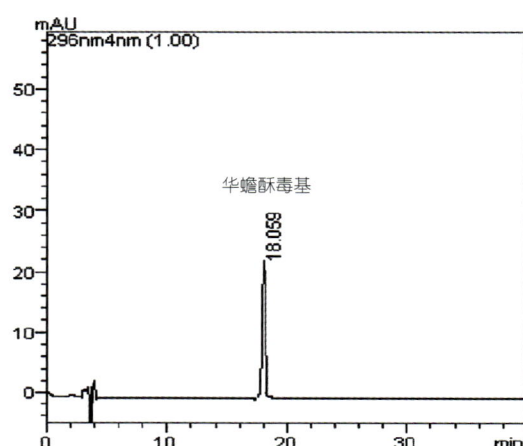

图10　华蟾酥毒基对照品HPLC图

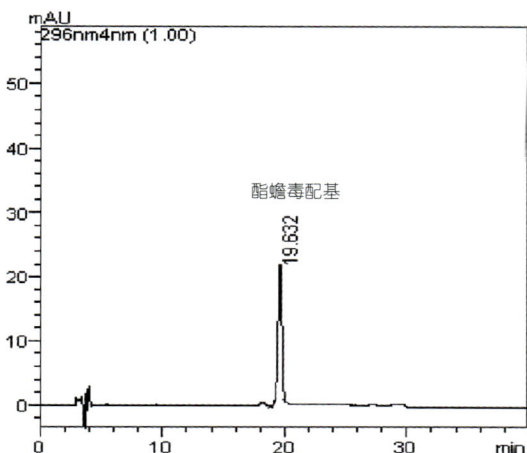

图11　酯蟾毒配基对照品HPLC图

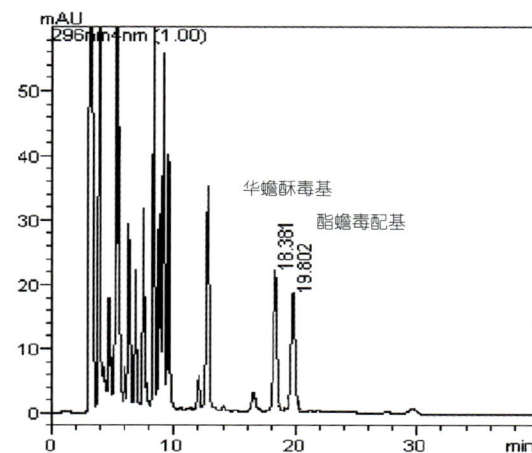

图12　蟾蜍皮样品HPLC图

参考文献

[1] 徐树楠，牛兵占. 中国经典通释神农本草经 [M]. 石家庄：河北科学技术出版社，1994：14.

[2] 明·李时珍. 本草纲目 [M]. 北京：人民卫生出版社，1998：1556.

[3] 清·赵学敏. 本草纲目拾遗 [M]. 北京：北京中医药出版社，1998：435.

[4] [13] 国家中医药管理局《中华本草》编委会. 中华本草：第九分册 [M]. 上海：上海科学技术出版社，2000：356-361.

[5] [14] 江苏新医学院. 中药大辞典：下册 [M]. 上海：上海科学技术出版社，1986：713.

[6] [15] 梁启成，钟鸣. 中国壮药学 [M]. 南宁：广西民族出版社，2005：411.

[7] [16] 陈玉俊，项进，顾维，等. 干蟾化学成分的研究 [J]. 中国中药杂志，1998，23（10）：620-621.

[8] [17] 杨立宏，金向群，张薇. 中华大蟾蜍皮化学成分研究 [J]. 沈阳药科大学学报，2000，17（4）：292-295.

[9] [18] 赵大洲，陈继永，秦勇，等. 中华大蟾蜍蟾酥与蟾皮化学成分的比较分析 [J]. 天津药学，2006，18（4）：21-24.

[10] 张贵君. 中药鉴定学 [M]. 北京：科学出版社，2002：466-467.

[11] 张英，邱鹰昆，陈继勇，等. 中华大蟾蜍皮的化学成分 [J]. 沈阳药科大学学报，2007，24（8）：484-487.

[12] 徐乃玉，顾振纶. 中华大蟾蜍皮无机元素初步分析 [J]. 中成药，2003，25（9）：748-749.

[19] 李亚芳，胡晓炜. 反相高效液相色谱法测定梅花点舌丸中酯蟾毒配基、华蟾毒配基的含量 [J]. 中国药房，2002，13（6）：362-363.

[20] 张萍，王峰，林瑞超. 液相色谱法测定强力救心滴丸中蟾酥的华蟾酥毒基和酯蟾毒配基含量 [J]. 药物分析杂志，2005，25（4）：436-438.

[21] 张电光，曾凡. 活心丸中脂蟾毒配基的高效液相色谱法含量测定 [J]. 广东药学院学报，2001，17（2）：113-115.

[22] [23] 国家药典委员会. 中华人民共和国药典2010年版一部 [M]. 北京：中国医药科技出版社，2010：360.

药学编著： 黄瑞松　刘　婧　潘红平
药学审校： 广西壮族自治区食品药品检验所

《广西壮族自治区壮药质量标准标准第二卷（2011年版）》医学部分注释说明

《广西壮族自治区壮药质量标准第二卷（2011年版）》
医学部分注释说明

  壮医药有着悠久的历史和丰富的内涵。经过30多年全面系统地发掘整理和研究提高，壮医理论体系已于2002年2月在南宁通过成果鉴定并荣获广西科学技术进步奖二等奖。专家认为"壮医"从此可称为"壮医学"。2008年2月，国家医师资格考试委员会批准壮医开展执业医师资格考试，标志着壮医与中医、藏医、蒙医、维吾尔医、傣医、朝医一样，具有了国家认可的合法执业资格。正如卫生部副部长、国家中医药管理局局长王国强同志所指出的："壮医药成为我国缺乏文字记载中的第一个通过整理形成比较完备的理论体系，进入国家医师资格考试序列和具有医疗、保健、教育、科研、文化、产业体系的民族医药，在我国中医药和民族医药事业发展中的地位迅速提升，有了更加重要的地位。"

  经过发掘整理、研究提高而形成的壮医理论，其基本内容大抵可以表述为：一、阴阳为本、三气（天、地、人）同步——壮医的天人自然观；二、脏腑气血骨肉，谷道、水道、气道，龙路、火路——壮医的生理病理观；三、毒虚致病——壮医的病因病机论；四、数诊合参，重视目诊——壮医的重要诊断特色；五、调气解毒补虚——壮医的基本治疗原则。此外还有壮医对病症名称的认识以及辨证的基本方法，对针灸及药物治疗作用的认识，对预防疾病和康复保健的认识，等等。壮医认为疾病的产生，是阴阳不平衡，天、地、人三气不同步，三道两路及脏腑气血功能失调的结果。究其原因，主要是毒和虚两大因素所致，因而将调气、解毒、补虚作为总的治疗原则。在临床上以辨病为主，辨病与辨证相结合。辨证，主要是辨阴证和阳证。在诊断上，主张望诊、闻诊、问诊、按诊（含脉诊）数诊合参，综合判断，尤其强调目诊、甲诊的作用并积累了丰富的经验。在疾病的分类上，一般将疾病分为痧、瘴、蛊、毒、风、湿以及谷道病、气道病、水道病、龙路病、火路病等大类，每大类下又包括若干种具体的疾病。在调气、解毒、补虚总的治疗原则下，根据各种病证的具体情况，灵活应用壮医内治法、外治法或内外治结合的方法。包括壮药内服、外用，以及壮医针法、灸法、刮法、熏法、洗法、拔罐、敷贴佩带、经筋按摩等丰富多彩的治疗技法。其中壮医药线点灸疗法、壮医药物竹罐疗法、壮医经筋综合疗法等已在临床上推广应用。特别是壮医药线点灸疗法已作为国家级非物质文化遗产加以保护和传承。在组方理论上，中医遵循的是君臣佐使理论，而壮医遵循的是主药帮药、公药母药合理配伍的原则。主药帮药针对已经确诊的病症，公药母药则针对阴证和阳证。壮药在临床上应用主要依据的是性味及功能主治，而无归经一说。

  在壮医理论和经验指导下应用于防病治病和卫生保健的壮药及其制剂，具有鲜明的民族性、传统性和地域性特点。《广西壮族自治区壮药质量标准》第一、第二卷共收载常用

壮药375种（第一卷收载164种，第二卷收载211种）。其中对水银花等74个品种进行了较全面的质量研究，大幅度地提高了壮药质量标准水平。

在壮药质量标准的起草过程中，我们对于医学部分的内容，要求做到中医、壮医兼顾，尽量突出壮医特色。各种药材的壮文名，是根据该品种产地壮族民间习用名称，结合药用部位来加以命名。药材壮文名的壮文翻译，使用的是1957年11月国家正式推行、1982年3月修订的新壮文，以广西武鸣壮话为标准音，并经专家审定。药材的性味归经、功能主治、用法用量，是根据《中药大辞典》、《中华药海》以及《中国壮药学》、《中国壮药材》、《广西本草选编》、《历代壮族医药史料荟萃》等中医药、壮医药文献记载，以及民间壮医和广西壮医医院的临床经验确定。壮医的名词术语，特别是壮医的病症名称，要求相对规范统一。特别是不能与壮医执业医师资格考试大纲相冲突。有些壮医病症名称还用括号在其后注以相应或相当的中西医病症名称。附录七《常用壮医的名词解释》列出119个壮医常用名词的现代医学解释，以利于临床应用、产业开发和学术交流。

为了彰显壮医、中医在临床应用上的异同，我们对列入标准的部分药材的性味与归经、功能与主治，列表进行比较和对照，突出了壮医的性味和功能主治。

医学编者： 黄韩儒　王柏灿　李　珪　容小翔
　　　　　　 曾振东　严付江　梁定仁
医学审校： 广西民族医药协会

部分药材的中医、壮医临床应用异同对照表

附：部分药材的中医、壮医临床应用异同对照表

药名	页码	中医		壮医	
		性味归经/用法用量	功能与主治	性味归经/用法用量	功能与主治
一匹绸	3	辛		微酸	
丁茄根	5		无		主治：埃病（咳嗽），墨病（哮喘）
刀豆	8		无		主治：东郎（食滞）
三七叶	9		无		主治：阿闷（胸痛），胴尹（胃痛），林得叮相（跌打损伤），京尹（月经痛），产后腹痛
三七花	11	凉	功能：清热，平肝，降压 主治：无	微苦、微热	功能：通龙路、火路，补血虚、止血，消肿止痛 主治：产呱耐（产后血虚），陆裂（咳血），渗裂（吐血、衄血），阿意勒（便血），兵淋勒（崩漏），阿闷（胸痛）、胴尹（胃痛），林得叮相（跌打损伤），京尹（月经痛），产后腹痛
三角泡	14		无		主治：货烟妈（咽炎），埃百银（百日咳）
土太片	16		无		主治：墨病（哮喘），渗裂（吐血），钵农（肺结核），埃病（咳嗽），漏精（遗精），能蚌（黄疸），林得叮相（跌打损伤）
大叶桉	19	性平	功能：燥湿解毒 主治：无	性凉	功能：祛风毒，杀虫止痒 主治：阿意咪（痢疾），疟疾
大钻	23		无		主治：夺扼（骨折），麻邦（中风）
广钩藤	28		无		主治：血压嗓（高血压），胴尹（胃痛），扭像（扭挫伤），发旺（痹病）
小茴香	29		功能：理气和胃 主治：无		功能：补肾虚 主治：京瑟（闭经），瀨幽（遗尿），勒爷发得（小儿发热），卟哏（小儿厌食症）
小钻	31	无	无	微甜	主治：麻邦（中风），埃病（咳嗽）
飞扬草	36		无		主治：笨浮（水肿），渗裆相（烫伤）
无根藤	44	淡		甜、苦	
木鳖子	46	有毒	无	无	功能：止痛 主治：牙痛，发旺（痹病）
五指毛桃	47	平		微热	
五指那藤	49		无		主治：三叉神经痛，坐骨神经痛，急性肾炎
毛冬青	52		功能：凉血、活血，通脉，消炎解毒 主治：无		功能：解痧毒，清热毒，通龙路 主治：痧病，货烟妈（咽痛），血压嗓（高血压）
水半夏	66		功能：燥湿化痰，止咳		功能：调气道，祛寒毒，除湿毒

续表

药名	页码	中医		壮医	
		性味归经/用法用量	功能与主治	性味归经/用法用量	功能与主治
水田七	67	有毒		无	
水罗伞	69	无		微酸	
水蛭	73		无		主治：委哟（阳痿），子宫瘤北（子宫肌瘤），高脂血症
功劳木	75		无		主治：埃病（咳嗽），墨病（哮喘），啊肉甜（糖尿病）
石上柏	79		无		主治：隆芡（痛风），火眼
石菖蒲	80		无		主治：笨浮（水肿），发旺（痹病）
石崖茶	85		无		主治：阿意咪（痢疾），血压嗓（高血压），高脂血症
四块瓦	92		无		主治：兵淋嘞（功能性子宫出血）
仙人掌	95		无		主治：渗裂（咯血、吐血），心跳（心悸），年闹诺（失眠），航靠谋（腮腺炎）
仙茅	97	热	无	温	主治：更年期综合征
仙鹤草	99		无		主治：蛊病（肝硬化腹水）
鸟不企	111		无		主治：阿意咪（痢疾），呗奴（瘰病）
丢了棒根	126		无		主治：白冻（泄泻）
血风藤	127	无	功能：补气血，强筋骨，舒经络	淡	功能：祛风毒，除湿毒
血党	129	平	无	寒	功能：补血虚 主治：诺嚎哒（牙周炎、牙髓炎），勒内（贫血）
刘寄奴	131		无		主治：东郎（食滞），盆腔炎
决明子	132		无		主治：年闹诺（失眠）
冰糖草	134		无		主治：呗农（痈疮），丹毒
阴香皮	136	6~9 g，或1.5~3 g，研末服		10 g	
红杜仲	138		无		主治：委哟（阳痿）
苏木	142	无	无	微辣	主治：白癜风，阿意咪（痢疾），破伤风，痂（癣）
杜仲	144		无		功能：补虚 主治：丘哟（痿症），勒内（血虚），血压嗓（高血压）
牡荆叶	146		无		功能：除湿毒，祛风毒 主治：痧病，瘴病，胴尹（胃痛），腊胴尹（腹痛），白冻（泄泻），阿意咪（痢疾），脚气肿胀，风疹瘙痒，痂（癣）
何首乌	148		功能：消痈，截疟 主治：无		功能：补血虚 主治：勒内（血虚），高血脂，胴尹（胃痛）
伸筋草	150		无		主治：勒爷狠风（小儿惊风），小儿麻痹后遗症，能蚌（黄疸），肺痨咳嗽，呗农（痈疮），奔呗郎（带状疱疹），渗裆相（烫伤），外伤出血
灵芝	154		无		主治：血压嗓（高血压），冠心病，慢性肝炎，矽肺

《广西壮族自治区壮药质量标准第二卷（2011年版）》注释

药名	页码	中 医		壮 医	
		性味归经/用法用量	功能与主治	性味归经/用法用量	功能与主治
灵香草	156		无		功能：止痛
青天葵	162		无		主治：渗裂（过敏性紫癜）
茉莉根	166		功能：麻醉		功能：解寒毒，散瘀
枇杷叶	170	无	无	微辣	主治：渗裂（衄血、吐血），哪呷（面瘫），酒渣鼻
肾茶	174	微苦	石淋	淡	主治：笨浮（水肿），尿路结石，胆结石
肾蕨	176	微涩		无	
罗汉茶	178		无		主治：货烟妈（咽炎）
佩兰	182		无		主治：白冻（泄泻）
金花茶叶	187		无		主治：能蚌（黄疸），血压嗓（高血压），水盅（肝硬化腹水），预防癌症
金樱子	189		无		功能：补阴虚
泽泻	191	淡		无	
南蛇簕	202		无		主治：夺扼（骨折），麦蛮（风疹）
栀子	203		无		主治：巧尹（头痛），笨浮（水肿），血压嗓（高血压），渗裂（血症）
威灵仙	207	无	无	微苦	主治：牙痛，肉卡（癃闭），诸骨哽喉
鸦胆子	213		无		主治：瘴病，楞涩（鼻炎），仲嘿唥尹（痔疮），隆白呆（带下），额哈（毒蛇咬伤）
韭菜	215	无	无	甜	主治：优平（汗症）
香附	218		无		功能：安胎 主治：巧尹（头痛），鹿（呕吐），咪裆胴尹（孕娠腹痛），兵淋勒（崩漏），隆白呆（带下），胎动不安
香茅	220		无		主治：瘴病（疟疾），巧尹（头痛）
重楼	221		无		主治：图爹病（肝硬化腹水），能蚌（黄疸）
姜黄	224		无		主治：活邀尹（颈椎病）
扁担藤	226	酸，平		涩，温	
夏枯草	230		无		主治：血压嗓（高血压），能蚌（黄疸），面瘫（口眼㖞斜），兵吟（筋病），钵农（肺痈），兵淋嘞（崩漏），隆白呆（带下），笨埃（甲状腺肿大）
鸭脚木皮	232	无	无	辣	主治：渗裆相（烧伤），呗（无名肿毒），肝炎
鸭跖草	233		无		主治：瘴病，航靠谋（腮腺炎），血压嗓（高血压），能蚌（黄疸）
铁包金	234	淡	无	苦	功能：解热毒，除湿毒
铁苋菜	235		无		主治：喯疳（疳积），埃病（咳嗽），阿意囊（便秘），麦蛮（风疹），额哈（毒蛇咬伤）
笔管草	236		无		主治：能蚌（黄疸），肉扭（淋证）

续表

药名	页码	中医		壮医	
		性味归经/用法用量	功能与主治	性味归经/用法用量	功能与主治
凉粉草	240		无		主治：发旺（痹病），肉扭（淋证）
益母草	241		无		主治：兵淋嘞（功能性子宫出血），产后瘀血痛，隆白呆（带下），林得叮相（跌打损伤），肉扭（淋证）
海金子	244	苦	无	无	功能：调巧坞 主治：年闹诺（失眠）
海金沙	245		无		主治：能蚌（黄疸），隆白呆（带下）
桑叶	247		无		主治：年闹诺（失眠）
桑寄生	249		功能：补肝肾 主治：无		功能：补虚 主治：胴尹（胃痛），体虚，产呱嘻馁（缺乳），委哟（阳痿），漏精（遗精），林得叮相（跌打损伤），呗农（痈疮）
桑椹	251		无		主治：答网（视力下降）
黄牛木叶	252	无		淡	
黄藤	255		无		主治：肉扭（淋证）
蕲蒉	257		无		主治：东郎（食滞），兵西弓（急性阑尾炎）
救必应	261		无		主治：渗裆相（烧伤）
曼陀罗叶	265		无		功能：祛风定惊
银杏叶	266		无		主治：心跳（心悸），血压嗓（高血压），啊肉甜（糖尿病）
甜茶	269	无	无	凉	主治：瘴病，啊肉甜（糖尿病），血压嗓（高血压），肉扭（尿路感染）
假蒟	270	15~30 g		10~15 g，水煎服	
假鹰爪	271	温		热	
猫爪草	272		无		主治：癌症
猫豆	273	温		热	
紫苏叶	284		无		功能：化痰，安胎 主治：瘀病，东郎（食滞），腊胴尹（腹痛），白冻（泄泻），阿意咪（痢疾），胎动不安，产呱忍勒卟叮（产后恶露不尽），呗嘻（乳痈）
蛞蝓	287		无		主治：兵嘿细勒（疝气），京瑟（闭经），蜈蚣咬伤
鹅不食草	288		无		功能：消肿 主治：瘀病
粪箕笃	290	寒	无	涩，平	主治：阿意囊（便秘）
赪桐	292	辛	无	酸，微涩	功能：除湿毒 主治：阿意咪（痢疾）
蒲公英	294		无		功能：除湿毒 主治：胴尹（胃痛）
槐花	296		无		功能：除湿毒 主治：陆裂（咳血），火眼（急性结膜炎）
路边青	298		无		主治：火眼（急性结膜炎）
路路通	301		无		主治：巧尹（头痛）

药名	页码	中 医		壮 医	
		性味归经/用法用量	功能与主治	性味归经/用法用量	功能与主治
蜈蚣	303		痉挛抽搐		主治：狠风（高热抽搐），发羊癫（癫痫），呗奴（颈淋巴结结核），痂怀（牛皮癣）
锡叶藤	307	酸，平		苦，凉	
满山香	312	凉		无	
榕树叶	314		无		主治：扭像（扭挫伤）
榕树须	315		无		主治：发旺（痹病），骨质增生症，唉百银（百日咳），货烟妈（咽痛），火眼（急性结膜炎），腊胴尹（腹痛），鼻衄，肉扭（淋证）
蔓荆子	316		无		主治：火眼（急性结膜炎），白内障，发旺（痹病）
豨莶草	318	无	无	有小毒	主治：缩印糯哨（瘰疬），血压嗓（高血压），笨浮（慢性肾炎），瘴病，额哈（毒蛇咬伤）
辣蓼	320		无		主治：喯疳（疳积）
磨盘草	325	无		凉	
蟾蜍皮	327	苦		辣	
鳖甲	329		无		主治：瘴病

部分药材的中医、壮医临床应用异同对照表

索　引

中文索引（按拼音排列）

汉语拼音索引

索引

拉丁名索引

《广西壮族自治区壮药质量标准第二卷（2011年版）》注释

拉丁学名索引

索
引

壮药名索引

（按拼音顺序排列）

《广西壮族自治区壮药质量标准第二卷（2011年版）》注释

索

引

壮文名索引